# EDEXCEL A LEVEL Includes AS

Yesmin

Langs
440.2

# FRENCH

AMY GREGG
ROD HARES
KARINE HARRINGTON
WENDY O'MAHONY
KIRSTY THATHAPUDI

HODDER
EDUCATION
AN HACHETTE UK COMPANY

In order to ensure that this resource offers high-quality support for the associated Pearson qualification, it has been through a review process by the awarding body. This process confirms that this resource fully covers the teaching and learning content of the specification or part of a specification at which it is aimed. It also confirms that it demonstrates an appropriate balance between the development of subject skills, knowledge and understanding, in addition to preparation for assessment.

Endorsement does not cover any guidance on assessment activities or processes (e.g. practice questions or advice on how to answer assessment questions), included in the resource nor does it prescribe any particular approach to the teaching or delivery of a related course.

While the publishers have made every attempt to ensure that advice on the qualification and its assessment is accurate, the official specification and associated assessment guidance materials are the only authoritative source of information and should always be referred to for definitive guidance.

Pearson examiners have not contributed to any sections in this resource relevant to examination papers for which they have responsibility.

Examiners will not use endorsed resources as a source of material for any assessment set by Pearson.

Endorsement of a resource does not mean that the resource is required to achieve this Pearson qualification, nor does it mean that it is the only suitable material available to support the qualification, and any resource lists produced by the awarding body shall include this and other appropriate resources.

The publisher would like to thank Ginny March for her excellent work as development editor of this title and Marie Nunes for her hard work in reviewing this book.

Amy Gregg dedicates her contribution to this book to her dear mother who went to glory during the writing of it. She was her inspiration, truest critic and greatest support. Forever loved and missed.

Rod Hares wishes to dedicate his work on this book to the memory of his French father-in-law, Jean Schnebelen, decorated by the French Resistance for his courage and for the saving of French life during the Second World War. Rod also wishes to thank his wife, Marie-Hélène, for all her patient checking of his material and proofs.

Wendy O'Mahony would like to thank Sylvaine Massini, who spoke of her childhood memories of the original shantytown in Lyon when Wendy was writing on *Le Gone du chaâba*. Wendy would also like to thank Geneviève Seguin, Monique Laurent, Nandor Liebl and the ladies of the MJC at Neuville-sur-Saône.

Hachette UK's policy is to use papers that are natural, renewable and recyclable products and made from wood grown in sustainable forests. The logging and manufacturing processes are expected to conform to the environmental regulations of the country of origin.

Orders: please contact Bookpoint Ltd, 130 Park Drive, Milton Park, Abingdon, Oxon OX14 4SE. Telephone: (44) 01235 827720. Fax: (44) 01235 400454. Email education@bookpoint.co.uk

Lines are open from 9 a.m. to 5 p.m., Monday to Saturday, with a 24-hour message answering service. You can also order through our website: www.hoddereducation.co.uk

ISBN: 978 1 4718 5816 1     36494

© Amy Gregg, Rod Hares, Karine Harrington, Wendy O'Mahony and Kirsty Thathapudi 2016

First published in 2016 by

Hodder Education,
An Hachette UK Company
Carmelite House
50 Victoria Embankment
London EC4Y 0DZ

www.hoddereducation.co.uk

Impression number   10 9 8 7 6 5 4 3 2

Year       2020 2019 2018 2017 2016

Cover photo reproduced by permission of adisa/Fotolia

Typeset by Lorraine Inglis

Printed in Italy

A catalogue record for this title is available from the British Library.

# CONTENTS

## Thème 1    Les changements dans la société française

## Thème 2    La culture politique et artistique dans les pays francophones

# Littérature et films

# Thème 3    L'immigration et la société multiculturelle française

# Recherches personnelles et présentation

# Thème 4   L'Occupation et la Résistance

# Thèmes 1 et 2 revisités

# La France

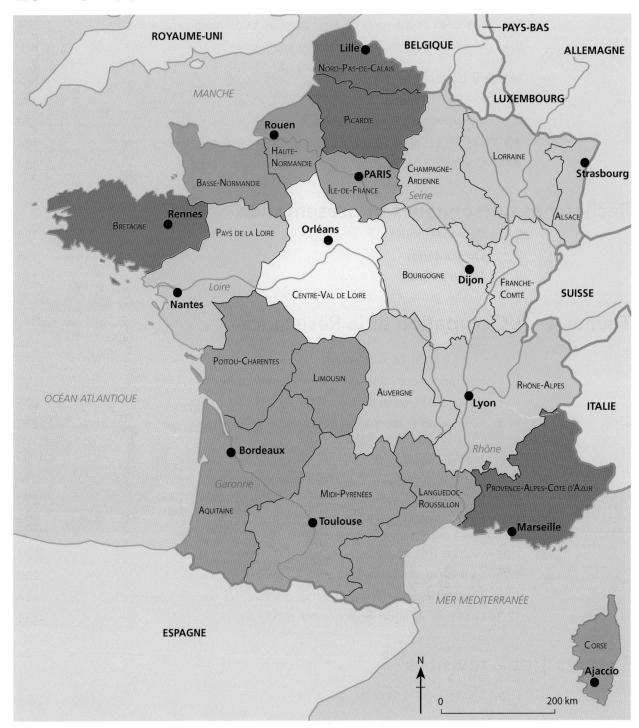

ROYAUME-UNI

BELGIQUE

PAYS-BAS

ALLEMAGNE

MANCHE

Lille

Nord-Pas-de-Calais

LUXEMBOURG

Rouen

Picardie

Lorraine

Strasbourg

Haute-Normandie

PARIS

Champagne-Ardenne

Basse-Normandie

Île-de-France

Seine

Alsace

Bretagne

Rennes

Pays de la Loire

Orléans

Loire

Bourgogne

Dijon

Franche-Comté

SUISSE

Nantes

Centre-Val de Loire

Poitou-Charentes

Limousin

Auvergne

Rhône-Alpes

OCÉAN ATLANTIQUE

Lyon

ITALIE

Rhône

Bordeaux

Garonne

Midi-Pyrénées

Languedoc-Roussillon

Provence-Alpes-Côte d'Azur

Aquitaine

Toulouse

Marseille

MER MÉDITERRANÉE

ESPAGNE

N

Corse

Ajaccio

0    200 km

# Les pays et les territoires francophones

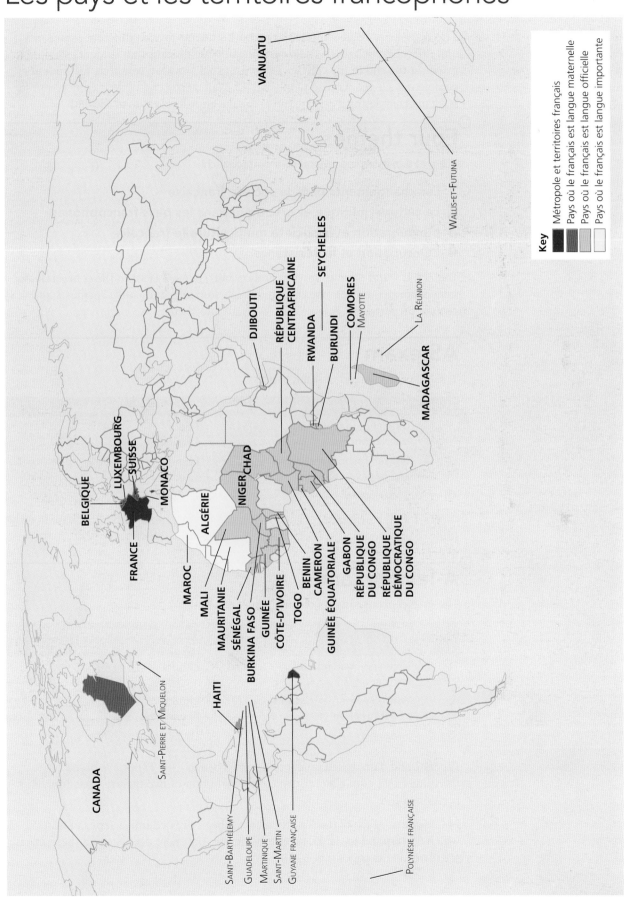

**Key**
- Métropole et territoires français
- Pays où le français est langue maternelle
- Pays où le français est langue officielle
- Pays où le français est langue importante

VANUATU

WALLIS-ET-FUTUNA

RÉPUBLIQUE CENTRAFRICAINE

SEYCHELLES

DJIBOUTI

RWANDA

BURUNDI

COMORES

MAYOTTE

LA RÉUNION

MADAGASCAR

LUXEMBOURG

SUISSE

MONACO

BELGIQUE

NIGER

CHAD

ALGÉRIE

FRANCE

MAROC

MALI

MAURITANIE

SÉNÉGAL

BURKINA FASO

GUINÉE

CÔTE-D'IVOIRE

TOGO

BENIN

CAMEROUN

GUINÉE ÉQUATORIALE

GABON

RÉPUBLIQUE DU CONGO

RÉPUBLIQUE DÉMOCRATIQUE DU CONGO

SAINT-PIERRE ET MIQUELON

CANADA

HAÏTI

SAINT-BARTHÉLEMY

GUADELOUPE

MARTINIQUE

SAINT-MARTIN

GUYANE FRANÇAISE

POLYNÉSIE FRANÇAISE

# About the AS and A-level exams

This course has been compiled to prepare students for two different exams: AS and A-level French. Both exams are linear, which means that students sit all their exams at the end of the course. The most usual situation would be for students completing a 1-year course to take an AS exam at the end of their course, and for students completing a 2-year course to take an A-level exam at the end.

## Four themes

Edexcel has listed four themes for you to study:

**1 Les changements dans la société française**
**2 La culture politique et artistique dans les pays francophones**
**3 L'immigration et la société multiculturelle française**
**4 L'Occupation et la Résistance**

Themes 1, 3 and 4 focus only on France, but Theme 2 is set in the context of any francophone countries or communities. AS students study only Themes 1 and 2. If you are preparing for A-level, you study all four themes.

## AS exam

The AS exam consists of three papers:

| Paper | Skills | Marks | Timing | Proportion of AS |
|---|---|---|---|---|
| 1 | Listening, reading and translation | 64 | 1 hour 45 minutes | 40% |
| 2 | Written response to works and translation | 60 | 1 hour 40 minutes | 30% |
| 3 | Speaking | 72 | 27–30 minutes | 30% |

Papers 1 and 3 are based on content from Themes 1 and 2. Paper 2 is based on the study of one literary text *or* one film from a prescribed list.

## A-level exam

The A-level exam consists of three papers:

| Paper | Skills | Marks | Timing | Proportion of A-level |
|---|---|---|---|---|
| 1 | Listening, reading and translation | 80 | 2 hours | 40% |
| 2 | Written response to works and translation | 120 | 2 hours 40 minutes | 30% |
| 3 | Speaking | 72 | 21–23 minutes | 30% |

Papers 1 and 3 are based on content from Themes 1–4. Paper 2 is based on the study *either* of one literary text and one film *or* of two literary texts from a prescribed list.

In this course, each of the four themes has been divided into a series of units, which correspond to the Edexcel sub-themes. For more details about these, please see the contents pages (pp. 3–5).

# Grammar

The grammar lists for AS and A-level French are similar, but there are a few more sophisticated grammar points that you need to master only at A-level. For details about which grammar points apply just to AS, please refer to the Edexcel specification. The grammar points are introduced and practised throughout the course. For the complete list of grammar points covered in this book, refer to the grammar index on page 261.

# Literary texts and films

In the middle of this book is a section that offers a taster spread on most of the films and texts in the specification. You can find spreads on the other texts and films in the specification by visiting: **www.hoddereducation.co.uk/mfl-film-and-literature**. Some of the works can be studied only at A-level. Please refer to the Edexcel specifications for the prescribed lists for AS and A-level.

# More information about the AS and A-level exam papers

## Paper 1

In this exam you have to listen and respond to spoken passages from a range of contexts from the themes (two themes for AS and four for A-level). All the questions are in French. The reading and listening passages in this book offer you plenty of practice at this type of task. In the exam you are also asked to carry out a short translation from French to English. No access to a dictionary is allowed.

## Paper 2

At the start of the paper, there is a translation of a text from English to French of about 100 words. In the AS exam this is followed by an essay of about 275–300 words based on a literary work or a film. For each work there are two questions to choose from, each requiring a critical response about aspects such as the key issues covered, the characters or other stylistic features appropriate to the work studied. Bullet points are given for guidance with structuring the essay and deciding which features to discuss.

The A-level exam requires two essays, each about 300–350 words, based on either two literary texts or one text and one film. These essays require a critical and analytical response, and this time you are expected to structure your own essays and decide how best to respond to the question. No access to dictionaries, texts or films is allowed during the assessment.

## Paper 3

At AS, paper 3 consists of two discussion tasks:
- In task 1 you respond to two short texts from Theme 1 followed by a wider discussion on the theme. This should take 7–9 minutes.
- Task 2 is a discussion from Theme 2 and lasts 5–6 minutes. You have a choice from two sub-themes for this task.

You have 15 minutes to prepare for both tasks. You may make notes during this time.

At A-level, Paper 3 consists of two different types of task:
- Task 1 is a discussion on a sub-theme (from a choice of two). This should last 6–7 minutes. You have 5 minutes of preparation time.
- Task 2 is in two parts. Part 1 is the presentation of your research (no more than 2 minutes). Part 2 is a wider discussion about your research and should last 8–9 minutes.

# How this book works

## How the units and sub-units work

Each of the four Edexcel themes (see p. 8) is divided into three units. The topics covered by Units 1–12 are determined by the exam board. If you are studying for AS, you need to refer only to the material up to the end of Unit 6. If you are studying for A-level, all 12 units are relevant. To see at a glance what is included in each one, refer to the contents pages (pp. 3–5). Each unit is further divided into three or four sub-units. A sub-unit contains two spreads, as shown in a typical example below.

Sub-unit number and sub-unit title

Three objectives: topic, grammar and strategy

Starter activity — recap vocab and ideas you already know to help study the new topic

Two reading tasks — improve your understanding of authentic texts and practise key exam skills

Reading text — learn about the topic and familiarise yourself with a variety of practice texts

Grammar box — this refers you to the explanation in the grammar section at the back and to the exemplification of the grammar point in the reading or listening passage

Grammar task — practise the new grammar point in the context of the current topic

Translation — practise the skills needed to translate from French into English or English into French

Strategy box — develop your language-learning skills and your exam technique

Two listening tasks — improve your listening skills and practise key exam skills

Research — increase your knowledge on the new topic by finding out more information online

Speaking task — opportunities for discussion and group work

Writing — practise producing accurate written French

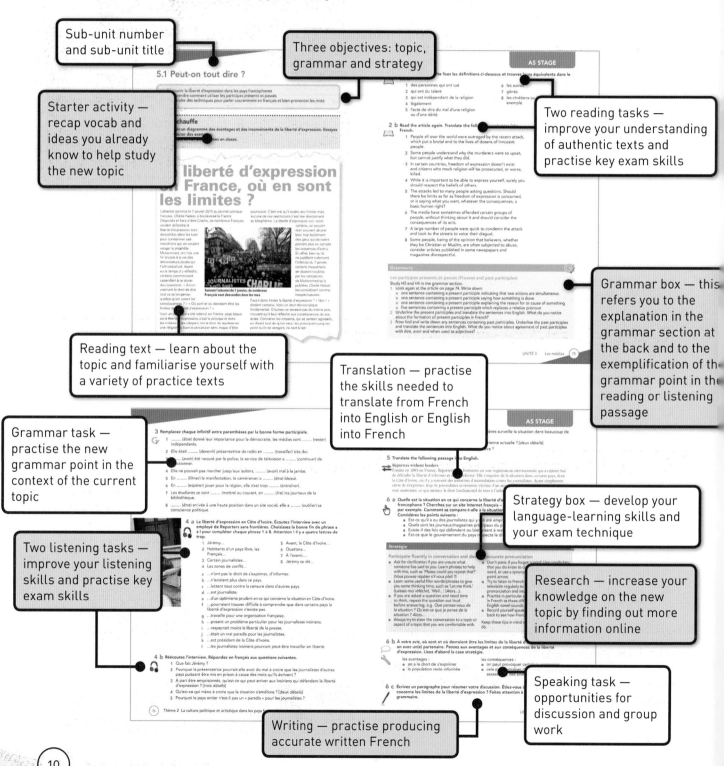

## What is Unit 13 for?

This is a revisiting unit. If you are taking an A-level exam, you will need to revise Units 1–6, which you studied in your first year. Since then, your language level will have improved, so Unit 13 is based on the same themes as Units 1–6 but at a more sophisticated level.

## Literature and film section

This section is devoted to the study of literature and film and is divided into 18 taster spreads on most of the literary works or films listed in the Edexcel specification. The rest of the works are explored in extra pages available online at **www. hoddereducation.co.uk/mfl-film-and-literature**. For the AS exam you need to study just one film *or* book, while for the A-level exam, you need to study one book *and* one film, or two books.

Although you need to study just one or two titles in detail (depending on whether you are taking the AS or the A-level exam), there are many advantages to familiarising yourself with the other titles on the Edexcel list.

One important way to improve your language is to increase your exposure to authentic French, and what better way to do it than watching French films and reading French books. As you probably will not have time to study all the works on the list, why not work your way through the tasters and decide which ones you are interested in?

As you work your way through the tasters, you will gain useful practice in AS- and A-level-style comprehension questions on reviews, articles and interviews on the different works. You will also be introduced to different strategies that help you to develop techniques for criticising and analysing novels, plays and films.

## Research and presentation section

This section is for A-level candidates only. The aim of the section is to help you with your individual research project, which you have to present and discuss as part of your oral exam. It gives you some ideas about:

- the sort of subjects you might like to research
- how to go about the research
- organising the information into a coherent presentation
- preparing yourself for this part of your oral exam

## Should I work through the book in order?

It is not essential because the book is organised in stages of learning. Each sub-unit or spread is pitched at a certain stage of learning.

If you are in year 12, you are likely to concentrate on the first two stages of learning: Transition from GCSE and AS. If you are continuing to A-level, you will be working from the second half of the book, where most of the sub-units are pitched at the two higher stages of learning: A-level and Extension. Note that the stage of learning does not reflect which exam the content will appear in. For example, there are some sub-units at the AS stage of learning in Themes 3 and 4, which are assessed only at A-level.

The books and films have been separated into AS and A-level stages of learning to offer a variety of levels of difficulty in the film and literature section. See the Edexcel specification for details of which works can be studied at A-level only.

| TRANSITION STAGE | A-LEVEL STAGE |
|---|---|
| AS STAGE | EXTENSION STAGE |

# What do the different icons mean?

 This reading task is one of two based on the accompanying text. Usually one of these tasks is similar to the sort of reading questions you can expect to find in the exam. The other task helps you with your language learning, e.g. by helping you to familiarise yourself with new topic vocabulary.

 These tasks also come in pairs and they indicate that you need to access the audio recording to carry out the task (available as a digital file in Dynamic Learning or in your Student eTextbook). At least one of the tasks is of the sort you can expect to find in the exam. Transcripts are also provided in Dynamic Learning and are useful for follow-up tasks.

 This involves a translation either from French to English or from English to French. The length and complexity of these passages is similar to those in the AS and A-level exams. There is at least one of each sort per unit.

 This indicates an opportunity for discussion, which might be with a partner, a group or with the whole class. You need to get used to explaining information, weighing up points of view, giving your own thoughts and justifying them in order to prepare yourself for your oral exam.

 As you work through the different themes, you are not asked to write essays. This is because the only essays you have to write in the exam are based on literary works and films. Most of the times you see this icon you are asked to produce a paragraph about the topic you have just studied. These paragraphs will provide useful revision material. Check each one carefully for accuracy each time.

 This indicates some grammar information or a grammar task. Each grammar box or activity focuses on one or two grammar points for you to learn or revise in order to be confident before you take the exam.

 Strategies are the essential tools you need to use to be an effective language learner. This icon indicates strategy boxes and tasks throughout to help you improve your skills such as memorising vocabulary, pronunciation, revision and many more.

 Every unit contains suggestions for online research. Don't forget to use French search engines so that you find authentic information from French websites. This enables you to supplement what you learn from this book with the most up-to-date information available.

# UNITÉ 1

## Les changements dans les structures familiales

1.1 **La structure de la famille en France**
1.2 **L'institution du mariage**
1.3 **Les relations en famille**

## Theme objectives

This unit deals with the changing family structure in France, focusing on
- how the structure of the family is changing
- how the institution of marriage is changing
- relationships within the family unit

**The content in this unit is assessed at AS and A-level.**

## Grammar objectives

You will study and practise the following grammar points:
- revision of the present tense of regular and common irregular verbs
- the future and immediate future tenses
- interrogatives

## Strategy objectives

You will develop the following strategies:
- summarising information and extracting key points from listening passages
- doing research and finding useful material online
- using dictionaries (bilingual and online)

# 1.1 La structure de la famille en France

- Découvrir comment évolue la structure de la famille en France
- Réviser les verbes réguliers et irréguliers au présent
- Résumer des informations et extraire les points clés d'un support audio

## On s'échauffe

**1 a** La famille. Trouvez les mots désignant des membres de la famille.
1 Elle m'a donné naissance. Elle est ma ...mère...
2 Ce mot peut désigner soit le père de mon mari, soit le nouveau mari de ma mère ! C'est mon ...beau-père...
3 Il est plus âgé que moi et il n'a pas la même mère que moi. Il est mon ...demi-frère...

**1 b** Que veulent dire ces mots en anglais ? Maintenant, en travaillant avec un(e) partenaire, construisez six autres devinettes à poser sur d'autres membres de la famille.

# L'évolution de la famille

L'institution de la famille en France connaît une vraie évolution. On voit que la situation a commencé à évoluer dans les années 1960. À partir de cette époque se développent de nouvelles structures familiales.

La structure contemporaine la plus représentée en France aujourd'hui est la famille monoparentale. Le facteur le plus important dans cette évolution est l'augmentation du nombre de divorces.

On constate que la forme de la famille qui est en deuxième position sur l'échelle est la famille recomposée. Elle partage un facteur en commun avec la précédente, car les parents se séparent ou divorcent. Une famille dite recomposée est celle où un des parents vit avec un nouveau ou une nouvelle partenaire. En 2006, 780 000 enfants vivaient dans une famille recomposée.

**La famille évolue**

Le troisième type de famille qu'on appelle nouveau est la famille homoparentale où les enfants vivent avec un couple du même sexe. Il est très difficile de déterminer la proportion exacte de la population française dans cette situation familiale. La naissance de ce type de famille est le résultat de l'évolution des mœurs.

Léa, 16 ans, vit depuis le divorce de ses parents une semaine sur deux avec son père et l'autre avec sa mère. Elle témoigne de cette situation :

«Je m'appelle Léa et je suis en première au lycée. Mes parents se sont séparés quand j'avais 4 ans. Mon père s'est mis avec une femme et ma mère également s'est mise avec une femme et voilà tout ! Pour moi ce n'est pas un problème d'avoir deux belles-mères.»

**2 a**  Lisez l'article page 14 et associez les deux parties des phrases suivantes. Attention ! il y a plus de terminaisons que de débuts. Ensuite traduisez les six phrases en anglais.

1 De nouvelles structures familiales…

2 Le nombre de divorces…

3 Léa fait partie…

4 On voit que plusieurs…

5 La structure la plus habituelle…

6 L'évolution des mœurs…

a …de nos jours est la famille recomposée.

b …structures ont évolué en France depuis 1960.

c …n'ont pas évolué en France depuis 1960.

d …a changé l'attitude des gens.

e …est la famille nucléaire.

f …d'une famille homoparentale.

g …est en train de diminuer.

h …ont évolué depuis 1960.

i …d'une famille monoparentale.

j …est en forte augmentation.

**2 b**  Relisez l'article page 14 et identifiez les *quatre* phrases qui sont correctes.

1 En France la structure d'une famille typique n'a pas vraiment changé depuis les années soixante.

2 Un facteur dominant est la diminution du nombre de divorces.

3 Dans une famille monoparentale les enfants ne vivent qu'avec un seul parent.

4 Il n'est pas facile d'estimer le pourcentage de foyers où il y a deux parents du même sexe.

5 La famille où il n'y a qu'un seul parent est la structure familiale la plus habituelle en France de nos jours.

6 Léa n'est pas du tout à l'aise avec sa situation familiale.

7 Les parents de Léa vivent toujours ensemble.

8 La notion d'une famille homoparentale n'est plus taboue.

**2 c**  Corrigez les quatre phrases qui sont fausses.

## Les verbes réguliers et irréguliers au présent (Present tense of regular and common irregular verbs)

Study H1 in the grammar section.

1  Look again at the article on page 14 and find the following:
- three examples of an irregular verb (other than *être* or *avoir*) in the third person singular in the first four paragraphs
- two examples of a regular reflexive verb in the third person plural in the first four paragraphs
- one example of an irregular verb in the third person plural in the first four paragraphs
- one example of a regular verb in the third person plural in the first four paragraphs
- one example of a reflexive verb used in the first person singular in the interview

2  Write out the infinitives of all the verbs you have found. What do they mean in English?

3  What do you notice about the endings of the verbs in the third person plural?

**3 a**  **Remplacez l'infinitif par la bonne forme du verbe au présent dans les phrases 1 à 4.**

1  On (*reconnaître*) facilement les changements qui (*se développer*) dans la famille française.

2  Les changements (*avoir*) des facteurs en commun avec ce qui (*arriver*) partout en Europe.

3  Nous (*voir*) des attitudes beaucoup plus tolérantes, car la société (*être*) plus ouverte.

4  Les parents (*se séparer*) et (*obtenir*) souvent un nouveau partenaire.

**3 b**  **Maintenant, remplissez les blancs en choisissant un infinitif dans la case et écrivez la bonne forme du verbe au présent.**

5  On .......... la famille monoparentale, celle qui .......... seulement un parent.

6  Presque 800 000 enfants .......... dans une famille recomposée et ça .......... plutôt bien.

7  Je .......... une semaine sur deux avec chaque parent et je .......... que ça marche bien.

8  Nous .......... dans une famille homoparentale, où on .......... la vie du bon côté.

| | |
|---|---|
| vivre | avoir |
| être | prendre |
| appeler | marcher |
| croire | vivre |

## Stratégie

### Summarising information from a listening passage (AS)

- If you are asked to summarise information from a section of a listening passage, make sure you write only about that section in your summary.
- Read the information about what you are being asked to summarise to focus your mind before you listen.
- Listen to the whole passage to get the gist.
- Make notes in English about the information you have already understood and work out what you still need to know.
- Listen again, pausing if necessary, and add to your notes until you have the right number of pieces of information (shown by numbers in brackets).
- Write your summary in full sentences in English.
- Read through to check you have explained everything clearly and recorded all the required information.
- Cross out your notes.

Use the above guidelines to help you write a summary when you complete exercise 4b.

**4 a** Sondage sur la famille. Écoutez l'interview entre Léa et deux garçons et répondez en français aux questions suivantes.

1 Quelle est la réponse entière qu'elle obtient du premier garçon à qui elle parle ? [*trois détails*]

2 Quelle est l'explication donnée par le deuxième garçon ?

3 Quel est le sujet de l'article que Léa rédige ?

**4 b** Write a summary in English of the second conversation. Include the following information:
- what the two people are asked about and how their opinions differ [*three details*]
- Léa's family situation [*three details*]

**5 a** Rédigez six questions à poser à un(e) partenaire pour découvrir son avis sur la structure de la famille. Pensez à privilégier les points suivants :
- la notion d'une famille idéale
- les avantages ou les inconvénients de toutes les différentes structures
- la vie en famille avec des demi-frères ou des demi-sœurs
- le divorce

**5 b** Posez vos questions, écoutez les réponses et puis répondez aux questions de votre partenaire. Est-ce que vos avis sont similaires ?

Léa, comment trouve-t-elle sa situation personnelle?

# 1.2 L'institution du mariage

- Découvrir comment évolue l'institution du mariage en France
- Reconnaître et utiliser le futur et le futur proche
- Faire ses propres recherches et utiliser les informations

## On s'échauffe

**1 a** Le mariage. Associez les mots français (1 à 10) avec les mots anglais (a à j).

| | | | |
|---|---|---|---|
| 1 | mari | a | single |
| 2 | femme | b | engagement |
| 3 | se marier | c | husband |
| 4 | fiançailles | d | to get married |
| 5 | lune de miel | e | wedding rings |
| 6 | robe de mariée | f | wife |
| 7 | alliances | g | wedding dress |
| 8 | mariage civil | h | honeymoon |
| 9 | célibataire | i | to sign a civil partnership |
| 10 | se pacser | j | civil wedding |

**1 b** Travaillez avec un(e) partenaire et utilisez chaque mot dans une phrase en français.

**2 a** Lisez l'article page 19. Trouvez la phrase dans l'article qui correspond à la phrase en anglais.

1 we have been in a civil partnership

2 no one is going to call into question

3 after the law comes into force

**2 b** Trouvez la phrase dans l'article qui correspond à la phrase en français.

1 notre routine habituelle de tous les jours

2 mener une chose à bonne fin

3 ce n'est pas pour imiter les hétérosexuels

4 les homos ont la réputation de changer souvent de partenaires

**2 c** Choisissez le paragraphe (A, B ou C) qui correspond le mieux aux sous-titres ci-dessous.

1 Un engagement plus fort que le PACS

2 Le mariage, une occasion de célébrer le chemin parcouru ensemble

3 Nous voulons fonder une vraie famille

# Le mariage pour les couples de même sexe : mariés, oui. Et après ?

Suite à la loi du 18 mai 2013 sur le mariage pour tous, la France devient le 9ème pays européen et le 14ème pays au monde à autoriser le mariage homosexuel.

C'est la ministre de la Justice, Christiane Taubira, qui a été chargée de la mener à bien après une longue campagne d'opposition qui a divisé la France.

## Plusieurs milliers d'homosexuels vont dire oui

**Le mariage pour tous**

### A ..........

Jacques, 69 ans, et Pierre, 64 ans : « On va se marier le 18 janvier à Paris, ça sera super chouette. Ce mariage ne changera rien dans notre vie quotidienne, ça sera une occasion de s'arrêter et de regarder dans le rétroviseur le chemin parcouru ensemble. Dans la tête des gens, les homos ont la réputation d'être volages. Ni plus ni moins que les autres. Nous sommes comme tout le monde.

Aujourd'hui, personne ne va remettre en cause le droit de vote des femmes. Ça va être vite pareil pour le mariage des couples de même sexe. »

### B ..........

Marie, 32 ans, et Nathalie, 33 ans : « Pour nous, le mariage a surtout pour objectif de fonder une famille. On va se marier dès qu'on pourra, après l'entrée en vigueur de la loi. On veut être mariées avant que notre enfant naisse. La petite va naître début juillet, on l'a conçue par PMA [procréation médicalement assistée] en Espagne, c'est mon épouse qui la porte. »

### C ..........

Christophe, 46 ans, et Mayenja, 45 ans : « Mon futur mari est né en Ouganda, on va se marier par amour et pour renforcer une situation fragile. Nous sommes déjà pacsés depuis 2005. Le mariage, c'est un engagement plus fort. Le droit de se marier, on l'a attendu longtemps. Servons-nous des lois. Pas pour singer les hétéros, mais parce que ça parle à tout le monde. »

**2 d** Relisez l'article page 19. Terminez ces phrases en choisissant a, b, c ou d.

1  La loi Taubira sur le mariage pour tous en France…

a  …n'a pas été contentieuse.

b  …a été très contentieuse.

c  …n'a pas été votée.

d  …a été rejetée.

2  La personne chargée de l'introduction de la loi était…

a  …le ministre de l'Intérieur.

b  …le Premier ministre.

c  …la ministre des Affaires Sociales.

d  …la ministre de la Justice.

3  Jacques et Pierre attendent la cérémonie de leur mariage avec…

a  …impatience.

b  …inquiétude.

c  …regret.

d  …mauvaise humeur.

4  Marie et Nathalie veulent être mariées avant…

a  …qu'elles deviennent trop vieilles.

b  …l'arrivée de leur enfant.

c  …d'aller en Espagne.

d  …le début du mois de juillet.

5  Christophe et Mayenja vont se marier…

a  …en Ouganda.

b  …parce que ils ne peuvent plus attendre.

c  …parce qu'ils s'aiment.

d  …parce qu'ils veulent choquer tout le monde.

6  La France est…

a  …le seul pays en Europe à autoriser le mariage homosexuel.

b  …le neuvième pays au monde à introduire cette loi.

c  …parmi huit autres pays en Europe à avoir voté cette loi.

d  …le seul pays au monde où le mariage gay est pratiqué.

**3 a** Jean Marais enquête. Écoutez un extrait d'une interview avec le sociologue Jean Marais, qui répond aux questions sur l'avenir du mariage en France. Répondez aux questions suivantes en français.

1  Quel pourcentage de couples divorcent ?

2  Selon Jean Marais, quels sont les trois éléments qui auront un effet profond sur l'institution du mariage ?

3  Le mariage se trouvera en compétition avec un autre type d'union. Lequel ?

4  Quel sera l'avantage de cet autre type d'union ?

5  Selon Jean Marais, comment va évoluer le mariage à l'avenir ?

6  Selon Jean Marais, comment évoluent les cérémonies de mariage de nos jours ? [*trois détails*]

**3 b** Below is what Jean Marais also said about the future of marriage. Translate it into English. Pay attention to the use of both future tenses.

Ce que Jean Marais pense…

Les gens continueront à se marier à l'avenir. Beaucoup de gens vont vouloir une cérémonie civile à la mairie et une cérémonie grandiose à l'église. Les couples vont décider de se marier parce qu'ils veulent un engagement plus fort. Les préparatifs du mariage prendront beaucoup de temps et les femmes voudront une robe de mariée blanche et une alliance.

## Grammaire

**Le futur simple et le futur proche** (Future tense and immediate future tense)

Study H8 in the grammar section.

**1** Look again at the article on page 19 and find the following:
- one example of the future tense of a regular verb
- two different examples of the future tense of irregular verbs
- four different examples of the immediate future tense

**2** Write down the phrases containing the examples and translate them into English.

**4 a** **Remplacez le verbe au futur proche dans chacune des phrases 1 à 4 par l'équivalent au futur simple.**

**1** Nous *allons nous marier* au mois d'août.

**2** Ce mariage *va* tout *changer*.

**3** La petite *va naître* à l'hôpital local.

**4** Ça *va être* une grande occasion.

**4 b** **Maintenant, faites le contraire avec les phrases 5 à 8 :**

**5** Vous vous *épouserez* une troisième fois ?

**6** Ça *sera* vite pareil pour les couples de même sexe.

**7** Je ne *mettrai* pas en cause les droits de l'homme !

**8** Le mariage *aura lieu* dans une cathédrale !

## Stratégie

**Researching and using material online**
- Use French search engines, with '.fr' at the end.
- Make a list of key words or phrases in French to look up in the search engine.
- When you find some information, write some headings, followed by a few sentences in your own words in French.
- In order to find reliable information go to government sites that have the official logo and have 'gouv.fr' in the address.

- For research into careers and education, **www.onisep.fr** is a useful site.
- For research into trends and statistics, try **www.insee.fr**.
- Many newspapers and magazines have their own websites — for example, *Le Figaro*, *La Libération*, *Le Point*.

Use the above guidelines to help you complete exercise 5.

**5 a** **Work with a partner. You should each choose four expressions from the list below. Use a French search engine to find information about each of them.**
- le PACS
- la loi Taubira
- les salons du mariage
- le mariage civil
- le mariage à l'église
- le mariage pour tous
- les fiançailles
- le livret de famille

**5 b** **En quelques mots à l'écrit, expliquez les quatre expressions que vous avez choisies. Ajoutez des observations concernant la situation existant en France.**

**5 c** **Expliquez les expressions à votre partenaire, et racontez la situation en France. Donnez aussi votre avis personnel chaque fois, et justifiez-le.**

**5 d** **Comparez votre avis personnel avec celui de votre partenaire. Êtes-vous d'accord ?**

# 1.3 Les relations en famille

- Explorer les relations au sein de la famille
- Former l'interrogatif
- Apprendre à utiliser les dictionnaires bilingues et en ligne

## On s'échauffe

**1 a** Les problèmes relationnels. Comment dit-on :

1　My little brother annoys me.

2　My mum is always shouting.

3　My big sister hates me.

4　She cannot stand me.

5　I have had enough.

6　He is always angry.

7　She tells me off.

8　There is bitterness between them.

**1 b** Faites deux colonnes : émotions positives et émotions négatives. Ensuite répartissez les expressions ci-dessous dans les colonnes. Dans chaque colonne rajoutez deux autres expressions que vous avez trouvées vous-même.

| | | | |
|---|---|---|---|
| me déteste | m'écoute | ne m'aime pas | est rigolo |
| me soutient | en colère | ne me supporte pas | |
| m'énerve | me fait rigoler | gentil avec moi | |
| en ai assez | hurle | me fait rire | |

**1 c** Traduisez ces expressions ou mots en anglais.

**2 a** Lisez l'article page 23. Chacune des phrases suivantes correspond à une phrase synonyme ou antonyme dans le texte. Trouvez ces phrases dans le texte.

1　des milieux différents

2　la structure majoritaire

3　un décès au sein de la famille

4　être sous le même toit que les autres mais en désaccord avec eux

5　entre frères et sœurs

6　la famille (*terme familier*)

7　furie et désaccord

8　être rejeté et ne pas être apprécié

# Les familles recomposées

**Ce n'est pas toujours évident de trouver sa place au sein d'une famille recomposée...**

Les familles recomposées sont très nombreuses ! Deviendront-elles un jour le modèle dominant ? Personne ne le sait, mais il est clair que de plus en plus d'enfants vivent leur quotidien avec un adulte qui n'est pas leur parent et des enfants qui ne sont pas leurs frères et sœurs. Et les parents, que veulent-ils ? Ils veulent que « tout le monde s'entende » et que cela « ne pose aucun problème ». Mais est-ce si simple ?

## Une situation complexe

Il faut reconnaître que l'on ne peut pas rendre très simple une situation compliquée ! Pourquoi serait-il si facile de faire vivre sous le même toit des enfants qui arrivent d'horizons différents ? Les relations dans ces fratries recomposées n'ont aucune raison d'être moins difficiles qu'avec des frères et sœurs. Alors les enfants vont se disputer, se réconcilier, se détester, s'adorer, s'ignorer, en fonction de leur âge et de leurs affinités !

## L'enfant « trait d'union »

Et que se passe-t-il quand il y a une naissance dans la famille ? Qu'est-ce qui se passe quand l'enfant « trait d'union » arrive ? Un enfant qui va bénéficier d'un statut privilégié et envié : celui de vivre avec ses deux parents ensemble. Son arrivée dans la tribu peut en réjouir quelques-uns, mais elle va aussi déplaire aux autres. Les autres auront une formidable occasion d'exprimer leur colère et leur désapprobation.

## Qu'est-ce qu'il faut faire ?

Si recomposer une famille peut être une magnifique expérience, riche d'ouverture, de générosité, de tolérance, il ne faut ni rêver, ni se faire trop d'illusion. Alors quelle stratégie faut-il adopter ?

Il faut du temps, de la patience, des efforts, des concessions et des limites pour que chacun trouve vraiment sa place pour pouvoir vivre en harmonie avec les autres et avec soi-même.

www.journaldesfemmes.com

**2 b** Relisez l'article et répondez aux questions suivantes en français.

1 Quelles sont les émotions qui sont souvent réveillées quand il y a une naissance dans une famille recomposée ? [*quatre détails*]

2 Pourquoi, selon vous, cette naissance peut-elle causer de la jalousie au sein de la famille ?

3 Que se passe-t-il dans la société actuelle par rapport à la famille contemporaine ? [*deux détails*]

4 Que veulent les parents d'une famille recomposée ? [*deux détails*]

5 Selon vous, pourquoi adoptent-ils cette attitude ?

6 Que faut-il faire pour faire de la vie en famille recomposée une expérience positive ?

7 Qu'est-ce que ça veut dire, dans le contexte de cet article, l'expression « enfant trait d'union » ?

8 Pouvez-vous expliquer pourquoi l'auteur a choisi d'employer ce terme ?

**3** Traduisez en anglais cet extrait d'une lettre publiée dans un magazine pour jeunes.

**Pouvez-vous me donner des conseils ?**

J'ai de vrais problèmes avec mes parents en ce moment. Les rapports que j'ai avec mon père ne sont pas si mauvais, mais ceux que j'ai avec ma mère deviennent de pire en pire. Elle est toujours en train de crier, elle ne m'écoute pas et j'ai l'impression qu'elle ne m'aime plus. J'ai une petite sœur et ma mère ne la gronde jamais. J'aime bien ma petite sœur, mais j'ai l'impression que ma mère la privilégie et qu'elle est devenue vraiment sa favorite. Que puis-je faire ?

---

## Grammaire

### L'interrogatif (Interrogatives)

Study E in the grammar section.

**1** Look again at the article on page 23 and find the following interrogative forms:
- one example with just verb and subject inverted at the beginning of the question
- two examples starting with *que*
- one example starting with *pourquoi*
- one example starting with *est-ce*
- two examples starting with *qu'est-ce*
- one example starting with *quel/quelle*

**2** Write the phrases containing the examples and translate them into English. When is there inversion of the subject and verb?

---

**4** Trouvez dans la case les bons débuts de questions.

1 .......... décriras-tu leurs rapports personnels dans ton article ?

2 .......... les fiançailles auront-elles lieu ?

3 .......... la difficulté a-t-elle fait surface ?

4 .......... est-il si facile de résoudre une telle situation ?

5 .......... on peut faire pour aider ?

6 .......... faut-il faire pour elle ?

| Pourquoi | Comment | Où |
| --- | --- | --- |
| Que | Combien | Qu'est-ce qu' |
| Quelle | Quand | |

---

**5 a** Extrait de l'émission *Mardi matin*. Écoutez cet extrait d'une émission de radio. Choisissez a, b, c ou d pour terminer chaque phrase :

1 Ils parlent de leurs expériences de…
- a …la vie en famille monoparentale.
- b …séparation.
- c …la vie en famille recomposée.
- d …la façon dont ils disciplinaient leurs enfants.

2 Céline…
- a …ne s'entendait pas bien avec son ex-mari au début.
- b …s'entendait bien avec son ex-mari au début.
- c …vit toujours avec son mari.
- d …vit avec quelqu'un d'autre.

3 Pour Céline…

   a …il était facile d'expliquer la situation à ses enfants.

   b …il n'était pas question d'expliquer la situation à ses enfants.

   c …il était difficile d'expliquer la situation à ses enfants.

   d …il était hors de question d'expliquer la situation à ses enfants.

4 Les enfants de Laurent…

   a …ont beaucoup souffert.

   b …ont vite accepté la situation.

   c …sont partis vivre avec leur mère.

   d …ne voient plus leur mère.

## 5 b Écoutez de nouveau l'extrait avec Céline et répondez aux questions suivantes en français.

1 Les enfants de Céline, comment ont-ils réagi ?

2 Pourquoi Céline n'avait-elle pas eu de bons rapports avec son ex-mari au début ?

3 Qu'est-ce que Céline a trouvé le plus difficile dans la situation ?

4 Quelle phrase vous indique que les rapports entre Céline et son ex-mari se sont améliorés au fils du temps ?

### Stratégie

**Using dictionaries: bilingual and online**

- Use a reputable dictionary.
- If possible try to find the origin of the word.
- Familiarise yourself with the abbreviations that are used in the dictionary — e.g. *nm* (masculine noun), *nf* (feminine noun), *adv* (adverb), *adj* (adjective). Use the key that is given in the dictionary to help you.
- Words often have more than one meaning, so if you have doubts about the English definition look it up in an English–French dictionary as well to double-check that you have the right word.

- If you find a definition from a less reputable source online, cross-check it with a more trusted source.
- When using an online dictionary, try typing a phrase rather than a single word, as this will help with context.
- Look at all the examples of translation and try to assess the best match.
- Try typing in a synonym of the word you want if you are still not sure.
- Try to use a monolingual dictionary from time to time to help you expand your vocabulary in French.

## 6 a Considérez les situations mentionnées ci-dessous. Formulez trois questions à poser à chaque personne. Par exemple : *Quand est-ce que votre mari a perdu son emploi ?*

- quelqu'un qui doit prendre en charge un parent qui souffre de la maladie d'Alzheimer
- l'épouse de quelqu'un qui a perdu son emploi
- le parent d'un enfant au collège en échec scolaire
- le parent d'une jeune fille/d'un jeune garçon qui souffre de harcèlement à l'école
- le parent d'un enfant qui est anorexique
- le parent d'un enfant qui est accro aux jeux vidéo

## 6 b Maintenant, avec un(e) partenaire, à tour de rôle, posez vos questions et donnez vos réponses.

## 6 c Choisissez deux de ces situations et rédigez quelques conseils à donner à la personne concernée. Présentez vos idées à la classe.

# Vocabulaire

## 1.1 La structure de la famille en France

**avoir le droit de** to have the right to
un **beau-père** stepfather; father-in-law
une **belle-mère** stepmother; mother-in-law
**connaître** to know; to experience
**débuter** to start, to begin
une **demi-sœur** half-sister
un **demi-frère** half-brother
**divorcer** to divorce, to get divorced
**facile** easy
une **famille homoparentale** family with same-sex parents
une **famille monoparentale** single-parent family
une **famille nucléaire** nuclear family
une **famille recomposée** stepfamily or blended family
un **frère** brother
une **grand-mère** grandmother
un **grand-père** grandfather
l' **homoparentalité** (m) same-sex parenting
la **naissance** birth
une **mère** mother
les **mœurs** (f) customs; habits; social mores
un **père** father
se **séparer** to break up, to part, to separate
une **sœur** sister
une **structure familiale** family unit, structure
**vivre** to live

## 1.2 L'institution du mariage

une **alliance** wedding ring
**bouleverser** to upset; to distress
un(e) **célibataire** single person
**concurrencer** to compete with
**désormais** from now on; henceforth
l' **entourage** (m) circle, close friends/family
un **époux** husband, spouse
une **épouse** wife, spouse
l' **entourage** circle, close friends, family
**éviter** to avoid
les **fiançailles** (f) engagement
**fonder** to found

un **hétéro** heterosexual person
un **livret de famille** family record book
la **loi** law
la **lune de miel** honeymoon
un **mari** husband
se **marier** to get married
**mener à bien** to see something through successfully
**naître** to be born
se **pacser** to enter into a civil partnership
**plusieurs** several
**quotidien(ne)** daily, everyday
**remettre en cause** to call into question
une **robe de mariée** wedding dress
en **vigueur** in force
**volage** fickle; unfaithful

## 1.3 Les relations en famille

l' **accord** (m) agreement; harmony
**adorer** to adore, to love
**agacer** to irritate, to annoy
la **colère** anger
**crier** to shout, to yell
le **désaccord** (m) disagreement
**détester** to dislike, to hate
se **disputer** to quarrel, to argue
**en avoir assez** to have enough; to be fed up with
**en avoir marre** to have enough; to be fed up with
s' **énerver** to get worked up
s' **entendre avec quelqu'un** to get on with someone
**haïr** to hate, to detest
**hurler** to yell, to scream
s' **ignorer** to ignore one another
la **rancune** hard feeling, bitterness
les **rapports** (m) relationship
se **réconcilier avec quelqu'un** to make up with someone
**supporter quelqu'un** to stand someone
une **tribu** tribe, clan; family (*colloquial*)
**vexé(e)** angry, vexed

# UNITÉ 2

# L'éducation

## Theme objectives

This unit deals with the education system in France, focusing on:
- how the French education system is structured
- issues French students might have
- higher education in France
- ways of adapting to working life

**The content in this unit is assessed at AS and A-level.**

## Grammar objectives

You will study and practise the following grammar points:
- using the definite and indefinite articles
- using the regular and irregular perfect tense
- position and agreement of adjectives
- using pronouns, including direct and indirect objects

## Strategy objectives

You will develop the following strategies:
- using techniques to better understand written French
- learning techniques to memorise vocabulary
- acquiring techniques to translate from French into English
- acquiring techniques to answer questions in French

# 2.1 L'enseignement en France

- ● Découvrir le système scolaire français
- ● Comprendre comment utiliser les articles définis et indéfinis
- ● Réviser des techniques pour mieux comprendre le français écrit

## On s'échauffe

**1 a** Que connaissez-vous de l'enseignement en France ? Travaillez en groupes et faites une liste de tous les mots que vous connaissez déjà au sujet des écoles françaises. Considérez les points suivants :
- ○ les noms des écoles françaises
- ○ les noms des examens français
- ○ comment s'appellent toutes les classes
- ○ les matières

Comparez vos listes.

**1 b** Que savez-vous de la journée scolaire en France ? Discutez-en avec un(e) partenaire. Considérez les points suivants :
- ○ À quelle heure commencent les cours ?
- ○ À quelle heure finissent les cours ?
- ○ Combien de temps dure le déjeuner ?
- ○ L'emploi du temps

## DE LA MATERNELLE AU LYCÉE

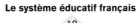
Le système éducatif français

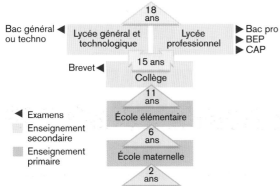

Organisé en trois étapes, école, collège et lycée, le système éducatif français est considéré comme étant l'un des meilleurs du monde. Les enseignements primaires et secondaires sont gratuits, laïcs et obligatoires de 6 à 16 ans.

### L'école primaire

L'entrée en maternelle se fait à deux ou trois ans. C'est ici que les petits Français développent leurs facultés fondamentales, perfectionnent leur langage et commencent à découvrir l'univers de l'écrit et celui des nombres. Mixte, gratuite si elle est publique, l'école élémentaire accueille les enfants de 6 à 11 ans.

## Le collège

Voici alors le commencement de l'enseignement secondaire et le collège. Les enseignements y sont structurés en disciplines : français, mathématiques, histoire-géographie, éducation civique, sciences de la vie et de la terre, technologie, arts plastiques, éducation musicale, éducation physique et sportive, physique-chimie.

## Le lycée

À l'issue du collège à l'âge de 14 ou 15 ans, c'est aux élèves de choisir soit un lycée d'enseignement général et technologique soit un lycée professionnel. Ce dernier, le choix idéal pour les jeunes pratiques, permet d'acquérir un diplôme professionnel, le Brevet d'Enseignement Professionnel (BEP) ou bien le Baccalauréat professionnel (Bac pro), et alors de poursuivre des études. Sinon, on peut y passer le Certificat d'aptitude professionnelle (CAP) et s'insérer directement dans la vie active comme cuisinier, par exemple.

Les plus académiques qui veulent être médecin, disons, ont intérêt à choisir un lycée d'enseignement général et technologique où ils prépareront le Baccalauréat général ou technologique. Celui-ci est organisé en séries : économique et sociale (ES), littéraire (L) et scientifique (S) pour le Bac général et des séries plus spécialisées pour le Bac technologique.

**2 a** Lisez le dépliant au sujet du système scolaire français. Ensuite lisez les mots anglais et les expressions ci-dessous et trouvez leurs équivalents dans le texte. Lisez d'abord la case stratégie.

| | |
|---|---|
| **1** secular | **5** either…or… |
| **2** nursery school | **6** to acquire |
| **3** abilities | **7** working life |
| **4** at the end of | **8** options |

**2 b** Relisez le dépliant et identifiez les *quatre* phrases qui sont correctes.

1 Il faut payer pour l'enseignement primaire et secondaire en France.

2 La maternelle sert de garderie pour les jeunes enfants qui y vont uniquement pour jouer pendant que leurs parents travaillent.

3 L'école élémentaire n'est pas obligatoire.

4 L'enseignement secondaire commence à l'âge de onze ans.

5 Le choix de lycée dépend des aptitudes de l'élève.

6 Tous ceux qui vont à un lycée professionnel entreront directement dans la vie active.

7 Le lycée professionnel représente le meilleur choix si l'on veut travailler dans la restauration.

8 Il existe plusieurs genres de baccalauréat.

**2 c** Corrigez les quatre phrases qui sont fausses.

---

**Stratégie**

**Reading: summary of skills learned so far**

When you are faced with a new reading passage, it can be daunting. You have already come across some techniques that will help you to tackle reading passages. To recap:

- Use headings, illustrations and captions to help you understand the gist of the passage.
- Look for key words and phrases.
- Look for cognates as these can help with understanding the text as a whole.
- Think about word families. Sometimes you can work out a word by association with a word you know, e.g. *bois* = wood, *déboisement* = deforestation.

- Don't worry about understanding every single word. You can work out the meaning of a text even if you don't recognise some words.
- Look at the context of the sentence as a whole to help you to work out the meaning of unfamiliar words.

Keep these tips in mind when completing exercise 2.

## Les articles définis et indéfinis (Definite and indefinite articles)

Study A3 and A4 in the grammar section.

1. Look again at the leaflet on page 28 and find the following:
   - two sentences containing an indefinite article, one in the masculine and one in the plural
   - three sentences containing a definite article, one in the masculine, one in the feminine and one in the plural form
   - a sentence containing a definite article in front of a vowel
2. Underline the articles, and translate the sentences into English.
3. Are there any situations where an article is used in English where it isn't in French and vice versa? Can you deduce any rules about this?

**3 Remplissez les blancs dans les phrases suivantes en choisissant le bon article.**

1. *L'/La/L'* organisation *du/de la/de l'* école primaire en France diffère du système en Angleterre.

2. Mais, il y a plus *des/de/du* similarités que *de/des/de la* différences.

3. *Des/Les/De* petits enfants peuvent commencer en maternelle à *le/la/l'* âge de deux ans et les élèves entrent *à la/au/à l'* primaire à six ans.

4. *Au/Aux/Des* deux étapes, les jeunes enfants ont *l'/le/la* occasion de développer leurs compétences mentales et physiques.

5. On a *du/de/des* temps pour se détendre, particulièrement à *le/la/l'* extérieur.

6. *Là/la/l'* on fait *des/de la/du* gymnastique et *du/une/des* variété de sports.

7. La plupart *de/les/des* enfants commencent à étudier *le/l'/d'* anglais *au/à l'/aux* école primaire.

8. Beaucoup *des/de/d'* élèves arrivent *au/à/aux* collège en bus, car ils habitent loin *de l'/du/au* école.

**4 a Ce que je pense du lycée. Écoutez les lycéens. Trouvez la bonne fin de phrase chaque fois.**

1. Anne…
   - a …aime ses profs.
   - b …va à un lycée général.
   - c …est la meilleure étudiante de la classe.
   - d …ne pourra pas réaliser ses ambitions.

2. Benjamin…
   - a …va à un lycée technique.
   - b …veut vraiment être scientifique.
   - c …adore son lycée.
   - d …réussit bien.

**3** Il…

    **a** …a bien choisi son école parce qu'il veut être scientifique.

    **b** …n'aime pas trop les cours.

    **c** …a eu le moyenne qu'il faut pour ne pas se rattraper.

    **d** …déteste ses parents.

**4** Édith…

    **a** …a oscillé entre les deux pôles en ce qui concerne son choix de lycée.

    **b** …est en dernière année du lycée.

    **c** …trouve les cours très intéressants.

    **d** …aime bien aller dans les entreprises.

**4 b** **Réécoutez. Répondez en français aux questions suivantes, en utilisant le plus possible vos propres mots.**

    **1** Pourquoi un lycée général était-il le meilleur choix pour Anne ?

    **2** Pourquoi est-elle bien contente de beaucoup travailler ?

    **3** Il lui reste combien d'années au lycée, normalement ?

    **4** Pourquoi Benjamin va-t-il à un lycée technique ?

    **5** Que pense-t-il de son lycée ? [*trois détails*]

    **6** Comment sont ses notes ?

    **7** Pourquoi un lycée général n'aurait-il pas été le bon choix pour Édith ?

    **8** Elle a déjà fait combien d'années au lycée professionnel ?

**5 a** **Pensez aux matières que vous faites actuellement au lycée et à la carrière que vous aimeriez avoir plus tard. Cherchez sur Internet des informations au sujet du système scolaire français et trouvez la voie qui vous permettrait de réaliser vos ambitions si vous étiez en France. Considérez les points suivants et prenez des notes :**

    • les sujets que vous étudiez et ce qu'on étudie dans les lycées d'enseignement général et technologique, et les lycées professionnels français

    • les examens

    • le choix à 16 ans

    • les études supérieures

**5 b** **Travaillez avec un(e) partenaire. À votre avis, quel est le meilleur système scolaire, le système français ou le système dans votre pays ? Discutez-en avec votre partenaire. Servez-vous de votre expérience personnelle et de l'information que vous avez trouvée. Justifiez vos réponses.**

**5 c** **Écrivez un paragraphe où vous résumez votre avis au sujet des deux systèmes scolaires. Faites attention à l'orthographe et à la grammaire.**

# 2.2 Aïe ! L'école me stresse !

- Comprendre les problèmes éventuels des étudiants français
- Comprendre comment se servir du passé composé (les verbes réguliers et irréguliers les plus fréquents)
- Apprendre des techniques pour mémoriser le vocabulaire

## On s'échauffe

**1 a** Travaillez avec un(e) partenaire. Faites une liste des problèmes que pourraient avoir des élèves de votre école. Par exemple, le harcèlement. De ce que vous savez des écoles françaises, faites une deuxième liste pour les élèves français.

**1 b** Comparez toutes les listes. Selon la classe, les élèves français et anglais doivent-ils faire face aux mêmes problèmes ? Gardez les listes et regardez-les à la fin de l'unité.

# Problèmes à l'école ? Posez vos questions !

## Mes résultats sont en baisse, que faire ?

Vous aviez l'impression au début que tout roulait bien mais vous voilà dans une situation où plus vous avancez, moins ça va. La seule solution, c'est sûrement de redoubler, de répéter l'année.

**Julie** s'est trouvée dans une situation pareille. Courageuse, elle ne s'est pas rendu tout de même compte que la seconde, c'est déjà la première marche vers le bac général. Ayant peur d'échouer, elle ne s'est pas, cependant, laissée mener vers la voie professionnelle mais s'est mise plutôt au travail et en fin de compte a réussi sans devoir redoubler. Alors, tout est possible. Ayez du courage.

## Je n'ai pas le droit de porter le voile

Musulmane et fière de l'être, on vous a quand-même prévenue que le voile à l'école, comme tout autre symbole religieux, est interdit. Ce n'est pas facile à vivre. La laïcité qui s'impose dans les écoles françaises se montre comme un vrai problème pour certains étudiants. En effet, ceci a provoqué la fureur **d'Amila**, lycéenne à Paris.

« Le voile, c'est ma façon de m'exprimer, » a-t-elle expliqué, « Ils prétendent vouloir nous traiter d'individus plutôt que de groupes religieux mais sûrement l'identité culturelle est importante. » Qu'on soit d'accord ou non, la laïcité est une doctrine fondamentale de l'enseignement français qu'il faut respecter.

## Les épreuves du bac approchent. Comment reste-t-on zen ?

Comme **Xavier** qui, ayant tant travaillé pendant toute l'année, se ronge les sangs pour les épreuves du bac, vous aussi avez beaucoup travaillé et enfin le jour J arrive.

Pas de quoi vous stresser. Suivez tout simplement les conseils ci-dessous :

- Avez-vous établi un programme de révision ? Pensez à toutes les leçons que vous avez eues pèndant l'année et faites en sorte de tout réviser. Soyez malin : personne ne peut réviser les cours de toute l'année en une semaine.

- Avez-vous prévu des jours de repos ? Inutile de travailler sans cesse. Votre mémoire ne fonctionne correctement que si votre corps est reposé.

- Avez-vous pensé à votre alimentation ? Une alimentation équilibrée vous permettra d'avoir l'esprit vif. Gare aux excitants qui ne vont pas vous aider !

## 2 a Lisez le forum au sujet des problèmes à l'école. Ensuite trouvez l'équivalent des expressions ci-dessous dans le texte.

1 vous croyiez

2 tout devient pire

3 une fille qui travaille bien

4 n'a pas compris

5 ne pas réussir

6 un symbole religieux que portent les musulmanes

7 la séparation de la religion et de l'État

8 pas nécessaire

## 2 b Relisez le forum. Ensuite choisissez la/les bonne(s) personne(s), Julie (J), Amila (A) ou Xavier (X) qui correspond aux phrases suivantes.

1 Il/Elle a dû beaucoup travailler pour éviter une année supplémentaire au collège.

2 Il/Elle n'a qu'à bien s'organiser.

3 Il/Elle est obligé(e) de respecter certaines règles et n'en est pas content(e).

4 Il/Elle trouve très importante la liberté d'expression.

5 Il/Elle s'inquiète parce qu'il/elle va bientôt passer des examens.

6 Il/Elle n'a jamais perdu espoir et est sorti(e) donc d'une situation difficile.

7 Il/Elle n'est pas convaincu(e) par le raisonnement de l'école.

8 Il/Elle est assidu(e).

**Grammaire**

**Le passé composé (verbes réguliers et irréguliers) (Perfect tense (regular and common irregular verbs))**

Study H4 in the grammar section.

1 Look again at the forum on page 32, as well as the options in exercise 2b.
- Write down any sentences containing a regular verb in the perfect tense. Underline the verb in the perfect and translate the sentences into English.
- Write down any sentences containing a common irregular verb in the perfect tense.

Underline the verb in the perfect and translate the sentences into English.
- Which of the sentences that you have written down contain reflexive verbs in the perfect tense? What do you notice about these?

2 What do you notice about the use of the perfect with *avoir* and *être*? Are there any exceptions to the general rule?

## 3 Changez les infinitifs entre parenthèses au passé composé.

Sylvain, ayant une note moyenne de onze sur vingt au bac, (**1** *avoir*) besoin de douze sur vingt et (**2** *ne pas pouvoir*) entrer à l'université.

Donc, il (**3** *faire*) un apprentissage comme électricien et (**4** *réussir*) à se faire qualifier.

Son ami, Rodrigues, (**5** *obtenir*) la note nécessaire, (**6** *partir*) pour la faculté d'océanographie à Toulon, et (**7** *rentrer*) chez lui un an plus tard parce qu'il (**8** *ne pas faire*) suffisamment de travail.

Ses parents (**9** *être*) furieux et sa petite amie, Bibi, aussi, parce qu'elle (**10** *vouloir*) le suivre à Toulon.

Elle (**11** *devenir*) secrétaire de direction dans une société bancaire et elle (**12** *monter*) rapidement l'échelon hiérarchique.*

Bibi et Rodrigues (**13** *avoir*) la chance de trouver un bon petit appartement à Paris et (**14** *prendre*) la décision de louer une chambre à Sylvain et à sa fiancée, JoJo.

Cela (**15** *ne pas marcher*), car les deux couples (**16** *se disputer*) du matin au soir et Bibi (**17** *mettre*) leurs amis à la porte.

(*= the promotion ladder)

### Learning techniques to memorise vocabulary

- Be selective — you won't need to memorise every new word that you come across.
- Try out different formats for recording vocabulary and find out which one works best for you, e.g. index cards, a spreadsheet, a notebook.
- Choose the best method for you for remembering the new vocabulary, e.g. look, cover, write and check, creating a Word document with blanks to fill in.
- Try to learn vocabulary in context. Make up stories containing the words that you are currently learning.
- Think of the French for everyday objects on your way to school, e.g. *l'arrêt de bus*.

- Remember that it is best to spend a short time on a regular basis learning and remembering a few words rather than trying to memorise long lists.
- Find online tools and apps that you can use to practise French vocabulary directly from your smartphone.
- Learn by heart the vocabulary lists at the end of each unit. Also refer to the longer lists online, which will provide you with additional vocabulary.
- Remember that you cannot take a dictionary into the exam so learning vocabulary thoroughly is important.

**4 a** Conseils d'un proviseur. Écoutez la première partie de l'interview avec le proviseur d'un lycée général. Répondez en français aux questions suivantes.

1 Pourquoi les étudiants ont-ils intérêt à écouter Pascale Durand ? [*deux détails*]

2 Comment sait-on qu'elle parle à la radio ?

3 Pourquoi la vie au lycée peut-elle être dure ?

4 Selon Pascale Durand, que devraient faire ceux qui ont un problème ?

**4 b** Listen to the second part of the recording and answer the following questions in English.

1 Summarise what Pascale Durand says about the most significant problems that students tend to face. [*three details*]

2 Summarise what staff at the lycée expect from/offer the students. [*two details*]

**4 c** Écoutez maintenant l'interview entière. Complétez les phrases suivantes selon le sens du passage en utilisant un des mots ci-dessous. Attention ! il y a trois mots de trop.

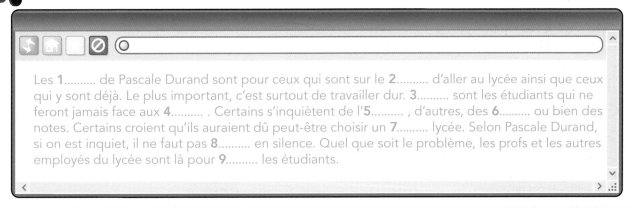

Les **1**.......... de Pascale Durand sont pour ceux qui sont sur le **2**.......... d'aller au lycée ainsi que ceux qui y sont déjà. Le plus important, c'est surtout de travailler dur. **3**.......... sont les étudiants qui ne feront jamais face aux **4**.......... . Certains s'inquiètent de l'**5**.......... , d'autres, des **6**.......... ou bien des notes. Certains croient qu'ils auraient dû peut-être choisir un **7**.......... lycée. Selon Pascale Durand, si on est inquiet, il ne faut pas **8**.......... en silence. Quel que soit le problème, les profs et les autres employés du lycée sont là pour **9**.......... les étudiants.

| | | | |
|---|---|---|---|
| autre | conseils | soutenir | souffrir |
| orientation | point | bien-être | avis |
| rares | problèmes | étudiants | épreuves |

**5** Translate the following text into English.

Mathilde

Déçue du lycée général, Mathilde s'est finalement décidée. Elle va quitter la voie générale pour un lycée professionnel : un choix qui ne manquera certainement pas d'étonner certains de ses copains. Souvent considéré à tort comme synonyme d'échec et de relégation, la voie professionnelle est mal vue, une injustice que veut réparer Mathilde. Ayant passé une année de seconde extrêmement stressante où elle n'est simplement pas arrivée à s'y retrouver, elle est sûre de la cohérence de son choix.

**6 a** Relisez le forum et réécoutez l'interview. Ensuite cherchez sur Internet d'autres problèmes éventuels des collégiens ou des lycéens français et prenez des notes. Ont-ils les mêmes problèmes que les étudiants de votre pays ? Considérez les points suivants :

- les horaires
- les examens qu'il faut faire
- les sujets qu'il faut étudier
- les choix qu'il faut faire
- le stress
- le harcèlement
- les croyances religieuses
- l'uniforme

**6 b** Discutez des problèmes auxquels doivent faire face les étudiants en France. Servez-vous du forum et de l'interview ainsi que de vos recherches de l'activité 6a.

**6 c** Écrivez un paragraphe sur les problèmes dont vous venez de discuter. Faites attention à l'orthographe et à la grammaire.

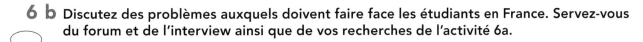

# 2.3 Je m'oriente vers l'enseignement supérieur

- Avoir connaissance des universités et des grandes écoles en France
- Comprendre comment s'accordent les adjectifs et où les placer dans les phrases
- Apprendre des techniques pour traduire du français en anglais

## On s'échauffe

**1** Travaillez avec un(e) partenaire. Faites une liste des avantages et des inconvénients éventuels de choisir l'enseignement supérieur au lieu de faire une formation professionnelle. Selon vous, est-ce que l'enseignement supérieur représente une chose positive, ou négative ?

**2 a** Lisez la page web. Pour chaque phrase écrivez V (vrai), F (faux) ou ND (information non donnée). Corrigez les phrases fausses.

1 Les lycéens ont plus intérêt à choisir une grande école.

2 Les universités sont souvent considérées inférieures aux grandes écoles.

3 Il est moins facile d'obtenir une place dans une université que dans une grande école.

4 Les conditions de travail sont en général plus confortables dans les grandes écoles.

5 S'inscrire dans une grande école peut coûter cher.

6 La plupart des professeurs de physique-chimie sont issus d'une grande école.

7 Tous les politiciens issus des grandes écoles sont très âgés maintenant.

8 Les étudiants en université sont plus heureux que ceux en grande école.

**2 b** Relisez la page web. Ensuite traduisez les phrases ci-dessous.

1 Contrary to what many say, these institutions are well respected and have a high success rate.

2 They attract students who have a taste for taking risks.

3 It's better to choose the institution that suits you best.

4 Unfortunately, they show no interest in those who don't like languages.

5 Professional training is the right option for some people.

6 It is only in the interest of those who are hard-working to enrol for preparatory classes.

7 Former pupils have known much success.

## Grammaire

### Les adjectifs (place et accord) (Adjectives (position and agreement))

Study B1–B3 in the grammar section.

1 Read again the web page on page 37. Find and write down examples of the following:
- two masculine singular adjectives
- two regular feminine singular adjectives
- two irregular feminine singular adjectives
- two masculine plural adjectives
- four feminine plural adjectives (two regular, two irregular)

2 Underline the adjective each time and translate the phrases into English.

3 What do you notice about the position of each adjective? Does the position affect the meaning?

# Université ou grande école ?

**C'est décidé, ayant maintenant le bac, vous vous orientez vers l'enseignement supérieur et vous voulez vous inscrire à la fac, ou peut-être en prépa pour une grande école. La question se pose, université ou grande école ? Voici les avantages et les inconvénients des deux systèmes.**

## Les grandes écoles

Prestigieuses voire luxueuses, les grandes écoles sont certainement bien respectées, mais représentent-elles le meilleur choix ? Pas forcément.

Voici les institutions sélectives sur concours, suivant souvent deux années de classes préparatoires. Vraiment axées sur les maths, elles attirent surtout des scientifiques qui suivront tous le même parcours. L'ingénierie et le management ne vous disent rien ? Vous avez le goût du risque ? Mieux vaut choisir une université qui ne vous coûtera pas 10 000 euros de frais d'inscription par an, le coût d'une grande école privée.

Ceci dit, pour les PDG ou les ingénieurs éventuels, les grandes écoles se montrent comme le choix idéal. Les classes y sont réduites, les enseignants, bons et accessibles. Parmi leurs anciens élèves, des PDG du CAC40 et bon nombre de politiciens. Peu étonnant que pour ceux qui sont inscrits dans une telle institution, trouver un stage est facile.

## Les universités

Contrairement aux grandes écoles, les universités françaises ont souvent mauvaise presse. Obligées d'accepter tous les bacheliers, leurs amphithéâtres sont bondés, les standards académiques en baisse et le tutorat, insuffisant. Pourquoi donc choisir l'université ?

Offrant une formation plus généraliste qu'on peut prolonger si l'on veut, ainsi qu'une abondance de filières, l'université est indiscutablement la bonne option pour certains. La recherche qui s'y exerce et le fait de pouvoir faire des stages en alternance attirent aussi beaucoup d'étudiants. Soit, il n'y a pas de sélection sur concours pour entrer en premier cycle, ce qui entraîne un énorme taux d'échec. Elle se pratique à l'entrée du troisième cycle, cependant, ceux qui y arrivent étant donc les plus travailleurs et intelligents.

**3** Remplissez les blancs avec la forme correcte d'un des adjectifs en italique.

1 Pour moi, une .......... boisson .......... pour aller avec mon repas .......... et une assiette .......... aussi. (*long, frais, favori, propre*)

2 Il faut de .......... meubles .......... pour cette .......... salle de conférence ! (*beau, neuf, vieux*)

3 Au .......... an, on aura un .......... programme de littérature de l'.......... époque. (*nouveau, long, ancien*)

4 Votre classe de philo a lieu dans cette .......... tour tout comme la .......... fois. (*haut, dernier*)

5 Les portables .......... qu'ils nous ont donnés pour les séances sont .......... , mais ils ne sont pas .......... (*gris, nouveau, neuf*)

6 Fais attention dans les chambres du foyer, il y a des coussins .......... , mais des lits .......... (*douillet, dur*)

7 Les .......... élèves nous rendent visite aujourd'hui avec mon .......... ami qui est professeur à la .......... université de Castelnaudary. (*ancien, cher, nouveau*)

## 4 a Après le bac. Écoutez l'interview avec les deux étudiants. Choisissez la bonne réponse en vous basant uniquement sur les informations données dans le passage.

1 Jeanne…
   a …a failli s'inscrire à la fac, mais finalement, a choisi une grande école.
   b …s'intéresse essentiellement au management.
   c …savait même quand elle était jeune fille ce qu'elle voulait faire dans la vie.
   d …s'est inscrite en prépa pour une grande école à l'âge de dix ans.

2 Selon Jeanne…
   a …il n'y a aucun inconvénient à étudier en grande école.
   b …les étudiants en grandes écoles doivent faire des sacrifices.
   c …la vie d'une étudiante en grande école est très détendue.
   d …les grandes écoles sont meilleures que les universités.

3 Jeanne est contente…
   a …de pouvoir étudier des matières qui l'aideront à trouver un bon emploi.
   b …d'étudier uniquement les sciences.
   c …de ne plus étudier une langue étrangère.
   d …de pouvoir de concentrer sur l'économie.

4 Xavier…
   a …aime beaucoup voyager en Grèce.
   b …n'avait pas intérêt à passer le concours pour entrer dans une grande école.
   c …s'intéresse aux langues vivantes et a donc choisi l'université.
   d …voulait s'inscrire en prépa pour une grande école, mais il a fini par aller à la fac.

5 Selon Xavier, la vie à la fac…
   a …est parfaite pour lui.
   b …est un peu trop décontractée.
   c …est dure.
   d …n'est pas à la hauteur de ses attentes.

6 Selon Xavier…
   a …l'employabilité, c'est la chose la plus importante.
   b …gagner beaucoup d'argent plus tard dans la vie est important.
   c …aimer ce que vous étudiez, c'est la chose la plus importante.
   d …c'est uniquement ceux qui s'intéressent vraiment à leur matière qui vont réussir.

## 4 b Réécoutez l'interview. Remplis les blancs dans les phrases suivantes avec le bon mot dans la case page 39. Attention ! il y a quatre mots de trop.

1 Grace à sa ………. , Jeanne, qui savait ce qu'elle voulait faire dans la vie même quand elle était jeune fille, a réalisé son rêve.

2 C'est seulement en ………. très dur qu'elle y a réussi.

3 Elle étudie actuellement dans une grande école ………. , ce qui lui plaît énormément et lui permettra de devenir ingénieure.

4 Bien qu'aller à l'université coûte ………. cher qu'entrer dans une grande école, voici un parcours qui ne l'intéressait nullement.

5 Les intérêts de Xavier ………. énormément de ceux de Jeanne.

6 Les élèves en université comme Xavier ne sont pas obligés de ………. autant que ceux dans les grandes écoles, ce qui ne veut pas dire tout de même qu'ils ne sont pas aussi déterminés.

7 Qu'on entre dans une grande école ou qu'on s'inscrive à la fac, il vaut mieux choisir une formation qui vous ………. .

8 Quoique Jeanne et Xavier aient choisi des ………. différentes, ils sont tous les deux sûrs d'avoir fait le bon choix.

Thème 1 Les changements dans la société française

| moins | détermination | travailler | diffèrent |
|---|---|---|---|
| incertitude | travaillant | parisienne | plus |
| ressemblent | voies | intéresse | inconnue |

## Stratégie

**Translating from French into English**

- Look at phrases rather than individual words.
- Beware of *faux amis*, i.e. words that look like English words.
- Look at the context of the passage to help you.
- Pay attention to adverbs, conjunctions and prepositions which are not always translated using the same English word.
- Look at the tense of the verb in French and make sure that you translate it correctly in English. It won't necessarily be the same, e.g. *depuis*.

- Read through your final translation to make sure that it reads well and makes sense in English while still reflecting the meaning of the original. Check that every piece of information has been translated.
- Remember that reading regularly in English will help you to keep abreast of current affairs and the type of language used in different situations in English.

Keep all of this in mind when attempting the translation in exercise 5.

**5** After reading the strategy box, translate the following paragraph into English.

### Higher education in France

L'enseignement supérieur en France regroupe les formations postérieures au baccalauréat. Ceux qui s'y intéressent ont le choix entre soit une université, soit une grande école. Contrairement aux universités dans d'autres pays, dont la Grande-Bretagne, les universités françaises accueillent tous les bacheliers sans sélection préalable, ce qui entraîne des problèmes. Offrant des formations très diversifiées, elles restent quand-même populaires. L'entrée s'y faisant par concours, les grandes écoles accueillent beaucoup moins d'étudiants et sont souvent considérées supérieures aux universités.

**6 a** Travaillez en groupes de deux ou trois. Pensez tous à une matière différente qui vous intéresse, telle les langues vivantes ou la géographie. Ensuite cherchez des informations suivantes sur Internet en vous référant au système éducatif français :
- les diplômes qu'offrent les universités et les grandes écoles dans ce domaine d'études
- la durée des formations éventuelles à l'université et dans des grandes écoles
- le coût d'étudier à l'université
- le coût d'entrer dans une grande école
- l'intérêt qu'accordent chacun de ces établissements à l'employabilité et à l'insertion professionnelle des étudiants

**6 b** Faites semblant d'être des étudiants français qui s'orientent vers l'enseignement supérieur. Laquelle des institutions choisiriez-vous : université ou grande école? Pourquoi? Discutez des avantages et des inconvénients des deux parcours. Servez-vous de la page web (page 37), de l'interview et des informations que vous avez trouvées.

**6 c** Suivant vos recherches et votre discussion, rédigez un paragraphe dans lequel vous donnez votre avis au sujet de l'enseignement supérieur en France. Faites attention à l'orthographe et à la grammaire.

# 2.4 De l'enseignement au boulot

- Découvrir des façons de s'adapter à la vie professionnelle
- Apprendre comment utiliser des pronoms, y compris les compléments directs et indirects
- Apprendre des techniques pour répondre aux questions en français

## On s'échauffe

**1 a** Connaissez-vous des emplois en français ? Combien d'emplois différents pouvez-vous écrire en une minute ? Chacun d'eux doit commencer avec une lettre différente.
*Exemple: agriculteur/agricultrice, boulanger...*

**1 b** Pensez à votre école. Quels conseils avez-vous reçus en matière d'orientation et de future carrière? Discutez-en avec un(e) partenaire :
- ○ Quels sont les métiers que vous pourriez/aimeriez faire ?
- ○ Aurez-vous ou avez-vous déjà eu l'occasion de faire un stage ?
- ○ Comment ça s'est passé ? Qu'avez-vous appris ?

# Au boulot

Les examens approchent. Mais que ferez-vous après les avoir passés ? Sauf un vrai désastre, le bac, vous l'aurez enfin, peut-être même votre licence. Cependant, les spécificités de la vie professionnelle, comment les gérerez-vous ? Pas de quoi vous inquiéter, quel que soit votre niveau d'études, il existe des façons de vous adapter au monde du travail.

## Des formations d'un an

Axé sur l'insertion dans la vie professionnelle, le CAP était fait pour vous. Maintenant, vous l'avez et quant aux études, vous n'avez aucune envie de les continuer. Il faut tout de même vous demander : êtes-vous prêt à naviguer le terrain miné que peut être le monde du travail ? Pour mieux s'adapter à la vie professionnelle, il existe des formations d'un an comme la mention complémentaire ou la formation complémentaire d'initiative locale.

## Les formations par apprentissage

Un BEP ou un CAP dans votre poche, vous n'êtes pas encore prêt à renoncer aux études. L'apprentissage, une formation en alternance qui associe une formation chez un employeur et des enseignements dispensés dans un CFA (centre de formation d'apprentis) représentent le choix idéal pour ceux qui viennent d'obtenir soit un BEP soit un CAP, leur permettant de préparer un Baccalauréat professionnel, un brevet professionnel, un brevet des métiers d'art ou bien une mention complémentaire tout en s'habituant au monde du travail.

## Après le baccalauréat

Diplôme universitaire de technologie (DUT), Brevet de technicien supérieur (BTS), universités, grandes écoles, écoles spécialisées, personne ne peut nier que le baccalauréat vous ouvre les portes de l'enseignement supérieur. Vous êtes bachelier technologique ou professionnel? Vous avez intérêt à vous diriger plutôt vers des formations courtes, c'est-à-dire des études techniques supérieures telles que les BTS et DUT. De telles formations qui consistent en deux années d'études ont des cursus qui intègrent toujours des stages en entreprise et permettent une entrée directe sur le marché du travail. Quant à vous, les bacheliers généraux, orientez-vous plutôt vers des cursus plus longs au sein des universités et des grandes écoles. Vous pouvez aussi envisager des études sur le mode de l'alternance, à savoir des diplômes où se succèdent des périodes de formation théorique dans une école ou à l'université et des périodes de formation pratique au sein d'une entreprise. Voici une façon idéale d'acquérir à la fois des compétences et de l'expérience professionnelle.

## 2 a Lisez l'article et répondez en français aux questions en utilisant le plus possible vos propres mots. Lisez d'abord la case stratégie.

1 À qui sont visés les conseils donnés ? [*deux détails*]

2 Quel est le but principal du CAP ?

3 Pourquoi ceux qui n'ont plus envie d'étudier, auraient-ils intérêt à faire une formation d'un an ?

4 Quels sont les atouts des formations en alternance ?

5 Pourquoi les apprentissages sont-ils un choix idéal pour ceux qui ont fait un CAP or un BEP ?

6 Quelle serait la meilleure voie pour ceux qui ont fait un bac technologique ? [*deux détails*]

7 Pourquoi ceux qui ont fait un bac général ne suivraient-ils pas normalement la même voie ?

8 Que pourraient faire les bacheliers généraux qui ont envie d'obtenir de l'expérience professionnelle ?

## 2 b Relisez l'article et traduisez ou définissez les termes suivants en anglais.

1 la licence

2 le CAP

3 le BEP

4 la mention complémentaire d'initiative locale

5 le CFA

6 le BTS

7 le DUT

8 les grandes écoles

---

## Stratégie

**Answering questions in French**

- When answering questions in French on a reading text, get the gist of the text first.
- Use photos, captions and headings as they provide clues to help you understand the text.
- With a listening text, listen first to get the gist and then for detail.
- Look carefully at the question words used to ensure that you are giving the information required.
- When composing your answer, try to use your own words and think about your grammar.
- Check your answers to make sure that they answer the question asked, that they make sense and that they are grammatically correct and free from spelling mistakes.
- Look at the number of marks allocated to each question. Two marks means that two pieces of information are needed, for example.

Keep all of this in mind when answering the questions in exercises 2a and 3b.

---

## 3 a Les avantages de faire un stage. Écoutez l'interview avec un enseignant du supérieur. Choisissez les *quatre* phrases vraies.

1 Même si beaucoup de stagiaires ne diraient pas pareil, l'enseignant du supérieur est d'avis qu'un stage peut être extrêmement bénéfique.

2 Il y a certaines compétences qui ne s'acquièrent qu'en faisant des stages.

3 Faire un stage est obligatoire pour tous les étudiants en faculté en France.

4 Les stages doivent être en rapport avec les études que fait l'étudiant.

5 Il faut faire attention car les entreprises peuvent donner aux stagiaires des tâches qui n'ont rien à voir avec leurs études.

6 Un stagiaire ne sera jamais mis en danger grâce aux règles qui ont été mises en place.

7 Tous les stages sont payés.

8 Il faut qu'un stage soit d'une certaine durée avant d'être rémunéré.

9 Les stagiaires sont payés autant que les salariés.

**3 b** **Réécoutez l'interview. Répondez en français aux questions suivantes, en utilisant le plus possible vos propres mots. Les phrases complètes ne sont pas demandées. Lisez d'abord la case stratégie.**

1 Comment sait-on que l'enseignant du supérieur est fermement pour les stages en entreprise ?

2 Comment un étudiant qui n'a pas fait de stage pourrait-il être désavantagé ?

3 Que peut faire un étudiant dont le cursus n'intègre pas un stage mais qui veut en faire un ?

4 Pourquoi un établissement scolaire s'opposerait-il à un stage ?

5 Comment l'enseignant du supérieur rassure-t-il les stagiaires éventuels ?

6 En ce qui concerne la rémunération, à quoi peuvent s'attendre les stagiaires ? [*deux détails*]

7 Est-ce que c'est la même chose pour les stages intégrés dans un cursus ?

8 À quel égard les stagiaires sont-ils traités comme des salariés ?

## Grammaire

**Les pronoms, y compris les compléments directs et indirects (Pronouns, including direct and indirect objects)**

Study C1.1 in the grammar section.

1 Look again at the article on page 40 and look at the transcript for the interview in exercise 3:
  ● Write down all of the sentences containing an object pronoun.
  ● Note down for each the type of pronoun and translate the sentences into English.

2 What do you notice about the position of direct and indirect object pronouns in each of the tenses? What do you notice about the past participles following some of the direct object pronouns?

**4 Choisissez la bonne fin de phrase a-h pour chaque début de phrase 1-8.**

1 Je lui ai…

2 Ils vont nous rencontrer…

3 Ma veste, zut…

4 Les étudiants dont vous parlez se…

5 Ce prof m'aidera le jour…

6 L'iPad c'est le mien…

7 Quelles classes, ah…

8 Celui qui t'a dit…

a …celles du recteur, je suppose ?

b …mais le portable est à lui !

c …donné mes coordonnées.

d …où il sera de retour.

e …sont rhabillés dans les vestiaires.

f …là où nous nous sommes vus hier.

g …ça, a menti !

h …je l'ai laissée dans les vestiaires.

**5** Traduisez ce passage en français.

With their exams coming up, many students are starting to think about what they will do after they have taken them. Some will continue their studies. Others may want to stop them. Whatever route they are planning to take, most of them will be thinking about their future career, how to prepare themselves for professional life. There is no need for them to worry as there are many ways to facilitate the transition from education to the working world, whatever qualifications they may have.

**6 a** Que pourraient faire ces étudiants français pour s'apprêter à la vie professionnelle ? Quelle serait la voie, ou les voies, idéale(s) pour chacun d'eux et pourquoi ? Servez-vous de l'article page 40 et de l'interview. Cherchez aussi d'autres informations sur Internet si nécessaire.

- **Sandra.** Bachelière générale extrêmement intelligente, elle a vraiment envie de continuer ses études et ne veut certainement pas entrer dans une entreprise en ce moment. Elle aime surtout la littérature française et espère étudier les lettres soit classiques soit modernes.
- **Nathan.** Plutôt pratique, Nathan vient d'obtenir un CAP. Tout comme son idole, Michel Roux, il rêve d'être grand chef un jour.
- **Amel.** Elle vient d'obtenir un BEP et veut s'insérer aussitôt que possible dans la vie professionnelle, à savoir, l'entreprise familiale. Franchement, elle en a marre d'étudier mais comprend tout de même l'importance de s'adapter à la vie professionnelle.
- **Enzo.** Bachelier technologique, il veut absolument faire des études supérieurs mais trouve très importante la formation pratique. Il aimerait travailler dans l'édition plus tard.
- **Clara.** Bachelière générale, elle aimerait tout de même acquérir de l'expérience professionnelle ainsi que de la formation théorique. Elle espère travailler chez un fabricant de matériel informatique.

**6 b** Discutez-en maintenant en groupes de trois ou quatre. Êtes-vous tous du même avis ? Ensuite dites aux autres membres du groupe laquelle de ces voies vous choisiriez et pourquoi.

**6 c** Écrivez un paragraphe résumant ce que pourrait faire un des étudiants ci-dessus pour s'apprêter à la vie professionnelle et ce que vous feriez, vous, si vous étiez français(e). Faites attention à ce que chaque membre du groupe choisisse un étudiant différent. Enfin, échangez vos paragraphes.

# Vocabulaire

## 2.1 L'enseignement en France

les **arts plastiques** (*m*)  the visual/fine arts
le **Baccalauréat professionnel (Bac pro)**  professional baccalaureate
le **Brevet d'enseignement professionnel (BEP)**  technical school certificate
le **Certificat d'aptitude professionnelle (CAP)**  vocational training certificate
un **diplôme professionnel**  professional qualification
les **disciplines** (*f*)  subjects
l' **école** (*f*) **élémentaire**  primary school
l' **école** (*f*) **primaire**  primary school
l' **éducation** (*f*) **civique**  civics
l' **éducation** (*f*) **musicale**  music
l' **éducation** (*f*) **physique et sportive (EPS)**  physical education (PE)
une **épreuve**  test
une **étape**  stage
**laïc (laïque)**  secular
un **lycée professionnel**  vocational secondary school
un **lycée d'enseignement général et technologique**  academic secondary school
une **maternelle**  nursery school
l' **orientation** (*f*)  careers/course guidance
la **(classe de) première**  lower sixth form
les **sciences** (*f*) **de la vie et de la terre**  biology
la **(classe de) seconde**  fifth form/year 11
un **stage**  work placement, training course
la **vie active**  working life

## 2.2 Aïe ! L'école me stresse !

l' **alimentation** (*f*)  diet, food
un(e) **auditeur (-trice)**  listener
(en) **baisse**  going down
**courageux (-euse)**  hard-working
**échouer**  to fail
le **harcèlement**  bullying
s' **imposer**  to be present
**inutile**  unnecessary
le **jour J**  D-day
la **laïcité**  secularism
**malin(e)**  smart, shrewd
**prétendre**  to claim
**prévenir**  to warn
un **proviseur**  headteacher of a *lycée*
**redoubler**  to resit a year
**réussir**  to pass
se **ronger les sangs**  to worry oneself sick
les **soucis** (*m*) **financiers**  financial worries
une **voie**  path
un **voile**  veil

## 2.3 Je m'oriente ver l'enseignement supérieur

un **amphithéâtre**  lecture hall

un(e) **bachelier (-ière)**  someone who has passed the baccalaureate
une **classe préparatoire**  preparatory class
l' **économie** (*f*)  economics
l' **enseignement** (*m*) **supérieur**  higher education
la **fac**  uni
une **filière**  pathway, option
la **formation**  education, training
les **frais** (*m*) **d'inscription**  enrolment/registration fees
**généraliste**  non-specialised, general
la **gestion**  management
une **grande école**  prestigious, selective higher-education institution in France
l' **ingénierie** (*f*)  engineering
s' **inscrire**  to enrol
une **licence (de lettres classiques)**  bachelor's degree (in classics)
le **management**  management
s' **orienter**  to lean towards
en **prépa**  enrolled in a preparatory class
**sélectif (-ive) sur concours**  selective through an entrance exam
le **taux d'échec**  failure rate
le **tutorat**  mentoring, pastoral care

## 2.4 De l'enseignement au boulot

en **alternance**  alternately
un **apprentissage**  apprenticeship
**axé(e)**  focused on
le **Brevet de technicien supérieur (BTS)**  vocational training certificate taken after the age of 18
un **Centre de formation d'apprentis (CFA)**  training centre for apprentices
la **convention de stage**  agreement to undertake a work placement
un **cursus**  career path, university course
un **cycle d'études**  academic cycle
le **Diplôme universitaire de technologie (DUT)**  2-year qualification taken at a technical college after the *bac*
une **école spécialisée**  specialist college
**facultatif (-ive)**  optional
la **formation complémentaire d'initiative locale**  further training specific to each particular area of France
une **incursion**  foray
l' **insertion** (*f*)  integration
la **mention complémentaire d'initiative locale**  further training specific to each particular area of France
une **mission**  assignment
s' **opposer à**  to oppose
la **rémunération**  pay
un(e) **stagiaire**  trainee
un **terrain miné**  minefield

# UNITÉ 3

## Le monde du travail

3.1 **L'équilibre travail-vie personnelle : ça marche ?**

3.2 **Les grèves et les Français : un droit national ?**

3.3 **L'égalité homme-femme au travail : un mythe ou une réalité ?**

## Theme objectives

This unit deals with the world of work in France, focusing on:
- work-life balance and attitudes towards work in France
- reasons why people strike, their rights and trade union intervention
- gender discrimination in the workplace

**The content in this unit is assessed at AS and A-level.**

## Grammar objectives

You will study and practise the following grammar points:
- recognising and using comparative and superlative adjectives
- recognising and using the imperfect and pluperfect tenses
- using the passive voice and *on*

## Strategy objectives

You will develop the following strategies:
- learning how to summarise information
- extending vocabulary through word families and the use of synonyms
- improving reading techniques in preparation for the exams

# 3.1 L'équilibre travail-vie personnelle : ça marche ?

- Étudier les thèmes de l'équilibre travail-vie personnelle et les attitudes envers le travail en France
- Savoir reconnaître et utiliser le comparatif et le superlatif des adjectifs
- Apprendre à résumer

## On s'échauffe

**1 a** À deux, catégorisez les adjectifs liés à la vie de travail/à la maison comme positif ou négatif. Partagez votre liste avec le groupe.

| | | |
|---|---|---|
| 1 désenchanté | 5 extenué | 9 motivé |
| 2 convaincu | 6 démotivé | 10 soutenu |
| 3 sous-estimé | 7 restreint | |
| 4 apprécié | 8 encouragé | |

**1 b** Ajoutez des activités et des tâches au travail et à la maison sous positif ou négatif. (Par exemple, *travailler à domicile/jouer avec les enfants* sous la catégorie de positif ou *un contrat à durée déterminée/avoir un travail stressant* comme négatif.) Discutez de vos choix et justifiez-les.

# L'équilibre travail-vie personnelle

**Je travaille et j'ai des enfants : ça marche ?**

Pour moi le manque de temps est pire que le dilemme entre mes rôles de mère et de femme professionnelle. Quand je rentre chez moi je suis totalement épuisée. À mon avis, il existe très peu de mesures adaptées entre la vie de famille et le monde professionnel. Je me sens prisonnière de ma situation.

Élodie

Je suis absolument d'accord avec ce que tu dis. La chose la plus stressante pour moi est l'intensification du travail. Il y a plus à faire qu'auparavant. Être maman, c'est la meilleure chose que j'aie jamais faite mais je ne passe pas beaucoup de temps avec mon bébé parce que je dois travailler. La politique la plus efficace serait de rémunérer les femmes au foyer. Ma vie est plus dure qu'avant.

Élise

Je cherche quelqu'un qui puisse me donner de bons conseils. Je souffre d'absentéisme au travail et de démotivation parce que je ne peux pas facilement jongler entre les rôles de père célibataire et d'homme actif. Je suis fatigué, déprimé et sous tension.

Pierre

Moi aussi. L'impact sur la famille est affreux. Je ne veux pas sortir le week-end avec mon mari parce que je veux rester chez nous pour nettoyer la maison. Je n'ai jamais le temps pendant la semaine. Je faisais de l'équitation toutes les semaines et j'étais moins stressée, mais maintenant je dirais que ma vie est plutôt métro, boulot, dodo. Je n'ai pas de temps pour me reposer.

Sabine

Je travaille à domicile. Ça m'aide à mieux concilier le travail et la vie de famille. J'ai cinq enfants et un mari très sympa et compréhensif. Il partage les tâches ménagères. Il s'occupe des biberons la nuit pour me permettre de dormir.

Simone

**2 a** **Lisez les extraits du forum. Pour chaque phrase ci-dessous, écrivez le nom qui convient le mieux : Élodie, Élise, Pierre, Sabine, Simone.**

   **1** L'augmentation du travail est la chose la plus stressante

   **2** Il a besoin de conseils utiles

   **3** Elle n'a plus de temps pour avoir des loisirs

   **4** Elle a un mari qui l'aide beaucoup

**2 b** **Relisez les extraits. Répondez en français aux questions suivantes.**

   **1** Est-ce qu'elle travaille loin de chez elle, Simone ?

   **2** C'est quoi le pire pour Elodie ?

   **3** Qu'est-ce que faisait Sabine toutes les semaines ?

   **4** Selon Simone, elle concilie sa carrière et sa famille grâce à qui ?

   **5** Comment sait-on que Pierre ne jongle pas facilement entre ses deux rôles ? [*deux détails*]

   **6** Pour qu'une mère puisse travailler, que devrait être la politique selon Élise ?

   **7** Pourquoi Simone est-elle exceptionnelle ?

   **8** Pourquoi Élise ne passe-t-elle pas beaucoup de temps avec son bébé ?

**2 c** **Traduisez les phrases suivantes en français.**

   **1** Élise thinks that working is easier nowadays.

   **2** Simone does not receive much support from her husband.

   **3** Pierre is often exhausted.

   **4** Élodie says that there are a lot of measures to help women who work.

   **5** Sabine used to go swimming every Tuesday and she was less stressed.

   **6** Simone's husband takes care of the feeding bottles at night so that she can sleep.

   **7** Often the lack of time is the hardest thing for working women.

   **8** Pierre is looking for somebody who can give him good advice.

## Les comparatifs et superlatifs des adjectifs (Comparative and superlative adjectives)

Study B8 and B9 in the grammar section.

**1** Look again at the web forum extracts on pages 46–47 and find the following examples:
- four comparatives
- four adjectives
- three superlatives

Copy each phrase containing the examples and translate them into English.

**2** What do you notice about the article in the superlative forms?

**3** Traduisez les phrases suivantes en français.

**1** She is less intelligent than her sister but more conscientious.

**2** He is the worst of colleagues but the best of friends.

**3** I (f) found myself in the worst situation possible.

**4** This team is less efficient than last year.

**5** The campaign has produced the worst results.

**6** It is a more pertinent question but less easy to understand.

**7** Now, my work is much more pleasant than at the beginning.

**4 a** Problèmes au travail. Écoutez la première partie, et répondez aux questions suivantes en français.

**1** Amélie travaille depuis combien de temps ?

**2** La directrice, qu'est-ce qu'elle ne permet pas ? [*deux détails*]

**3** Comment est l'ambiance au travail ?

**4** Selon Amélie, la directrice, a-t-elle une attitude positive envers ses employés ?

Je suis femme active et maman

**4 b** Listen to the second part to what Amélie says about her experience at work. Answer the following questions in English.

**1** Summarise the effect of the working atmosphere on the employees in general.

**2** Summarise the effects upon Amélie. [*two points*]

**4 c** Réécoutez et notez les synonymes des mots et expressions suivants.

**1** coopérative

**2** perdu ses illusions

**3** climat

**4** chef

**5** bureau

**6** donner sa démission

**7** fonction de secrétaire

**8** devenir ami avec

## Stratégie

### Summarising information from a listening passage (AS)

- If you are asked to summarise information from a section of a listening passage, make sure you only write about that section in your summary.
- Read the information about what you are being asked to summarise to focus your mind before you listen.
- Listen to the whole passage to get the gist.
- Make notes in English about the information you have already understood, and work out what you still need to know.

- Listen again, pausing if necessary, and add to your notes until you have the right number of pieces of information (shown by numbers in brackets).
- Write your summary in full sentences in English.
- Read through to check you have explained everything clearly and recorded all the required information.
- Cross out your notes.

**5** Translate the following text into English.

**Work and well-being**

« Dans notre société de l'accomplissement personnel, le travail est devenu l'une des principales raisons pour le bien-être », confirme le sociologue Vincent de Gaulejac. « Notre conception du travail est de nos jours intimement liée à une notion d'enrichissement personnel. Dans la réalité, ce qu'un employeur attend d'un salarié, ce n'est pas qu'il se fasse plaisir mais qu'il contribue à la rentabilité de son affaire, l'un n'étant pas toujours compatible avec l'autre ».

**6 a** Travaillez avec un(e) partenaire. Échangez vos opinions avec celles de votre partenaire par rapport aux questions et aux situations suivantes, en justifiant vos idées :

- Les couples, devraient-ils partager les tâches ménagères ?
- Est-il impossible d'être une bonne mère et d'avoir une carrière en même temps ?
- Pensez-vous qu'être mère au foyer est quelque chose de positif ou négatif ?
- Vous vous sentez stressé au travail. Comment allez-vous mieux gérer votre stress ?
- Vous vous avez un employeur avec qui vous ne vous entendez pas bien et qui vous traite mal. Vous croyez que c'est un cas de harcèlement au travail. Comment le prouver et qu'allez-vous faire pour y remédier ?

**6 b** Écrivez un paragraphe pour résumer comment équilibrer travail-vie personnelle. Ajoutez vos opinions personnelles. Faites attention à l'orthographe et à la grammaire.

# 3.2 Les grèves et les Français : un droit national ?

- Étudier les raisons pour les grèves, les droits des grévistes et l'intervention des syndicats
- Savoir reconnaître et utiliser l'imparfait et le plus-que-parfait
- Élargir le vocabulaire par les familles de mots et l'usage des synonymes

## On s'échauffe

**1 a** Catégorisez les mots suivants sous forme de noms, verbes et adjectifs. Reliez les mots en français et en anglais.

| | | | |
|---|---|---|---|
| 1 | lancer un appel à la grève | a | striker |
| 2 | le gréviste | b | to join |
| 3 | se porter gréviste | c | demand, complaint |
| 4 | le piquet de grève | d | decline in union support |
| 5 | la revendication | e | union |
| 6 | le syndicat | f | union (adjective) |
| 7 | adhérer à | g | picket line |
| 8 | syndicale | h | to join a strike |
| 9 | l'affaiblissement de l'esprit syndicaliste | i | to call a strike |

**1 b** Énumérez le lexique qui correspond au thème des grèves avec un(e) partenaire. Partagez votre liste avec le groupe. Considérez votre propre expérience des grèves et soyez prêt(e)s à répondre aux questions suivantes dans une discussion en classe.

- Vos parents/vos profs, ont-ils fait la grève ?
- Cela vous a touché de quelle manière ?
- Pensez-vous que se mettre en grève est quelque chose de positif ou négatif ?

# Encyclopédie en ligne : la France, est-elle un pays de grévistes ?

Le nombre de grèves en France a augmenté tout au long des années et la tendance est à la hausse. Il est curieux que les grèves soient les plus courantes en France parmi tous les pays développés. La France, est-elle un pays de grévistes ?

Le mot français « grève » tire son nom de la place de Grève à Paris. Les hommes sans emploi y trouvaient une embauche facile. La grève implique en premier lieu, l'arrêt du travail. Elle peut se concrétiser par des manifestations et dans certains cas par des actions illégales. Il peut s'agir tout simplement d'un arrêt de travail de quelques heures.

En France, la grève générale de juin 1936 avait permis l'obtention des congés payés. La réduction du temps de travail était une lutte importante du mouvement ouvrier depuis le XIX$^{ème}$ siècle – la création en 1889 du 1$^{er}$ mai comme journée annuelle de grève ayant pour but la réduction de la journée de travail à 8 heures.

Les grèves sont un des moyens privilégiés par les syndicats français pour défendre les acquis sociaux tels que le système éducatif public. Avec l'installation du chômage massif, les grèves ont diminué dans le secteur privé. En 1989, près de 70% des jours de grève recensés l'étaient dans la fonction publique.

Il y a eu beaucoup de grèves notables dans les années 80 en France : les routiers en 1984 et la SNCF en 1986. La grande grève de 1995 avait paralysé la France et elle reste dans la mémoire des Français comme la plus grande grève après mai 1968. C'était le refus total du « Plan Juppé » sur les retraites et la Sécurité Sociale. Après trois jours de grève, le gouvernement avait retiré son plan sur la réforme. Les grévistes avaient gagné, en criant « Tous ensemble ! ».

## 2 a Lisez l'extrait et trouvez les synonymes aux mots et expressions suivantes.

**1** croissant

**2** une nation des gens qui aiment se mettre en grève

**3** une diminution dans le nombre d'heures que l'on travaille

**4** l'argent qu'on reçoit après la retraite

**5** importantes

**6** beaucoup de chômage

**7** le rejet

**8** réduit

## 2 b Relisez l'extrait et identifiez les *quatre* phrases qui sont correctes.

1 Les grèves sont plus nombreuses en France, selon le texte.

2 Les grèves sont les plus communes en France parmi tous les pays développés.

3 Les hommes sans emploi ne trouvaient pas une embauche facile sur la place de Grève.

4 Les grèves peuvent durer très peu de temps.

5 Les grèves sont 35% plus populaires dans le secteur privé.

6 Un but des grèves est de protéger l'égalité entre les sexes.

7 Il y avait beaucoup de grèves importantes dans les années 80 en France.

8 En 1995 après trois jours de grèves et de manifestations, le gouvernement avait refusé de retirer son plan sur la réforme.

## 3 a La grève des marins de MyFerryLink. Écoutez la conversation entre Alain et Véronique par rapport à la grève. Remplissez les blancs en utilisant les mots et expressions de la liste.

Il y avait beaucoup de problèmes dans le Pas-de-Calais. Les **1**......... ont brûlé des pneus sur les voies. Les navires et les passagers avaient été touchés par ces **2**.......... . Des marins étaient **3**......... après la vente de leurs bateaux à une **4**.......... . Les grévistes avaient bloqué le tunnel sous la Manche pendant plusieurs heures. Il y avait des gens qui disaient qu'il fallait **5**......... et être **6**.......... . Il y avait ceux qui culpabilisaient **7**......... en disant qu'il n'avait pas réussi dans les négociations. Les employés avaient peur de perdre leurs postes. **8**......... d'Eurotunnel avait prévenu que l'ensemble des six cents salariés ne seraient pas repris par la société danoise.

grévistes

le président directeur-général (PDG)

le syndicat

en grève

réclamations

valoir ses droits

solidaire

compagnie concurrente

premièrement

## 3 b Réécoutez la conversation. Répondez aux questions suivantes en français.

1 Véronique et Alain, de quoi parlent-ils ?

2 Est-ce qu'Alain est d'accord avec ce qui s'est passé ? [*deux détails*]

3 Pourquoi est-ce que Véronique dit que c'est un problème? [*deux détails*]

4 Selon Alain, pourquoi est-elle arrivée cette situation ?

5 Quelles ont été les conséquences de cet événement pour les non employés ?

6 Pourquoi Véronique pense-t-elle que c'est la faute du syndicat ?

7 Sans les grèves, quelles seraient les conséquences, selon Alain ?

8 Quand est-ce que la situation a-t-elle été rétablie ?

**AS STAGE**

## 3 c Traduisez le texte suivant en français.

What a year of strikes! Everybody has the right to strike but it causes many problems for others. There were strikes in the past. They have always existed. Without strikes, there wouldn't be any progress. Sometimes a strike is a real problem for everybody and it can be the fault of the employers. It's not always a question of principle but of money. If there is a public transport strike it can be a nightmare for the passengers.

---

### Grammaire

#### L'imparfait et le plus-que-parfait (Imperfect and pluperfect tenses)

Study H6 and H7 in the grammar section.

1 Read the extract on page 51 again and find:
  - three examples of the imperfect
  - four examples of the pluperfect

  Translate them into English and note their infinitive form.

2 Now obtain a copy of the transcript of the conversation (*La grève des marins de MyFerryLink*) and find :

  - two examples of the imperfect
  - five examples of the pluperfect

  Translate them into English and note their infinitive form.

3 How would you explain the difference between the formation of the imperfect tense and the pluperfect tense to another student?

---

### Stratégie

#### Extending vocabulary through the use of word families and synonyms

- Use online dictionaries and translating apps to help you to extend vocabulary.
- When you discover a new word, try to think of, or look up, other words in the same family, and note them down together.
- Try to vary your language by using synonyms of frequently-used words or expressions.
- Group words as you note them down, such as alphabetically, in subject areas, or as types of words (e.g. all verbs, nouns).
- Use a dictionary to check idiomatic uses of words and compound nouns and to discover different meanings depending on the context/preposition.

- Become aware of true cognates (English words that mean the same thing in French), near cognates (these have related meanings) and false cognates (words that mean something very different).
- It can be helpful to think of words as in word families. This is when you find associated nouns, verbs, adverbs and adjectives all with the same stem, e.g. *travail, travailleur, travailler*. You may even wish to group the words like this in your vocabulary lists.

---

**4 a** Travaillez par trois : chaque membre de l'équipe doit trouver un exemple d'une grève récente en France. Recherchez un exemple d'une grève récente en France et les problèmes qui l'ont provoquée. Utilisez un journal en ligne ou une chaîne à la télé pour vous procurer de l'information. Prenez des notes.

**4 b** Une personne du groupe parle de la grève qu'il/elle a recherchée. Les autres posent des questions. Changez de rôle.

**5** Écrivez un paragraphe qui résume les points les plus importants de la grève que vous avez recherchée. Incluez votre opinion sur le résultat de cette grève. Faites attention à l'orthographe et à la grammaire.

UNITÉ 3   *Le monde du travail*   53

# 3.3 L'égalité homme-femme au travail : un mythe ou une réalité ?

- Étudier la discrimination du genre au travail
- Utiliser la voix passive et « *on* »
- Développer les techniques de lecture en préparation pour les examens

## On s'échauffe

**1** Discutez à deux de vos idées par rapport aux thèmes suivants. Soyez préparé(e)s à partager vos opinions en classe.
- ○ **Les femmes, devraient-elles travailler ?**
- ○ **Est-ce que les femmes sont aussi capables que les hommes dans le monde du travail ?**
- ○ **Pensez à une femme professionnelle que vous admirez et décrivez-la.**

# Être une femme, premier facteur de discrimination au travail en France ?

Selon une étude publiée par OIT, un tiers des femmes actives a déjà été victime de discrimination au travail. 33% des actifs ont déjà été témoin du ralentissement de carrière professionnelle d'une femme parce qu'elle avait des enfants. La discrimination a été plus élevée dans le privé que dans le public. On peut lier les stéréotypes au genre, à la grossesse et à la maternité. Quelles sont les mesures nécessaires pour que l'égalité homme-femme au travail soit plus une réalité qu'un mythe ?
On juge les mesures permettant de concilier la vie familiale et professionnelle comme les plus efficaces afin de rétablir l'égalité homme/femme. Femmes au travail : où allons-nous ?

Le Directeur général de l'OIT dit : « Nous joignons nos efforts avec ceux qui se battent pour l'égalité entre les sexes. » L'Organisation Internationale du Travail a été fondée par le syndicaliste Albert Thomas en 1919 pour promouvoir les droits fondamentaux au travail.

En dépit de la lutte pour l'égalité homme-femme au travail, le plafond de verre empêche les femmes d'accéder au pouvoir dans la plupart des entreprises. Les femmes, comment peuvent-elles accéder à des postes de responsabilité ? On décrit un chemin comme le plus fiable : la transmission familiale. Prenez les parfums de Fragonard, berceau des parfumeurs. En 1995, une des filles a été invitée à filer un coup de main à son père. Une transition père-fille aide les femmes à accéder au sommet professionnel. La loi du 4 août 2014 pour l'égalité réelle entre les femmes et les hommes a été établie pour l'égalité professionnelle.

C'est un signe positif pour les femmes actives. Autre encouragement : le WISET (*Women in Science, Engineering and Technology*) a lancé en avril 2015 un appel à candidature pour le recrutement de jeunes femmes diplômées dans les petites entreprises.

**2 a** Lisez l'article et trouvez les synonymes pour les mots et les expressions ci-dessous.

    **1** les femmes qui travaillent         **3** élémentaires

    **2** profession                  **4** filière

**2 b** Relisez l'article en cherchant les antonymes pour les mots suivants.

    **1** l'accélération             **3** le moins

    **2** déception                **4** paternité

**2 c** Choisissez la phrase ou le mot correct, selon le texte, pour compléter les phrases. Lisez le stratégie pour vous aider.

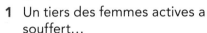

**1** Un tiers des femmes actives a souffert…

    **a** …de discrimination.

    **b** …de racisme.

    **c** …de harcèlement.

    **d** …d'attention non désirée.

**2** 33% des femmes qui travaillent ont vu que leur carrière souffrait à cause…

    **a** …des amis.

    **b** …des maris.

    **c** …des enfants.

    **d** …des collègues.

**3** Dans le public la discrimination a été…

    **a** …plus élevée que dans le privé.

    **b** …moins élevée que dans le privé.

    **c** …égale à celle du privé.

    **d** …plus rapide que dans le privé.

**4** L'OIT a pour but…

    **a** …la diminution des droits fondamentaux au travail.

    **b** …la promotion des droits fondamentaux au travail.

    **c** …la critique des droits fondamentaux au travail.

    **d** …la compréhension des droits fondamentaux au travail.

**5** Les femmes sont empêchées d'accéder au postes plus élevés par…

    **a** …les directeurs.

    **b** …un manque de diplômes.

    **c** …leurs copains.

    **d** …le plafond de verre.

**6** Un chemin fiable qui aide les femmes à accéder à des postes de responsabilité est la transmission…

    **a** …d'amitié.

    **b** …familiale.

    **c** …de l'argent.

    **d** …du statut.

**7** La loi du 4 août 2014 est un signe…

    **a** …positif.

    **b** …négatif.

    **c** …neutre.

    **d** …ambigu.

**8** Le WISET a lancé un appel à candidature pour embaucher plus…

    **a** …de femmes.

    **b** …d'hommes.

    **c** …de jeunes.

    **d** …d'hommes qui sont diplômés.

**Develop reading techniques in preparation for the exams**

- Don't panic if you don't understand every single word. Read for gist understanding at first and then look for any details required.
- Look for clues (key words, phrases) in the questions that might help you to understand the text.
- Give the amount of information you are asked for. This is indicated by a number of details in brackets.
- As you carry out reading exercises in this textbook, get used to the type of instructions you are likely to encounter. If you find new expressions in the instructions, note and learn them.
- With multiple-choice questions or questions requiring you to find the four correct statements, if you are not sure, always make an educated guess.

- Don't copy chunks of language from the text. Use your own words to show that you have understood the meaning.
- There are usually a few questions that require you to infer answers. This means you have to work out the answer from the information given, rather than merely finding the answer in the text. Look out for these and make sure you get used to answering them well.
- Check whether you are asked to write in accurate French or not. If it doesn't say, short answers will be sufficient as long as you make sure you give all the information you are asked for. If you do have to write accurate French, make sure you check the accuracy of your language.

## Grammaire

**Utiliser la voix passive et « on » (Use the passive voice and *on*)**

Study H16 and C1.2 in the grammar section.

1 Look again at the article on page 54 and find:
   - six examples of the passive voice
   - three examples of the use of *on*

   Translate the phrases containing the examples into English.

2 What do you notice about the past participles used with the passive?

**3 a Dans les phrases 1-4 remplacez la forme passive avec l'équivalent en utilisant *on*.**

    **1** La plupart des femmes avaient été obligées d'organiser leur travail et leur foyer.

    **2** Depuis toujours, les femmes n'ont pas été rémunérées au même niveau que les hommes.

    **3** Jusqu'à récemment, ma fiancée n'a pas été payée comme il faut.

    **4** Les femmes n'avaient pas été aidées à trouver l'égalité au travail.

**b Maintenant faites le contraire avec phrases 5-8.**

    **1** Généralement, on diminue la valeur des femmes en public.

    **2** Dans l'atelier, on a soumis les femmes au pouvoir masculin.

    **3** Pour les interviews, on ignore les candidates en faveur des candidats.

    **4** On avait choisi cette candidate parce qu'elle était bien habillée.

**4 a** Victimes de la discrimination. Écoutez trois personnes qui partagent leur expérience de la discrimination au travail. Pour chaque personne choisissez les phrases qui conviennent le mieux : Marie (M), Pierre (P) ou François (F).

Il/Elle pense que…

**1** …la discrimination du genre est injuste.

**2** …le genre suscite des problèmes pour les femmes actives.

**3** …il faut respecter tout le monde.

**4** …les blagues sexistes sont dangereuses.

**5** …c'est aussi difficile pour les hommes que pour les femmes.

**6** …la discrimination au travail baisse.

La discrimination à la mode

**4 b** Réécoutez l'interview. Répondez en français aux questions suivantes.

**1** Marie a été victime de quoi au travail ?

**2** Quand ont commencé les problèmes au travail pour Marie ?

**3** Selon Marie, quelle a été la conséquence sur la carrière de femmes victimes ?

**4** Pierre, qu'en pense-t-il des effets des blagues sexistes ?

**5** Qu'avait demandé Pierre à ses employeurs ?

**6** Qu'est-ce qui a été endommageant pour Marie ?

**7** Quel est le métier de François ?

**8** Sur quels critères devrait-on être jugé au travail selon Pierre ? [*deux détails*]

**5** Translate this text about discrimination into English.

Positive discrimination

La discrimination positive est une question qui fait toujours débat aujourd'hui. C'est le fait d'avantager de façon passagère certains groupes de personnes victimes de discriminations systématiques. Les distinctions peuvent être de nature raciales, ou être fondées sur le sexe ou la religion, par exemple. Ce concept a été créé afin de rétablir un équilibre. Selon un sondage, 67% des personnes interrogées estiment que la discrimination positive ne serait pas une bonne chose contre 29% qui croient le contraire.

**6 a** Choisissez une profession qui a été traditionnellement liée aux femmes et recherchez le pourcentage de femmes et d'hommes qui l'exercent en France de nos jours. Notez vos découvertes.

**6 b** Discutez de vos résultats avec un(e) partenaire ou la classe.

**6 c** Discutez à deux des questions suivantes, en offrant des exemples et des raisons pour vos opinions.

- Pensez-vous qu'il existe encore des stéréotypes dans le monde du travail en ce qui concerne les postes pour les hommes et les femmes ?
- Considérez-vous qu'il y a des situations dans lesquelles les croyances et les pratiques religieuses devraient être un facteur légitime au travail (par exemple, le code vestimentaire) ?
- Peut-on conclure qu'on a fait du progrès dans ce domaine depuis que vos parents ont commencé à travailler ?

**6 d** Résumez la discussion dans un paragraphe court y compris vos opinions et celles des autres. Faites attention à l'orthographe et à la grammaire.

# Vocabulaire

## 3.1 L'équilibre travail-vie personnelle : ça marche ?

l' **accomplissement** (m) **personnel** personal achievement
l' **ambiance** (f) atmosphere
**avoir une carrière** to have a career
un(e) **candidat(e)** candidate
la **candidature** application
la **carrière** career
la **convivialité** friendliness
la **demande d'emploi** application
**démissionner** to resign
la **dépression** depression
la **direction** management
**efficace** effective
**embaucher** to hire
un(e) **employé(e)** employee
un(e) **employeur (-euse)** employer
**engager** to employ
l' **enrichissement** (m) **personnel** personal enrichment
l' **entretien** (m) **d'embauche** job interview
**épuisé(e)** exhausted
**établir des amitiés** to develop friendships
**être au chômage** to be unemployed
**être à la retraite** to be retired
**faire des heures supplémentaires** to work overtime
une **femme d'affaires** businesswoman
la **formation sur le tas** on-the-job training
la **formulaire de demande d'emploi** job application form
**gérer le stress** to handle one's stress
**intérimaire** temporary
**jongler entre les rôles** to juggle roles
l' **intensification** (f) **du travail** work intensification
une **offre d'emploi** job offer
la **rentabilité** profitability

## 3.2 Les grèves et les Français : un droit national ?

les **acquis** (m) **sociaux** social rights/achievements
**appeler à la grève** to take industrial action
le **chômage massif** mass unemployment
se **concrétiser** to materialise
les **congés** (m) **payés** paid holidays
**donner son préavis** to hand in one's notice
les **droits** (m) **des travailleurs** workers' rights
**faire partie d'un syndicat** to belong to a union
**faire une grève (ouvrier)** to down tools
**lancer un appel de grève** to call a strike
une **lutte** fight
les **mouvements** (m) **de grève** strikes
le **mouvement ouvrier** workers' movement
**organiser un piquet de grève** to picket a factory

un **pays de grévistes** country of strikers
les **pays développés** developed countries
le **piquet de grève** picket line
se **porter gréviste** to go on strike
le **préavis de grève** strike notice
**protéger l'égalité** to protect the equality
une **réclamation** complaints
la **retraite** retirement
un(e) **syndicaliste** trade-union member
un **syndicat** trade union
le **taux de chômage** rate of unemployment
**trouver une embauche facilement** to easily find a job

## 3.3 L'égalité homme-femme au travail : un mythe ou une réalité ?

**abaisser** to humiliate
**accéder à la vie professionnelle** to have access to a career
l' **amour-propre** (m) self-esteem, pride
**autonome** self-sufficient
**avantager** to favour
**concilier travail et vie de famille** to juggle work and a family
la **discrimination** (f) **sexuelle** sexual discrimination
l' **égalité** (f) **des chances** equality of opportunity
l' **égalité** (f) **des sexes** gender equality
**endommager** to damage
**être l'objet de discrimination** endure discrimination
**être sur un pied d'égalité avec** be on equal footing with
**être tenu(e) responsable de** be held responsible for
**être victime de discrimination** be discriminated against
**être victime de dérision** to be the victim of ridicule
**être victime de ségrégation** be segregated against
**faire valoir ses droits** assert one's rights
**fonder son entreprise** to set up a business
le **harcèlement sexuel** sexual harassment
**idéaliser** to idealise
**intolérant(e)** intolerant
la **parité** gender equality
les **préjugés** (m) **raciaux** racial prejudice
**rémunérer les femmes au foyer** to pay housewives for their work
la **répartition des rôles** division of the roles
la **xénophobie** hatred of foreigners

# UNITÉ 4

## La musique

## Theme objectives

This unit looks at music in France, focusing on
- Francophone music
- the popular musical genre, *la chanson française* and Haitian music
- the influence of Francophone music

**The content in this unit is assessed at AS and A-level.**

## Grammar objectives

You will study and practise the following grammar points:
- using reflexive verbs
- recognising and understanding the past historic of regular and common irregular verbs
- understanding inversion of subject and verb after adverbs

## Strategy objectives

You will develop the following strategies:
- listening techniques
- translating from English into French
- listening to French native speakers

# 4.1 La musique francophone

- Découvrir la musique francophone
- Comprendre comment utiliser les verbes pronominaux
- Réviser des techniques que vous connaissez déjà pour mieux comprendre le français parlé

## On s'échauffe

**1** Mettez chacun des mots ci-dessous sous le bon titre. Pouvez-vous ajouter d'autres mots à chaque liste ?

| Les genres musicaux | | Les instruments | Les artistes | |
|---|---|---|---|---|
| la chorale | le chanteur | le classique | le clavier | la contrebasse |
| l'orchestre | l'orgue | le rappeur | le guitariste | le rock |
| le folk | le rap | la batterie | le violoncelle | le reggae |

# La radio française

## Les chanteurs d'antan

Serge Gainsbourg, Johnny Hallyday, Francis Cabrel, Jean-Jacques Goldman, on les entend toujours à la radio française. Que vous écoutiez RFM, Chérie FM, NRG, les tubes de ceux-là seront sur la playlist. De quoi vous faire vous poser la question, pourquoi les stations de radio françaises dépendent-elles autant des chanteurs francophones d'antan ? Pourquoi ne se sont-elles pas tournées vers plus de nombreux nouveaux talents français comme on s'attendrait ?

## La loi Toubon

Cela s'explique en grande partie par la loi Toubon. Conçue en 1994 afin de protéger la langue française, cette loi oblige ces stations de radio à passer quarante pour cent de leurs chansons en français dont la moitié doit être des nouveaux talents. Le problème ? Un nombre croissant d'artistes francophones contemporains tels que Yael Naim et Thomas Mars préfèrent chanter en anglais, ce qui peut se révéler problématique pour les stations de radio ainsi que pour les artistes eux-mêmes dont les chansons ne peuvent pas être comprises dans ce quarante pour cent. Ces artistes se trouvent plutôt en concurrence avec les chanteurs les plus populaires anglophones. Ils se voient, par conséquent, sous-représentés en France et les stations de radios, elles, forcées à repasser constamment les mêmes chansons en français pour remplir ce quota. Et voici une situation qui ne s'améliorera pas, semble-t-il, tant que restera en place cette loi.

## Peur du nouveau talent francophone ?

Faut-il donc changer le quota ? « Non, » disent certains. Malgré cette tendance à chanter en anglais, il existe toujours bon nombre de chanteurs francophones contemporains tels que Zaz qui produisent leurs disques entièrement en français dont pourraient se servir les stations de radio. La question se pose plutôt, pourquoi les stations de radio ne se servent-elles pas plus des nouvelles chansons françaises à leur disposition ? On dirait qu'elles en ont peur.

**2 a** Lisez l'article au sujet de la radio française. Ensuite lisez les thèmes ci-dessous et mettez-les dans le même ordre qu'ils apparaissent dans le texte.

1 La question du jour

2 Les chansons très populaires

3 Exclus de la playlist

4 Une loi qui date des années 90

5 Les chanteurs d'il y a longtemps

6 Les chansons françaises que pourraient passer les stations de radio

7 Une préférence pour l'anglais

8 Ceux qui se rebiffent contre la tendance

**2 b** Relisez l'article. Répondez en français aux questions suivantes, en utilisant le plus possible vos propres mots.

1 Quelles chansons êtes-vous sûr(e) d'entendre à la radio française ?

2 Pourquoi trouve-t-on un peu bizarre d'entendre toujours ces chansons ? [*deux détails*]

3 Quel est le but de la loi Toubon ?

4 Quelles en sont les conséquences pour les stations de radio françaises ?

5 Quel pourcentage des chansons en français doivent être des nouveaux talents ?

6 Quels sont les inconvénients de la loi Toubon pour les artistes francophones tels que Yael Naim ?

7 Que pourraient faire les stations de radio pour remplir le quota ?

8 Selon le texte, que pourrait être un problème pour les nouveaux talents qui chantent en français ?

## Grammaire

### Les verbes pronominaux (Reflexive verbs)

Study H2 in the grammar section.

1 Look again at the article on page 60. Write down:

- two sentences with a reflexive verb in the present tense
- one sentence with a reflexive verb in the perfect tense
- one sentence with a reflexive verb in the conditional
- one sentence with a reflexive verb in the future tense
- two sentences with a reflexive verb in the infinitive form

2 Underline the verb and the reflexive pronoun, and translate the sentences into English.

3 What do you notice about the reflexive pronouns for each person? What do you notice about word order in the different tenses?

**3** Lisez ce texte plein de verbes pronominaux. Actuellement tous les verbes sont à l'infinitif, mais seulement trois sont corrects ainsi. Il faut changer les autres soit au passé composé soit à l'imparfait, par exemple : 1 *s'est modifiée*.

La chanson française **1**.......... (*se modifier*) au cours de la Révolution quand Robespierre **2**.......... (*se mettre*) à exterminer ses ennemis. Des poètes-musiciens, qui **3**.......... (*s'appeler*) *Les Poètes chansonniers*, **4**.......... (*se réunir*) et **5**.......... (*se promettre*) de **6**.......... (*se servir*) de leurs talents pour propager les nouvelles de rébellion et d'exécution un peu partout dans le pays. Cette approche **7**.......... (*se renouveler*) pendant le 19ème siècle au point où Napoléon II et III **8**.......... (*se sentir*) menacés par le mouvement vers la *démocratie*.

Cette tradition **9**.......... (*se refléter*) au 20ème siècle dans la musique des chanteurs et compositeurs comme Boris Vian, Serge Reggiani, Georges Moustaki et Jacques Brel dont les paroles **10**.......... (*s'occuper*) très souvent de la nécessité de **11**.......... (*se créer*) une société plus juste. La chanson 'Le déserteur', écrite par Vian et interprétée par Reggiani, **12**.......... (*se présenter*) comme un défi jeté au gouvernement français pendant la guerre d'Indochine, invitant le public de refuser à faire la guerre. Quelqu'un qui **13**.......... (*se promener*) dans la rue en chantant cette chanson interdite, risquait de **14**.......... (*se trouver*) dans une cellule au commissariat.

## Listening: summary of skills learnt so far

When you are faced with a new listening text, it can be daunting. You have already come across some techniques that will help you to tackle listening passages. To recap:

- Before listening to a passage, think about the type of language you are likely to hear.
- Read the questions and make sure that you know the type of information you need to find.

- Look in particular for question words such as *combien*, *comment* or *où* to know if you will be looking for a number, a place etc.
- If a question asks for numbers or times, go through possible numbers and times in your head before you listen.
- Think about the key sounds in French to help you work out what is being said and listen for clues such as tone of voice and intonation.

Keep these tips in mind when completing exercise 4.

**4 a**  **Les Francofolies de La Rochelle. Écoutez l'interview. Complétez les phrases suivantes selon le sens du passage en utilisant un des mots ci-dessous. Attention ! il y a quatre mots de trop. Lisez d'abord la case stratégie.**

Les Francofolies de La Rochelle, festival de chanson **1**......... a lieu dans l'**2**......... de la France. Toujours très **3**......... ce festival a été fondé en 1985 et **4**......... bon nombre de **5**......... et de chanteuses francophones tels que Philémon Cimon et Boagan. Ce festival a comme but de **6**......... la musique francophone et les artistes parlent donc tous le **7**......... même si quelques-uns chantent en d'autres langues aussi, ce qui a mené a une nouvelle catégorie, *Not Ze Francos*, réservée aux artistes francophones qui chantent en anglais. En fin de compte, ce festival s'est **8**......... une grande réussite.

| | | | |
|---|---|---|---|
| **abolir** | **révélé** | **attire** | **fêter** |
| **populaire** | **est** | **chanteurs** | **ouest** |
| **anglophone** | **francophone** | **français** | **artistes** |

**4 b** Réécoutez la première partie de l'interview. Répondez en français aux questions suivantes.

    **1** Pourquoi attendrait-on un mélange éclectique de festivaliers aux *Francofolies* ?

    **2** Qu'ont en commun tous les artistes qui font partie de ce festival ?

    **3** D'où vient le chanteur qu'aime la festivalière qui parle ?

    **4** Qu'est-ce qui nous mène à croire que ce festival est une grande réussite ? [*deux détails*]

**4 c** Listen to the second half of the interview again and answer the following questions in English.

    **1** Summarise what the second speaker says about Boagan. [*three points*]

    **2** Summarise what the presenter says about Francophone music at the end. [*three points*]

**5** Translate the following passage into English.

**Philémon Cimon**

Déjà passionné de musique, c'est après avoir visité l'Inde que le guitariste-chanteur québécois Philémon Cimon a vraiment découvert sa soif de créer, de chanter. Et les textes, traversés de vulnérabilité, d'authenticité, qu'il a écrits de suite lui ont fait gagner plusieurs prix. Voyageur dans l'âme, il est bientôt reparti, à Cuba cette fois, pays dont les rythmes chaloupés du jazz l'ont inspiré à sortir un nouvel album en rentrant à Montréal.

**6 a** Cherchez sur un site Internet français un musicien d'un pays francophone. Prenez des notes. Considérez les points suivants :

    ● Il/Elle vient de quel pays ?
    ● Il/Elle chante depuis combien de temps ?
    ● Est-ce qu'il/elle chante en français ou en anglais ?
    ● S'agit-il de musique pop, classique, jazz, etc. ?
    ● Est-ce qu'il/elle est connu(e) en Grande-Bretagne ?
    ● Achèteriez-vous un de ses disques ? Pourquoi (pas) ?

**6 b** Comparez ce musicien avec ceux qu'ont recherchés les autres étudiants. Comment se ressemblent-ils et comment diffèrent-ils ? Lequel des ces musiciens est le plus connu ? Discutez-en les raisons : chantent-ils en anglais ou en français ou les deux, par exemple ? À votre avis, les chanteurs francophones devraient-ils tous chanter en français ou en anglais ? Pourquoi/Pourquoi pas ? Pensez aux avantages de chanter en chaque langue :

**les avantages de chanter en français :**
● la protection de la langue
● c'est une belle langue poétique
● la culture
● la variété

**les avantages de chanter en anglais :**
● le marché anglophone est très large – il y a un grand public
● elle se montre comme une langue idéale en ce qui concerne la musique pop

**6 c** Écrivez un paragraphe pour résumer votre discussion. Faites attention à l'orthographe et à la grammaire.

# 4.2 Les tendances musicales

- Découvrir la chanson française et la musique d'Haïti
- Reconnaître et comprendre le passé simple des verbes réguliers et irréguliers communs
- Traduire de l'anglais vers le français

## On s'échauffe

**1** Que savez-vous de la chanson française ? Lisez les titres ci-dessous et mettez chacun d'eux dans la bonne catégorie. Pouvez-vous ajouter d'autres titres à chaque liste ? Connaissez-vous aussi des chanteurs de chanson française ?

| La chanson d'amour | La chanson politique | Paris dans la chanson |
|---|---|---|
| 'Ne me quitte pas' | 'Sous les ponts de Paris' | 'La prise de la Bastille' |
| 'Le chant des partisans' | 'La Marseillaise' | 'Quand un soldat' |
| 'Il est cinq heures, Paris s'éveille' | 'L'amour avec toi' | 'La bohème' |
| 'La vie en rose' | 'Le temps de l'amour' | 'Fleur de Paris' |
| | 'Le déserteur' | |

**✗ 2 a**  **Lisez l'article au sujet de la musique en Haïti. Ensuite lisez les définitions ci-dessous et trouvez leurs équivalents dans le texte.**

1 une couche sociale très favorisée
2 fut évident dans
3 les plus pauvres
4 être mélangés
5 eut son origine dans
6 entendu
7 un ensemble de croyances d'origine africaine
8 demander

**✗ 2 b** **Relisez l'article. Répondez en français aux questions suivantes, en utilisant le plus possible vos propres mots.**

1 Comment Haïti est-il devenu libre ?
2 Comment s'explique les préférences musicales des riches et des pauvres ? [*deux détails*]
3 Comment le *kompa* diffère-t-il du *kompa direct* ? [*deux détails*]
4 Pourquoi le *rara* est-il important en Haïti ?
5 Qui diffuse le *rara* ?
6 Quel était le but du *mizik rasin* ?
7 Comment décririez-vous le *mizik rasin* ? [*deux détails*]
8 Comment sait-on que le *mizik rasin* a connu du succès ?

# La musique haïtienne – quelques tendances

Pour bien comprendre les tendances musicales d'Haïti, il faut fouiller dans son passé. Ancienne colonie française, Haïti se libéra en 1804 quand les nombreux esclaves qu'avaient fait transporter les Français se révoltèrent. Dès lors indépendante, la culture française y resta tout de même importante voire dominante – surtout en ce qui concerne la haute société – et le français, la langue officielle. Ceci se refléta dans la musique haïtienne de l'époque, les riches préférant la musique francophone, les couches sociales moins favorisées, celle d'origine africaine. Inévitablement, les influences culturelles françaises, africaines et caribéennes finirent par s'entremêler, ce qui résulta en des styles musicaux uniques en Haïti dont le *kompa*, le *rara* et le *mizik Rasin*.

**Le rara s'entend rarement mais reste quand-même important en Haïti**

Une version plus moderne de la méringue française, le *kompa* provint du XIX<sup>ème</sup> siècle et s'inspira, au départ, des rythmes vaudou. Ce fut dans les années cinquante qu'il devint vraiment connu grâce au musicien Nemours Jean Baptiste qui en créa sa propre version, plus proche de la méringue de la République Dominicaine, qu'il nomma *kompa direct* et qui n'avait aucun lien avec le vaudou. Malgré les différentes tendances qui voient périodiquement le jour, la formule du *kompa* reste homogène.

À la différence du *kompa direct*, le *rara* associe la musique et la culture du vaudou. Diffusé dans les rues uniquement à l'époque du carnaval jusqu'aux fêtes de Pâques, cette musique paysanne est le seul visage officiel du vaudou.

**Boukman Eksperyans, le groupe haïtien le plus populaire au début des années quatre-vingt-dix et le principal symbole du *mizik rasin***

Plutôt ambitieux en tant que mouvement musical, le *mizik rasin* ou « musique des racines », naquit du désillusionnement des jeunes haïtiens déçus par la politique de leur pays dans les années soixante-dix. Les chansons, écrites en créole et qui mêlaient les rythmes traditionnels vaudou et *rara* au reggae jamaïcain et à la pop, appelèrent la jeunesse à revendiquer son identité. Disparue presque entièrement, cette musique continue quand-même à influencer le reggae et le rock haïtiens.

## Grammaire

**Le passé simple des verbes réguliers et communs, irréguliers (Past historic of regular and common irregular verbs)**

Study in H10 in the grammar section.
1 Read the above extract again and write down any sentences with a verb in the past historic and underline the verb
2 Work out the meaning of the underlined verbs and write down the infinitive of each one. What do you notice about the past historic endings?

**3** Ponctuez correctement les phrases suivantes, y compris les accents, puis soulignez les verbes au passé simple, et notez leurs infinitifs.

1 en193945lamusiquefutromantiqueetrefletalinquietudecauseeparleshostilites

2 apres1945lepeupledemandaunemusiquejoyeuseetecoutatoutesleschansonsalaradio

3 apres1950lerockamericainentraensceneetonallaaudancingleweekend

4 lesannees60furentlepoquedesbeatlesquirepresenterentunesocieteenpleinetransition

5 etdanslesannees70oneutlafleurauxdentssoulesjeunesconfronterentlesgouvernements

6 entretempslamusiqueantillaisefitsurfaceetcreaencoredesattitudesplusrelax

7 aveclesinnovationstechniquesoneutunemusiqueplusbruyanteetchaque groupeheavyrockprofitadelenthousiasmedeleursfans

8 recemmentcefutlamusiqueafricainequiapparutetcecioffrittouteunevarieterythmique

**4** Translate the following passage into English.

### Édith Piaf

Parmi tous les grands chanteurs français c'est peut-être Édith Piaf, la vraie grande dame de la chanson française. Née à Paris en 1915 Piaf connut une enfance pleine de drames, ce qui la marqua profondément. Abandonnée par sa mère, elle fut élevée par sa grand-mère et découverte quand Louis Leplée, patron d'un cabaret, l'entendit chanter dans les rues de Paris. Morte en 1963, Piaf s'immortalisa par ses chansons qui sont toujours entendues aujourd'hui.

**5 a** La chanson française. Écoutez le reportage sur la chanson française. Complétez les phrases suivantes selon le sens du passage en utilisant un des mots ci-dessous. Attention ! il y a quatre mots de trop.

1 Ils ne sont pas .......... à ne pas connaître la chanson française dans le monde de la musique.

2 Les interprètes de la chanson française chantent .......... en français.

3 Ce genre musical a .......... au Moyen-Âge.

4 C'était seulement à la fin des années .......... qu'elle est devenue aussi populaire.

5 La chanson française a beaucoup .......... au cours des années.

6 Le yé-yé, c'est une .......... du rock américain.

7 Des artistes du moment ont été vite .......... par des nouveaux.

8 Ces dernières années, la chanson française s'est un peu .......... .

| | | | |
|---|---|---|---|
| uniquement | nombreux | quarante | nombreuses |
| trente | perdue | imitation | souvent |
| changé | commencé | remplacés | chanté |

**5 b**  **Réécoutez le reportage. Trouvez les *quatre* phrases vraies.**

    **1** Tous les artistes de la chanson française sont des Français.

    **2** La chanson française date du début du 20ème siècle.

    **3** C'est grâce à Édith Piaf que la chanson française est devenue une industrie.

    **4** Quelques artistes des années cinquante étaient plutôt « littéraires ».

    **5** Le yé-yé ressemblait à un genre de musique anglophone.

    **6** Jacques Brel était un yé-yé.

    **7** Serge Gainsbourg divisait souvent les opinions.

    **8** L'avenir de la chanson française n'est nullement assuré.

## Stratégie

### Translating from English to French

- When translating from English into French, never translate word for word.
- Think about phrases and sentences from French reading and listening passages that you have come across and try to adapt these.
- Read through your translation to check that it is grammatically correct and sounds French and that you have conveyed the meaning of the original English text.

- Read regularly in French and to note down useful structures and phrases to help you translate into natural, idiomatic French.
- Watch as many films or television shows in French as possible to help you to write and speak more naturally in French.

Keep these tips in mind when translating the sentences in exercise 5c.

**5 c**  **Réécoutez le reportage sur la chanson française. Traduisez les phrases ci-dessous en français. Lisez d'abord la case stratégie.**

    **1** There aren't many people who have never heard of French rock and roll.

    **2** Pop music has its origins in the 1960s and is still flourishing.

    **3** Singers such as Édith Piaf were soon replaced by the singer-poets of the 1950s.

    **4** These songs, full of hope, are from the 1990s.

    **5** It was only after the 1980s that she became popular.

    **6** He is the most controversial of today's singers.

    **7** Rock music has lost its way a bit recently.

    **8** Will she succeed? Watch this space.

**6 a** 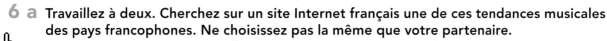 **Travaillez à deux. Cherchez sur un site Internet français une de ces tendances musicales des pays francophones. Ne choisissez pas la même que votre partenaire.**

    ● le zouk    ● le bouyon    ● le séga    ● le raï    ● la nouvelle chanson

    **Considérez les points suivants :**

- Elle vient de quel pays ?
- De quand date-t-elle ?
- Est-elle influencée par d'autres cultures ?
- Combien de temps a-t-elle duré / va-t-elle durer à votre avis ?

- Qui étaient/sont les chanteurs principaux de ce mouvement ?
- Est-ce qu'il y a des revendications politiques qui y sont associés ?
- Est-ce que vous aimez cette musique ? Pourquoi (pas) ?

**6 b**  **Travaillez avec un(e) partenaire. Discutez des tendances musicales que vous avez recherchées et des artistes qui y sont/étaient associés. À votre avis, laquelle de vos tendances musicales est la plus importante ? Pourquoi ?**

**6 c** 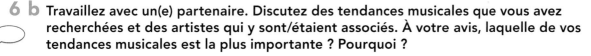 **Écrivez un paragraphe pour résumer votre discussion. Faites attention à l'orthographe et à la grammaire.**

# 4.3 L'influence de la musique

- Comprendre l'influence de la musique francophone
- Comprendre l'inversion des sujets et des verbes suivant des adverbes
- Écouter les personnes francophones

## On s'échauffe

**1** Selon vous, comment la musique s'infiltre-t-elle dans la vie. Où entendrait-on les genres de musique mentionnés ci-dessous ? Dans un magasin, chez le médecin, par exemple ? Discutez-en avec un(e) partenaire et comparez vos idées à celles des autres étudiants.

La musique classique      Le jazz      Le hip hop      Le pop      Le reggae

# Une façon idéale de faire de la publicité

« Franchement, c'est ridicule, » soupire Julie, jeune angevine. « Je viens d'acheter un parfum dont je n'avais nullement besoin tant j'adore la chanson qu'on entend dans la pub ! Comment puis-je justifier une telle bêtise ? » Intelligente, sans doute cette étudiante, n'est-elle pas la seule à être influencée ainsi. Conscients du pouvoir de la musique sur le comportement des individus, les réalisateurs des campagnes publicitaires s'en servent sans gêne pour faire vendre n'importe quel produit. Qu'il s'agisse d'un tube récent ou de la musique classique, les mélodies stimulent les émotions et influencent l'humeur des consommateurs. Ainsi reçoivent-ils mieux le message commercial. En effet la grande majorité des pubs françaises actuelles sont accompagnées de musique, ce qui est le cas dans d'autres pays francophones, tels que la Belgique et le Canada, aussi. « En y réfléchissant bien, c'est malin, » admet Julie, « mais il faut aussi voir le revers de la médaille – pouvoir être influencée comme ça, c'est une idée qui fait peur. »

**La musique diffusée diffère de magasin en magasin**

## La musique sur les lieux de vente

Ainsi, l'influence de la musique devient-elle de plus en plus importante. « Rien qu'en entrant dans un centre commercial, on est bombardé d'une variété éclectique de musique, » dit Jérémy, 25 ans. Vendeur dans un magasin de vêtements à Bruxelles, il juge quand même que c'est un élément important qui rend plus agréable l'expérience en magasin et dont l'absence se ferait vite remarquer. « Ici on diffuse de la musique qui correspond à l'image du magasin et aux goûts de nos clients, » explique-t-il. « Ça leur donne l'impression de faire partie d'un club. Je dirais même que certains d'entre eux ont été attirés tout simplement par les tubes qu'on passe. Seraient-ils entrés si l'on ne les diffusait pas ? »

## Gare aux conséquences

Selon certains il faut surtout se méfier de l'influence de la musique. « Certains genres de musique qu'ont tendance à écouter les ados, comme la musique métal, peuvent changer les mentalités, les modes et les perceptions des jeunes les plus réceptifs, » dit Valérie, sociologue et mère de deux jeunes enfants. « De là, certains peuvent s'isoler ou devenir violents. Pourquoi les parents n'interviennent-ils pas ? Peut-être ne se rendent-ils pas compte que ce comportement peut s'expliquer par la musique qu'écoutent leurs enfants. Aussi faut-il les mettre au courant. »

## 2 a Lisez l'article. Ensuite complétez les phrases suivantes selon le sens du passage en utilisant un des mots ci-dessous. Attention ! il y a quatre mots de trop.

On est tous influencés par la musique, même si de manière **1**.......... , ce qui, semble-t-il, a le pouvoir de changer notre comportement. Qu'il s'agisse d'une chanson qui accompagne une pub ou des tubes diffusés dans les magasins, la musique influence nos **2**.......... , nos émotions, nous rendant plus **3**.......... d'acheter n'importe quel produit. Bien **4**.......... , les réalisateurs des campagnes publicitaires en **5**.......... , comme on peut s'y attendre. Pouvoir être manipulé **6**.......... , c'est troublant. Et c'est **7**......... dans beaucoup d'autres pays, les magasins belges et canadiens, par exemple, diffusant de la musique qu'aimera leur clientèle. Malheureusement, certains genres de musique peuvent avoir des effets **8**.......... , changeant les perceptions de certains jeunes.

| | | | |
|---|---|---|---|
| acheter | méfiants | sentiments | nuisibles |
| d'une telle façon | subliminale | au courant | différent |
| susceptibles | profitent | pareil | bénéfiques |

## 2 b Relisez l'article et répondez en français aux questions suivantes.

1 Qu'est-ce qui est ridicule selon Julie ? Pourquoi ? [*deux détails*]

2 Pourquoi la musique est-elle utilisée dans les publicités ?

3 Comment la musique affecte-t-elle les gens ? [*trois détails*]

4 Que pense Julie de l'usage de la musique dans les publicités ? [*deux détails*]

5 Que pense Jérémy de la diffusion de la musique en magasin ?

6 Selon ce que dit Jérémy, quelles seraient les conséquences de ne plus diffuser de la musique ?

7 Pourquoi certains jeunes sont-ils plus affectés par la musique que d'autres ?

8 Que dit Valérie au sujet du comportement éventuel de certains jeunes qui écoutent de la musique métal ? Êtes-vous d'accord avec elle ?

## Grammaire

**L'ordre des mots suivant les adverbes et l'inversion du sujet (Word order and inversion of subject and verb after adverbs)**

Study H19 in the grammar section.

1 Look again at the article on page 68. Write down any instances of inversion of subject and verb and underline the verb each time. Can you see a pattern as to when this happens?

2 Underline any adverbs in the sentences you have written down where there is inversion of subject and verb. What type of adverb are they?

3 Translate all the sentences into English.

**3** Mettez n'importe quel adverbe de la liste qui vous paraît convenable en tête de chaque **G** phrase ci-dessous. Puis, écrivez la phrase, sans oublier que ces adverbes causent l'inversion du verbe et de son sujet.

| | | | |
|---|---|---|---|
| ainsi | d'autant plus | heureusement | rarement |
| à peine | de là | moins | sans doute |
| apparemment | encore | peut-être | toujours |

1 Elle avait fait des recherches concernant la nouvelle musique africaine.

2 Le punk a fait surface en tant que rébellion sociale.

3 Il a raison au sujet de la musique moderne.

4 L'incident est arrivé à la fin du concert.

5 Je lisais une biographie sur les grands noms de la musique antillaise.

6 La musique européenne remonte aux années 60 et 80.

7 La musique classique exerçait une influence calmante sur nous.

8 La musique innovatrice tendait à être associée à la drogue.

## Stratégie

**Listen to native French speakers**

- Listen to as many native speakers as possible. You can find French radio stations such as *NRJ*, *RFM* and *Europe 1* online.
- Don't worry if you don't understand every word. Try to pick out words you do understand to get the gist. You often have to listen a few times to tune in to the rhythm of the language.
- Remember that there are many accents in French and that people from other French-speaking countries will have a different accent from people in France.
- Pay attention to the register being used: the grammar rules that you have learnt may not be respected, e.g. negative *ne* may be dropped.
- Young people often use more colloquial vocabulary, so you may find it more challenging to listen to teenage native speakers than adults.
- The language used will naturally be more idiomatic, so try to pick up new expressions.
- Be aware of liaisons in French which can make two words sound like a new one.
- The more you listen, the easier it becomes.

Keep these points in mind when completing exercises 4a and 4b.

**4 a** Festa 2h. Écoutez le reportage. Trouvez la bonne fin de phrase chaque fois. Lisez d'abord la case stratégie.

1 Les rappeurs se réunissent à Dakar pour Festa 2h…

   a …parce qu'ils font tous partie de l'association Africulturban.

   b …parce que c'est l'occasion idéale de valoriser la musique hip hop.

   c …parce que c'est le seul festival de hip hop dans le monde.

   d …pour mieux connaître le Sénégal.

2 Le rap…

   a …fait partie du mouvement hip hop.

   b …est uniquement pour les jeunes.

   c …est moins populaire que le breakdance.

   d …n'est connu qu'en Afrique.

3 Les rappeurs africains…

   a …s'expriment toujours en français.

   b …sont considérés moins militants que les rappeurs anglophones.

   c …s'expriment plutôt en anglais.

   d …veulent s'exprimer et informer.

4 Les rappeurs anglophones…

   a …sont souvent bilingues.

   b …ne sont pas aussi connus que leurs équivalents africains.

   c …ont plus tendance à gagner leur vie en tant que rappeur que les rappeurs africains.

   d …sont rares.

**4 b** Réécoutez le reportage sur Festa 2h. Répondez aux questions en
français. Lisez d'abord la case stratégie.

1 Pourquoi dirait-on que Festa 2h est une réussite ?

2 Quel a été le rôle de l'association Africulturban ?

3 Comment cet évènement peut-il aider les nouveaux talents ?

4 À part les rappeurs quels autres artistes sont mis en valeur ?
[*trois détails*]

5 Quel est le but du rap africain ?

6 Pourquoi certaines personnes comme les politiques pourraient-
elles avoir peur de la musique rap ?

7 Pourquoi le rap africain est-il accessible aux gens des
campagnes qui ne parlent pas bien le français ?

8 Quel est le problème pour les rappeurs africains ?

**5** Traduisez ce passage en français.

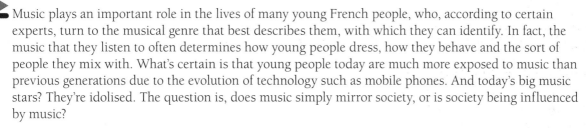

Music plays an important role in the lives of many young French people, who, according to certain experts, turn to the musical genre that best describes them, with which they can identify. In fact, the music that they listen to often determines how young people dress, how they behave and the sort of people they mix with. What's certain is that young people today are much more exposed to music than previous generations due to the evolution of technology such as mobile phones. And today's big music stars? They're idolised. The question is, does music simply mirror society, or is society being influenced by music?

**6 a** Cherchez sur un site Internet français une publicité pour un produit bien connu français,
un parfum particulier ou une voiture, par exemple. Écoutez la musique qui l'accompagne.
Considérez les points suivants :

- Quelle est influence de cette musique ?
- Pourquoi les réalisateurs des campagnes publicitaires ont-ils choisi cette musique ?
- Stimule-t-elle les émotions ?
- Influence-elle comment on se sent ?
- Détend-elle les gens ?
- Rend-elle les gens heureux ou nostalgiques ?

**6 b** Discutez avec un(e) partenaire : dans quelle mesure la musique francophone influence-t-elle
les consommateurs ? Dans quelle mesure influence-t-elle les gens en général ? Est-ce que
la musique francophone peut, par exemple, changer la vie de quelqu'un ? Considérez les
points ci-dessus ainsi que les points suivants :

- les chanteurs francophones célèbres
- comment elle rend les gens heureux
- les emplois qu'elle crée dans son pays d'origine
- les messages du texte
- les effets positifs/négatifs de certains genres de musique sur les jeunes francophones
- l'idée qu'elle fait des habitants de son pays d'origine

**6 c** Écrivez maintenant un paragraphe pour résumer votre discussion. Faites attention à
l'orthographe et à la grammaire.

# Vocabulaire

## 4.1 La musique francophone

une **affiche**  poster (e.g. for a show)
d' **antan** (m)  of yesteryear
s' **améliorer**  to improve
**anglophone**  English-speaking
s' **attendre à**  to expect
**au-delà (de)**  beyond
**autant**  as much
**bon nombre**  a lot
un **bouleversement**  disruption
**concevoir**  to conceive
une **concurrence**  competition
**de quoi**  it's enough
la **disposition**  disposal
**dont**  of which
**doué(e)**  talented
s' **éclater**  to have a great time
**en grande partie**  to a large extent
s' **expliquer par**  to be explained by
un(e) **festivalier (-ère)**  festival-goer
**florissant**  flourishing
**fonder**  to found
**francophone**  French-speaking
**habituel(le)**  usual
la **loi**  law
un **mélange**  mix
**pensif (-ive)**  thoughtful
le **revers de la médaille**  flipside (of the coin)
se **tourner vers**  to turn to
un **tube**  hit

## 4.2 Les tendances musicales

**controversé(e)**  controversial
une **couche**  level
le **créole**  Creole
**dès lors**  from then on
le **désillusionnement**  disillusionment
**diffusé(e)**  broadcast
s' **égarer**  to lose one's way
s' **entremêler**  to mix together
une **époque**  time
un(e) **esclave**  slave
**favorisé(e)**  fortunate
**fouiller**  to search, rummage
**haïtien(ne)**  Haitian
**homogène**  homogeneous
s' **inspirer**  to be inspired
un(e) **interprète**  singer

se **libérer**  to become free
le **mérengué**  merengue
la **méringue**  merengue
le **pastiche**  pastiche
**périodiquement**  periodically
la **réincarnation**  reincarnation
la **République dominicaine**  Dominican Republic
**revendiquer**  to claim, demand
se **révolter**  to revolt
une **tendance**  trend
le **vaudou**  voodoo
les **yé-yé** (m/f)  French pop singers of the 1960s

## 4.3 L'influence de la musique

**ailleurs**  elsewhere
**ainsi**  in this way
**apparemment**  apparently, seemingly
l' **appui** (m)  support
**attiré(e)**  attracted
**au-delà**  beyond
la **bêtise**  foolishness
une **campagne publicitaire**  advertising campaign
un **clip**  video clip
le **comportement**  behaviour
un(e) **consommateur (-trice)**  consumer
**de là**  hence
**franchement**  frankly
la **gêne**  embarassment
le **goût**  taste
l' **humeur** (f)  mood
**intervenir**  to intervene
s' **isoler**  to isolate oneself
se **méfier de**  to be careful about, mistrust
la **mentalité**  mentality, attitude
**militant(e)**  militant
**mobiliser**  to mobilise
la **musique métal**  heavy metal
**propulser**  to propel
une **pub(licité)**  advert
le **quotidien**  everyday life
un(e) **réalisateur (-trice)**  director
**réceptif (-ive)**  susceptible
**ridicule**  ridiculous
un(e) **sociologue**  sociologist
**soupirer**  to sigh
**valoriser**  to increase the standing of

# UNITÉ 5

## Les médias

5.1  **Peut-on tout dire ?**
5.2  **La presse écrite en voie de disparition ?**
5.3  **L'influence des médias et des nouvelles technologies**

### Theme objectives

This unit looks at the media in France, focusing on:
- freedom of speech in francophone countries
- print and online media in francophone countries
- the effect of the media on politics and society in francophone countries

**The content in this unit is assessed at AS and A-level.**

### Grammar objectives

You will study and practise the following grammar points:
- using present and past participles
- using the negative form
- recognising and understanding the past historic of irregular verbs

### Strategy objectives

You will develop the following strategies:
- techniques for speaking fluently in French and pronouncing words well
- comparing contrasting viewpoints and giving your own opinion
- developing arguments from different angles

# 5.1 Peut-on tout dire ?

- Découvrir la liberté d'expression dans les pays francophones
- Comprendre comment utiliser les participes présents et passés
- Apprendre des techniques pour parler couramment en français et bien prononcer les mots

## On s'échauffe

**1 a** Faites un diagramme des avantages et des inconvénients de la liberté d'expression. Essayez d'ajouter des exemples.

**1 b** Comparez vos diagrammes en classe.

# La liberté d'expression en France, où en sont les limites ?

L'attentat commis le 7 janvier 2015 au journal satirique français, *Charlie Hebdo,* a bouleversé la France. Dégoutés et fiers d'être Charlie, de nombreux Français, voulant défendre la liberté d'expression sont descendus dans les rues pour condamner ces meurtriers qui, en voulant venger le prophète Mohammed, ont mis une fin brutale à la vie des dessinateurs doués qui l'ont caricaturé. Ayant eu le temps d'y réfléchir, certains commencent cependant à se poser des questions. « A-t-on vraiment le droit de dire tout ce qu'on pense, quelles qu'en soient les conséquences ? » « Où sont et où devraient être les limites de la liberté d'expression ? »

Voici un débat qui a été relancé en France, pays laïque où la liberté d'expression, c'est le principe et dont les médias et les citoyens ont le droit de représenter une religion ou bien la caricaturer sans risque d'être

**Suivant l'attentat du 7 janvier, de nombreux Français sont descendus dans les rues**

poursuivis. C'est vrai qu'il existe des limites mais aucune de ces restrictions n'est liée directement au blasphème. La liberté d'expression est, selon certains, un pouvoir dont peuvent abuser bien trop facilement des gens qui devraient prendre plus en compte les croyances d'autrui. En effet, bien qu'ils ne justifient nullement l'attentat du 7 janvier, certains musulmans se disaient troublés par les caricatures de Mohammed qu'a publiées *Charlie Hebdo* les considérant comme irrespectueuses.

Faut-il donc limiter la liberté d'expression ? « Non ! » diraient certains. Voici un droit démocratique fondamental. D'autres ne seraient pas du même avis, trouvant qu'il faut réfléchir aux conséquences de ses actes. Contrarier les croyants, qui se sentent agressés, en disant tout de qu'on veut, les provoquant jusqu'au point où ils se vengent, ne sert à rien.

**2 a Lisez l'article. Ensuite lisez les définitions ci-dessous et trouvez leurs équivalents dans le texte.**

1 des personnes qui ont tué
2 qui ont du talent
3 qui est indépendant de la religion
4 légalement
5 l'acte de dire du mal d'une religion ou d'une déité

6 les autres
7 gênés
8 les chrétiens ou les musulmans, par exemple

**2 b Read the article again. Translate the following sentences into French.**

1 People all over the world were outraged by the recent attack, which put a brutal end to the lives of dozens of innocent people.

2 Some people understand why the murderers were so upset, but cannot justify what they did.

3 In certain countries, freedom of expression doesn't exist and citizens who mock religion will be prosecuted, or worse, killed.

4 While it is important to be able to express yourself, surely you should respect the beliefs of others.

5 The attacks led to many people asking questions. Should there be limits as far as freedom of expression is concerned, or is saying what you want, whatever the consequences, a basic human right?

6 The media have sometimes offended certain groups of people, without thinking about it and should consider the consequences of its acts.

7 A large number of people were quick to condemn the attack and took to the streets to voice their disgust.

8 Some people, being of the opinion that believers, whether they be Christian or Muslim, are often subjected to abuse, consider articles published in some newspapers and magazines disrespectful.

## Grammaire

**Les participes présents et passés (Present and past participles)**

Study H3 and H4 in the grammar section.

1 Look again at the article on page 74. Write down:
- one sentence containing a present participle indicating that two actions are simultaneous
- one sentence containing a present participle saying how something is done
- one sentence containing a present participle explaining the reason for or cause of something
- five sentences containing a present participle which replaces a relative pronoun

2 Underline the present participles and translate the sentences into English. What do you notice about the formation of present participles in French?

3 Now find and write down any sentences containing past participles. Underline the past participles and translate the sentences into English. What do you notice about agreement of past participles with *être*, *avoir* and when used as adjectives?

**3** Remplacez chaque infinitif entre parenthèses par la bonne forme participiale.

1 ......... (*être*) donné leur importance pour la démocratie, les médias sont ......... (*rester*) indépendants.

2 Elle était ......... (*devenir*) présentatrice de radio en ......... (*travailler*) très dur.

3 ......... (*avoir*) été rassuré par la police, le service de télévision a ......... (*continuer*) de fonctionner.

4 Elle ne pouvait pas marcher jusqu'aux isoloirs, ......... (*avoir*) mal à la jambe.

5 En ......... (*filmer*) la manifestation, le caméraman a ......... (*être*) blessé.

6 En ......... (*espérer*) jouer pour la région, elle s'est trop ......... (*entraîner*).

7 Les étudiants se sont ......... (*mettre*) au courant, en ......... (*lire*) les journaux de la bibliothèque.

8 ......... (*être*) arrivée à une haute position dans un site social, elle a ......... (*oublier*) sa conscience politique.

**4 a** La liberté d'expression en Côte d'Ivoire. Écoutez l'interview avec un employé de Reporters sans frontières. Choisissez la bonne fin de phrase a à l pour compléter chaque phrase 1 à 8. Attention ! il y a quatre lettres de trop.

1 Jérémy…

2 Habitants d'un pays libre, les Français…

3 Certain journalistes…

4 Les zones de conflit…

5 Avant, la Côte d'Ivoire…

6 Ouattara…

7 À l'avenir,…

8 Jérémy se dit…

a …n'ont pas le droit de s'exprimer, d'informer.

b …n'existent plus dans ce pays.

c …luttent tous contre la censure dans d'autres pays.

d …est journaliste.

e …d'un optimisme prudent en ce qui concerne la situation en Côte d'Ivoire.

f …pourraient trouver difficile à comprendre que dans certains pays la liberté d'expression n'existe pas.

g …travaille pour une organisation française.

h …posent un problème particulier pour les journalistes ivoiriens.

i …respectait moins la liberté de la presse.

j …était un vrai paradis pour les journalistes.

k …est président de la Côte d'Ivoire.

l …les journalistes ivoiriens pourront peut-être travailler en liberté.

**4 b** Réécoutez l'interview. Répondez en français aux questions suivantes.

1 Que fait Jérémy ?

2 Pourquoi la présentatrice pourrait-elle avoir du mal à croire que les journalistes d'autres pays puissent être mis en prison à cause des mots qu'ils écrivent ?

3 À part être emprisonnés, qu'est-ce qui peut arriver aux Ivoiriens qui défendent la liberté d'expression ? [*trois détails*]

4 Qu'est-ce qui mène à croire que la situation s'améliore ? [*deux détails*]

5 Pourquoi le pays entier n'est-il pas un « paradis » pour les journalistes ?

6 Comment sait-on que Reporters sans frontières surveille la situation dans beaucoup de pays ?

7 Que pense RSF de la liberté de presse ivoirienne actuelle ? [*deux détails*]

8 Qu'attend-il du président de la Côte d'Ivoire ?

## 5 Translate the following passage into English.

### Reporters without borders

Fondée en 1985 en France, Reporters sans frontières est une organisation internationale qui a comme but de défendre la liberté d'informer et d'être informé. Elle s'inquiète de la situation dans certains pays, dont la Côte d'Ivoire, où il y a souvent des tentatives d'intimidation contre les journalistes. Ayant simplement envie de s'exprimer, trop de journalistes se trouvent victime d'un attentat, sont enlevés ou encore pire sont assassinés, ce qui menace le droit fondamental de tous à l'information.

## 6 a Quelle est la situation en ce qui concerne la liberté d'expression dans un autre pays francophone ? Cherchez sur un site Internet français – celui des Reporters sans frontières, par exemple. Comment se compare-t-elle à la situation en France et en Côte d'Ivoire ? Considérez les points suivants :

- Est-ce qu'il a eu des journalistes qui y ont été emprisonnés ou tués ?
- Quels sont les journaux/magazines principaux du pays ?
- Existe-il des lois qui défendent ou bien visent à restreindre la liberté d'expression ?
- Est-ce que le gouvernement du pays respecte le droit de chacun de pouvoir s'exprimer ?

### Stratégie

**Participate fluently in conversation and develop accurate pronunciation**

- Ask for clarification if you are unsure what someone has said to you. Learn phrases to help with this, such as 'Please could you repeat that?' (*Vous pouvez répéter s'il vous plaît ?*)
- Learn some useful filler words/phrases to give you some thinking time, such as 'Let me think.' (*Laissez-moi réféchir*), 'Well…' (*Alors…*).
- If you are asked a question and need time to think, repeat the question out loud before answering, e.g. *Que pensez-vous de la situation ? Qu'est-ce que je pense de la situation ? Alors…*
- Always try to steer the conversation to a topic or aspect of a topic that you are comfortable with.

- Don't panic if you forget a word. Use vocabulary that you do know to describe the unknown word, or use a synonym, so you can still get your point across.
- Try to listen to French radio or watch French television regularly to get used to the pronunciation and intonation.
- Practise in particular saying the vowel sounds in French as these differ considerably from the English vowel sounds.
- Record yourself speaking French and play it back to see how French you sound.

Keep these tips in mind when completing activity 6b.

## 6 b À votre avis, où sont et où devraient être les limites de la liberté d'expression ? Discutez-en avec un(e) partenaire. Pensez aux avantages et aux conséquences de la liberté d'expression. Lisez d'abord la case stratégie.

les avantages :
- on a le droit de s'exprimer
- la population reste informée

les conséquences :
- on peut provoquer certaines personnes
- cela peut entraîner des attentats, des assassinats, des enlèvements

## 6 c Écrivez un paragraphe pour résumer votre discussion. Étiez-vous d'accord en ce qui concerne les limites de la liberté d'expression ? Faites attention à l'orthographe et à la grammaire.

## 5.2 La presse écrite en voie de disparition ?

- Découvrir la presse écrite et numérique dans les pays francophones
- Comprendre comment utiliser la négation
- Apprendre comment comparer des points de vue différents et donner son avis

### On s'échauffe

**1 a** Travaillez avec un(e) partenaire. Faites une liste de toutes les façons d'accéder aux choses à lire.

*Exemple : les journaux*

**1 b** Faites un sondage dans votre classe.
- ○ Qui achète régulièrement un journal ?
- ○ Qui va souvent dans des librairies acheter un livre ?
- ○ Qui a une tablette ?
- ○ Qui va à la bibliothèque quand il s'agit de faire des recherches ?

Partagez les résultats. Selon ces résultats, diriez-vous que la presse écrite est en danger ? Discutez avec un(e) partenaire.

# Le papier, a-t-il un avenir dans le futur de la presse ?

Il y a quinze ans, personne n'aurait jamais cru que la presse écrite puisse être en danger. Cependant, nous voilà, habitants d'un monde où chercher des informations, lire ou consulter un blog en ligne n'est plus réservé qu'aux adolescents. Qu'on veuille l'admettre ou non, la presse écrite en France est en déclin et le nombre d'internautes ne cesse d'augmenter. Bref : tout n'est pas rose dans la vie de la presse écrite. La question se pose donc : comment peut-elle survivre ?

Ce qui est sûr, c'est qu'Internet concurrence la presse écrite, ce qui est évident en France du fait que beaucoup d'annonceurs ne se tournent plus vers les journaux et les magazines, préférant plutôt la presse en ligne qui attire de plus en plus de lecteurs. Peu étonnant, peut-être, que ces lecteurs choisissent Internet pour s'informer, apprendre, chercher des informations. Un journal ne peut simplement pas rivaliser avec l'immédiateté de celui-ci qui donne aussi au grand public, à travers des blogs qui, soyons réalistes, ne seraient jamais imprimés, l'occasion de diffuser lui-même de l'information. N'oublions pas non plus qu'en ce qui concerne les éditeurs, publier en ligne n'entraîne aucun coût d'impression.

Si on a simplement envie de se perdre dans un roman, cependant ? Ne préférerait-on pas la simplicité d'un livre

**L'édition imprimée classique attire toujours les gens**

à une tablette ? Certains sont d'avis que l'avenir du papier dans le futur de la presse est sur la voie des lectures pour le plaisir, des romans et œuvres de fiction. Il se peut bien qu'ils aient raison et que l'édition imprimée classique attire les gens, mais il existe toujours le problème du coût – l'impression peut coûter cher. C'est alors que la *Espresso Book Machine*, une révolution qui existe déjà dans quelques librairies américaines, est vraiment utile. On n'a qu'à choisir un livre sur l'écran, à appuyer sur une touche et on repart avec le livre de son choix. Cette machine révolutionnera-t-elle l'édition en France ? L'avenir le dira.

## 2 a Lisez l'article. Ensuite lisez les thèmes ci-dessous et mettez-les dans le bon ordre.

1 Le premier choix des annonceurs
2 De nouvelles possibilités
3 Une option moins chère
4 Habitants d'un monde numérique
5 Le plaisir simple d'un roman
6 Tout désigné pour informer
7 Le futur de l'édition ?
8 La fin de la presse écrite ?

## 2 b Relisez l'article. Choisissez la bonne fin pour les phrases.

1 Par les temps qui courent, la presse en ligne est…
  a …à la portée de tout le monde.
  b …plutôt pour les ados.
  c …moins populaire qu'autrefois.
  d …en danger.

2 La presse écrite…
  a …va bientôt disparaître.
  b …n'est plus en danger.
  c …prospère en France.
  d …doit évoluer afin de survivre.

3 La presse en ligne…
  a …se montre comme idéale en ce qui concerne la lecture littéraire.
  b …se montre comme idéale en ce qui concerne les lectures utiles.
  c …a comme désavantage le coût d'impression.
  d …ne comprend pas les œuvres de fiction.

4 La *Espresso Book Machine*…
  a …est une invention française.
  b …révolutionne l'édition dans toute l'Europe.
  c …a été inventée aux États-Unis.
  d …va assurer l'avenir de la presse écrite en France.

---

## Grammaire

### La négation (Negative form)

Study J in the grammar section.
1 Read the extract on page 78 again and write down all the sentences with examples of the negative. Underline the negatives and translate the sentences into English.
2 Do you remember how the word order with some negative constructions is different from that used with *ne … pas*?

**3** Réécrivez les courtes phrases suivantes, ayant remplacé les formes négatives anglaises par leurs équivalents français, en utilisant les expressions ci-dessous.

G ✓

1 J'ai vu quelqu'un comme ça ! (*never*)

2 Il a essayé récemment. (*hardly*)

3 Elle a payé. (*nothing*)

4 Elles viennent. (*no more*)

5 Je vous connais. (*not at all*)

6 Il y en a trois. (*only*)

7 Récemment, j'ai vu… (*no one*)

8 Je lui parle. (*not at all*)

> ne +…
>
> | aucun | aucunement | guère | jamais |
> |-------|------------|-----------|--------|
> | nul | nullement | personne | plus |
> | point | que | | |

**4 a** La technologie numérique s'introduit dans des écoles à Dakar. Écoutez la première partie de l'interview avec un professeur. Répondez en français aux questions suivantes.

1 Pourquoi pourrait-on être surpris de trouver des ordinateurs dans une école primaire à Dakar ? [*deux détails*]

2 Comment les élèves trouvaient-ils de l'information avant ?

3 Pourquoi certaines personnes sont-elles pour l'installation de ces ordinateurs ?

4 Quels pourraient être les inconvénients de ce développement selon d'autres ?

**4 b** Listen to the second part of the interview. Answer the following questions in English.

1 Summarise how the introduction of computers will improve the quality of education in the primary school in Dakar according to the teacher being interviewed. [*three points*]

2 Summarise why the teacher thinks that this primary school being able to access reading material online is a win-win situation. [*two points*]

**4 c** Écoutez maintenant l'interview entière. Quelles phrases sont correctes ? Choisissez les *quatre* bonnes phrases. Corrigez les phrases qui sont fausses.

1 L'école se trouve dans un pays sous-développé.

2 La lecture en ligne devient de plus en plus répandue.

3 Avant l'installation des ordinateurs, les élèves n'avaient accès à aucune littérature.

4 Tout le monde est d'accord que l'introduction des ordinateurs dans les écoles africaines est nécessaire.

5 Le mot écrit est sur le point de disparaître.

6 La lecture en ligne entraîne avec elle certains avantages.

7 Les élèves ont eu l'occasion de partir à l'étranger.

8 Selon le professeur, le succès d'Internet ne mènera pas forcément à la disparition de l'édition imprimée.

**5** Traduisez ce passage en français.

**The printed press**

Let's be honest, we would never have believed that so many people, even in developing countries, would have access to online books and newspapers. Is the printed press really in danger of disappearing, however? It is certainly in decline, but surely it can survive. There are many advantages to being able to access a large variety of reading materials online but people do still tend to turn to the paper press where reading for pleasure is concerned.

---

### Stratégie

**Compare contrasting viewpoints and express your opinion**

- Try to remain impartial when comparing other people's viewpoints, using phrases such as *selon*, *d'après* and *en ce qui concerne*.
- Remember that commenting on other people's opinions requires quite a formal style. Try to read newspaper articles in French and make a note of the type of phrases used, e.g. *Certains pensent que…*, *La plupart de gens sont d'avis que…*, *Il est… que…* .
- Remember that with viewpoints, there is often doubt involved. When this is the case, you will often need to use the subjunctive, e.g. *Je ne crois pas que vous* ayez *raison*.
- Make a note of and learn useful expressions for expressing your own personal opinion, e.g. *À mon avis….*, *Quant à moi, je pense que…*
- Remember that you can put forward two sides of the argument. Use phrases such as *D'une part… d'autre part…*

Keep these tips in mind when when completing exercise 6b and c.

---

**6 a**  Faites une liste des avantages et des inconvénients de la presse écrite et de la presse en ligne en France et dans un pays africain francophone. Servez-vous des articles ci-dessus ainsi que de vos propres idées et recherchez des exemples concrets.

**6 b**  Discutez-en avec un(e) partenaire. À votre avis, quelle est meilleure, la presse écrite ou la presse en ligne ? Pensez aux avantages et aux inconvénients de chacune d'elles dans un pays développé, comme la France, et aussi dans un pays moins développé. Mentionnez les exemples que vous avez trouvés. Lisez aussi la case stratégie. Considérez les points suivants :
- le coût pour les lecteurs et pour les maisons d'édition
- l'immédiateté
- la sûreté
- la lecture pour le plaisir
- les lectures utiles

**6 c**   Écrivez maintenant un paragraphe pour résumer ce dont vous avez discuté. Donnez votre point de vue. Faites attention à l'orthographe et à la grammaire.

# 5.3 L'influence des médias et des nouvelles technologies

- Découvrir l'effet des médias sur la vie politique et sociale des pays francophones
- Reconnaître et comprendre le passé simple des verbes irréguliers
- Apprendre comment examiner tous les aspects d'une question

## On s'échauffe

**1 a** À deux, considérez l'effet des médias sur votre vie quotidienne.
- ○ Comment vous informez-vous ?
- ○ Avez-vous confiance en un journal particulier ?
- ○ Comment communiquez-vous avec vos amis ?
- ○ Lisez-vous des blogs ?
- ○ Comment regardez-vous vos émissions préférées ?
- ○ Votre famille, se sert-elle de beaucoup d'appareils différents ?
- ○ Dépendez-vous de nouvelles technologies pour pratiquer vos passe-temps préférés ?

**1 b** Faites une liste des effets positifs et des effets négatifs des médias sur votre vie quotidienne.

**2 a** Lisez l'article page 83. Ensuite écrivez des définitions pour les mots et les expressions soulignés dans le texte.

**2 b** Relisez l'article et répondez en français aux questions suivantes. Utilisez le plus possible vos propres mots.

1 Quel événement a fait rentrer la politique française dans l'ère numérique ?

2 Comment les politiques qui ne se servaient pas de *Twitter* auraient-ils été désavantagés ? [*deux détails*]

3 Dans quelle mesure pourrait-on être surpris que *Twitter* soit l'outil qu'ont choisi les politiques pour communiquer ? [*deux détails*]

4 Pourquoi beaucoup de politiques ont-ils besoin d'aide quand il s'agit d'écrire leurs messages ?

5 Comment les réseaux sociaux diffèrent-ils de la propagande traditionnelle électorale ?

6 Quel a été le rôle des réseaux sociaux dans les débats télévisés ?

7 Pouvoir répondre immédiatement à ce qu'on entend, est-ce que c'est toujours un avantage ? Pourquoi (pas) ? [*deux détails*]

8 Qu'a eu comme conséquence le succès des réseaux sociaux comme outil de communication des politiques ?

## Grammaire

### Le passé simple des verbes irréguliers (Past historic of irregular verbs)

Study H10 in the grammar section.

1 Look again at the article on page 83. Write down any sentences containing an irregular verb in the past historic and underline the verb.

2 Work out the meaning of the underlined verbs and write down the infinitive of each of them. What do you notice about the past historic endings?

# Twitter, le nouvel outil de communication des politiques

**Pendant les élections présidentielles de 2012, la politique en France entra dans le monde numérique**

## La fièvre électorale

Ce fut en 2012 quand la fièvre électorale s'empara de la France que la politique française <u>fit enfin une incursion</u> dans le monde numérique. Et qu'on le croie ou non, ce fut *Twitter*, réservé autrefois aux jeunes et aux célébrités qui devint l'outil du jour, jouant un rôle important dans les élections présidentielles de cette année-là. Les politiques, se rendant compte que communiquer en ligne leur permettraient de toucher un public beaucoup plus large y compris les journalistes, <u>prirent le train du Net en marche</u>. Malins, ils surent que les réseaux sociaux, qui se montrèrent comme une façon idéale de parler directement aux citoyens, représentèrent le futur de la politique. En effet, ces réseaux sociaux rendirent plus accessibles ces hommes et ces femmes politiques dont certains eurent un succès qu'ils n'auraient jamais connu autrement.

## S'exprimer en 140 caractères

*Twitter* et d'autres réseaux sociaux ne sont quand-même pas sans problèmes, ce à quoi durent faire face les hommes et femmes politiques en 2012. Comment, par exemple, s'exprimer et <u>éveiller l'intérêt de</u> l'électorat, en 140 caractères ? Il devint vite évident que certains firent écrire leurs messages par des conseillers. En fait, même ceux qui voulurent que leurs messages soient plus personnels les écrivirent eux-mêmes et suivirent les conseils d'experts. Autre préoccupation : les tendances politiques de ceux qui s'en servent. En l'an 2012 ceux de droite se plaignirent de l'orientation de gauche des utilisateurs de *Twitter*. Voici cependant une considération sans importance selon certains qui sont d'avis que <u>les adeptes</u> suivent tout simplement ceux qu'ils aiment.

## Un rôle important

À la différence de la propagande traditionnelle électorale qui cherche à changer des avis, les réseaux sociaux renforcent plutôt les avis qu'ont déjà les gens, encourageant des débats et rendant un peu plus amusante la politique. Retournons à l'an 2012 et aux débats télévisés qui furent <u>entrecoupés</u> d'informations et de commentaires des réseaux sociaux. Le public put répondre <u>instantanément</u> aux <u>propos</u> des candidats, sans vraiment y réfléchir des fois, et eut donc l'impression d'en faire partie. Les politiques, eux, surent toute de suite ce que pensait le public de leurs idées. S'étant montrés ainsi <u>indispensables</u>, les réseaux sociaux jouent maintenant un rôle vital dans le monde politique français.

**3** **Notez les infinitifs des verbes au passé simple dans les phrases ci-dessous. Traduisez les phrases en anglais.**

1 Jean-Jaurès fut un politique admirable qui sut manipuler la presse.

2 Les différentes races ne furent pas bien représentées dans les médias jadis.

3 L'honnêteté des émissions d'actualité eut un effet sur le public.

4 Les campagnes publicitaires pour les défavorisés connurent un grand succès.

5 L'emphase télévisuelle sur les quartiers pauvres transmit le bon message.

6 Les autorités firent de leur mieux pour répondre aux critiques médiatiques.

7 Les campagnes de la presse européenne ne plurent pas à tout le monde.

8 De Gaulle lança *Le Monde* pour avoir un journal de centre-gauche compatissant pour la génération future.

## 4 a L'effet des nouvelles technologies sur la vie sociale de l'île Maurice. Écoutez parler la Mauricienne. Complétez les phrases suivantes selon le sens du passage en utilisant un des mots ci-dessous. Attention ! il y a quatre mots de trop.

Par les temps qui courent, la technologie numérique devient de plus en plus **1**.......... et les avantages **2**.......... sont nombreux. Ne pas devoir sortir pour acheter des provisions ou aller à la bibliothèque rend la vie beaucoup plus **3**........... . Cependant, la technologie devient **4**.......... quand les gens y deviennent accros, quand ils s'**5**.......... . Ne plus se parler, passer des heures devant l'écran entraîne des **6**.......... graves. Les jeunes qui ne bougent plus beaucoup risquent de devenir **7**.......... , par exemple. Enfin, malgré ses avantages il faut se **8**.......... de la technologie.

| | | |
|---|---|---|
| facile | obèses | isolent |
| utile | méfier | difficile |
| conséquences | répandue | problématique |
| en | entraînent | duquel |

## 4 b Réécoutez parler la Mauricienne. Trouvez les *quatre* phrases vraies.

1 La technologie rend plus facile la vie des Mauriciens.
2 Très peu de Mauriciens ont accès a un ordinateur.
3 Internet permet aux Mauriciens d'approfondir leurs connaissances.
4 Les Mauriciens ne se parlent plus dans la rue.
5 La technologie pourrait avoir un effet sur l'identité de la population mauricienne.
6 Trop de Mauriciens sont obèses et déprimés.
7 Une dépendance à la technologie peut être mauvaise pour la santé.
8 La Mauricienne qui parle est contre la technologie numérique.

## 4 c Écoutez une fois de plus et corrigez les phrases qui sont fausses.

## 5 Translate the following passage into English.

### Help for a victim of bullying

Victime d'harcèlement depuis des mois, un écolier québécois de quatorze ans se tourna vers un réseau social pour raconter ce qui lui arrivait jour après jour. Son exposé sur les insultes qu'il dut subir émut les autres élèves qui se rallièrent à sa cause. La publication de sa supplication sur un autre site web québécois populaire vit une réponse immédiate et sans précédent de jeunes Québécois, dont certains avait connu une situation similaire, voulant envoyer des messages d'encouragement. Plutôt accablé mais beaucoup plus heureux, cet écolier nous montra tous que les réseaux sociaux, qui ont souvent mauvaise presse, peuvent bien être utiles.

**Developing arguments from different angles**

- When faced with a statement or questions that you have to discuss, make sure that you are familiar with the topic in question. Make a list of associated issues, people, dates etc.
- Organise the information you have into different categories such as 'advantages' and 'disadvantages'.
- Use appropriate phrases to offer an initial opinion, e.g. *À mon avis…*, *Je suis d'accord avec…*, *En ce qui me concerne…*
- Now use the information in your categories to start looking at the topic from different angles.

- Introduce each of these using the appropriate vocabulary, e.g. *Quant à…*, *En ce qui concerne…*
- Remember to balance your argument using vocabulary such as *par contre, cependant, néanmoins, en revanche*.
- Finally, bring all of the different angles together in a conclusion.

Keep these tips in mind when completing activity 6b.

**6 a** Faites des recherches sur un site Internet français d'une chaîne d'information francophone et lisez les gros titres.

- À quels aspects de la vie font-ils référence ? La culture, la politique, la famille ?
- Que pourrait être l'effet de ces gros titres et des articles associés sur les lecteurs ? Font-ils peur, font-ils rire, mettent-ils en colère les gens, font-ils réfléchir ?
- Prenez des notes.

**6 b** Discutez-en avec un(e) partenaire. Comment les médias peuvent-ils influencer un pays ? Considérez les points suivants et référez-vous à vos notes de l'activité 6a. Lisez aussi la case stratégie et n'oubliez pas de présenter les deux côtés de la question.

- la culture d'un pays
- le média dont il s'agit
- la politique
- la vie de famille
- les avantages
- les inconvénients

**6 c** Écrivez maintenant un paragraphe sur l'effet positif et néfaste des médias sur un des aspects de l'activité 6b. Faites attention à l'orthographe et à la grammaire.

# Vocabulaire

## 5.1 Peut-on tout dire ?

**agresser** to be aggressive towards someone
s' **améliorer** to improve
un **assassinat** assasination
un **attentat** attack
**autrui** others
le **blasphème** blasphemy
**bouleverser** to move deeply, shatter
une **caricature** caricature
**caricaturer** to caricature
le **classement** ranking
**condamner** to condemn
**contrarier** to annoy
la **Côte d'Ivoire** Ivory Coast
les **croyances** (f) beliefs
les **croyants** believers
**défendre** to ban
**dégouté(e)** disgusted
un(e) **dessinateur (-trice)** illustrator
**doué(e)** gifted
un **enlèvement** kidnapping
**fier (fière)** proud
**irrespectueux (-euse)** disrespectful
**ivoirien(ne)** from the Ivory Coast
la **liberté d'expression** freedom of expression
**menaçant(e)** threatening
un(e) **meurtrier (meurtrière)** murderer
**poursuivre** to prosecute
le **prophète Mohammed** prophet Mohammed
**relancer** to revive
**troublé(e)** perturbed
**venger** to avenge

## 5.2 La presse écrite en voie de disparition ?

un **annonceur** advertiser
**attirer** to attract
**concurrencer** to compete with
**diffuser** to broadcast
un **écran** screen
l' **immédiateté** (f) immediacy
une **impression** printing
les **informations** (f) news, information
s' **informer** to inform oneself, to get information

une **librairie** bookshop
un(e) **internaute** web surfer/user
une **œuvre de fiction** work of fiction
la **presse écrite** printed press
**rivaliser avec** to compete with
un **roman** novel
une **tablette** tablet
une **touche** button
une **voie** path

## 5.3 L'influence des médias et des nouvelles technologies

**accro** addicted
un(e) **adepte** follower
un **commentaire** comment
les **conseils** (m) advice
un(e) **conseiller (-ère)** advisor
la **disposition** disposal
la **droite** right (wing)
**électoral(e)** electoral
l' **électorat** (m) electorate
s' **emparer** to take over
**entrecoupé(e)** interrupted
les **femmes politiques** female politicians
la **fièvre** fever
**gare (aux conséquences)** beware (of the consequences)
la **gauche** the left
les **hommes politiques** male politicians
une **incursion** foray
**indispensable** essential
**large** wide
un **manque** lack
les **Mauriciens** Mauritians
**numérique** digital
l' **orientation** (f) leanings, tendencies
un **outil** tool
les **politiques** (m/f) politicians
la **portée** reach, scope
la **préoccupation** concern
les **réseaux** (m) **sociaux** social networks
le **revers de la médaille** flipside (of the coin)
les **tendances** (f) leanings, tendencies
**toucher** to reach

# UNITÉ 6

## Les festivals et les traditions

6.1 **Les célébrations francophones**
6.2 **Les festivals francophones**
6.3 **Les coutumes et les traditions en France**
6.4 **Les coutumes du monde francophone**

## Theme objectives

This unit looks at French festivals and traditions, focusing on:
- celebrations in francophone countries
- learning more about French and francophone festivals
- customs and traditions in France
- customs and traditions in francophone countries

**The content in this unit is assessed at AS and A-level.**

## Grammar objectives

You will study and practise the following grammar points:
- using the imperative
- using 'when' followed by the future tense or conditional
- using the present subjunctive
- using adverbs

## Strategy objectives

You will develop the following strategies:
- creating more interesting sentences
- acquiring revision techniques
- acquiring listening techniques for the examination
- learning and using more sophisticated language

# 6.1 Les célébrations francophones

- Découvrir les célébrations dans les pays francophones
- Utiliser l'impératif
- Composer des phrases plus intéressantes d'un point de vue linguistique

## On s'échauffe

**1 a** Quel est le vocabulaire que vous connaissez qui peut être utilisé pour parler des célébrations ? Faites un remue-méninges de noms, verbes et adjectifs.

**1 b** Quelles célébrations avez-vous dans votre pays ? Pensez-vous qu'elles existent aussi en France ? Quelles sont celles qui n'existent pas en France et pourquoi ? Connaissez-vous des célébrations qui se fêtent en France et que vous n'avez pas dans votre pays ?

**1 c** Choisissez une fête que vous célébrez en famille et expliquez à votre partenaire ce que vous faites exactement.

---

## La nouvelle signification de Noël pour les Français

La fête de Noël est aujourd'hui plutôt représentée comme une fête familiale, un moment de rassemblement avec ses proches plutôt qu'une fête religieuse. En effet les traditions purement religieuses se perdent en France.

Voici les mots d'ordre pour fêter Noël…

Rassemblez-vous en famille !

Les Français restent quasi-unanimes à considérer le réveillon du 24 décembre comme une occasion de faire plaisir à ses proches et un moment de tradition. De plus, dans une société plus individualiste et plus mobile, Noël apparaît davantage comme une occasion unique de se retrouver.

### Ne soyons pas égoïstes !

On assiste à l'affaiblissement de l'esprit de solidarité pendant Noël. 75% des Français assimilaient Noël en 1997 à un moment où l'on se sent plus solidaire des pauvres et des isolés, contre 57% aujourd'hui.

### Respectons l'esprit religieux de Noël

Si l'aspect religieux semble être une réalité pour de nombreux Français, ce sentiment est moins partagé aujourd'hui, notamment parmi les jeunes générations, et la fête de Noël semble s'en être un peu éloigné. 68% des personnes interrogées considèrent en effet que Noël est la fête de la Nativité, la naissance du Christ, et une proportion plus élevée (82%), quoiqu'en baisse, insiste sur la nécessité d'expliquer aux enfants l'origine religieuse de Noël, même si on n'est pas croyant.

### Ne consommez pas tant…

Toutefois, malgré l'affaiblissement des croyances religieuses, seuls 25% des sondés jugent que fêter Noël n'a plus aucun sens. Notons également que les Français sont conscients d'une certaine dérive commerciale de Noël : pour 81% d'entre eux le 25 décembre est perçu comme une fête commerciale.

www.ifop.fr

## 2 a

Lisez la page Internet. Trouvez dans le texte des mots de la même famille que les mots suivants et essayez d'en déduire le sens. Assurez-vous d'abord de connaître les mots donnés.

1 la famille *familly*
2 assembler *gather*
3 affaiblir *weaken*
4 loin *far*

5 naître *to beborn*
6 croire *to believe*
7 un sondage *survey*
8 percevoir *to peraeve*

## 2 b

Relisez la page Internet. Choisissez la bonne fin pour chaque phrase.

1 De nos jours, en France, Noël…
   a …a perdu sa valeur religieuse.
   b …a perdu sa valeur traditionnelle.
   c …n'est plus fêté en famille.
   d …n'est presque plus fêté.

2 Les autres traditions…
   a …sont moins respectées.
   b …sont toujours respectées.
   c …sont plus respectées de nos jours.
   d …se perdent.

3 Les Français sont…
   a …de plus en plus religieux.
   b …moins religieux.
   c …très religieux.
   d …contre la religion.

4 De nos jours, les familles françaises…
   a …sont plus éloignées qu'avant.
   b …habitent ensemble.
   c …ont moins d'enfants.
   d …sont plus proches.

5 À Noël, les Français…
   a …aident davantage de personnes défavorisées.
   b …sont de moins en moins solidaires.

c …partagent leur repas.
d …sont de plus en plus tous seuls.

6 Ceux qui pensent qu'il est important d'éduquer les jeunes générations sur la signification de Noël…
   a …sont de plus en plus nombreux.
   b …sont de moins en moins nombreux.
   c …sont tous croyants.
   d …considèrent tous Noël comme la célébration du Christ.

7 En France la signification religieuse de Noël…
   a …est méconnue.
   b …est bien connue.
   c …se perd.
   d …se renforce.

8 Ceux qui ne croient plus en l'esprit de la célébration de Noël sont…
   a …majoritaires.
   b …minoritaires.
   c …de plus en plus nombreux.
   d …de moins en moins nombreux.

## Grammaire

### L'impératif (Imperative)

Study H14 in the grammar section.
1 Read the text on page 88 and find five examples of the imperative.
2 Copy out any phrases containing the imperative and translate them into English.
3 Explain the different forms of the imperative found in the text. What can you say about the imperative form of *être*?
4 What would happen if all the verbs in the imperative were used to talk to one person informally? What do you notice?

**3** Trouvez le bon verbe dans chaque phrase et changez-le à l'impératif. Attention aux verbes irréguliers !

1 Tu insistes pour aller à la surprise-party !

2 Vous vous taisez toujours quand les autres entrent dans l'église !

3 Tu es patiente avec lui quand il vient ici.

4 Nous fêtons son anniversaire en allant au restaurant.

5 Vous rentrez du concert de célébration en conduisant ?

6 Nous essayons de participer en chantant.

7 Nous faisons de notre mieux pour y aller.

8 Tu prends une part de gâteau ?

**4 a** La Fête de la famille au Québec. Écoutez l'annonce et mettez les idées dans l'ordre. Pour chaque idée, faites une liste des mots qui vous ont aidé.

1 un grand choix de divertissements

2 une fête chaleureuse

3 une fête pour tout le monde

4 une fête printanière

**4 b** Réécoutez l'annonce. Trouvez les *quatre* phrases qui sont correctes.

1 La Fête de la famille se fête depuis une dizaine d'années.

2 La fête s'étend sur un week-end.

3 Sa popularité ne diminue pas.

4 Rosemont fêtera la Fête de famille le 23 mai.

5 Les divertissements ne sont proposés que le matin.

6 Les activités du matin sont plus actives que celles de l'après-midi.

7 Cette année la Fête de la famille se terminera vers 18 heures par un concert.

8 L'après-midi est plus convivial.

**5** Translate the following passage into English.

Ramadan in France

Il est estimé que 70 à 80% des 5 millions de musulmans en France pratiquent le Ramadan et chaque année ils ne manquent pas de fêter l'Aïd el-Fitr pour marquer la fin du jeûne. Pour bien fêter la fin du Ramadan, hommes comme femmes, suivent certaines règles que la tradition a instaurées depuis des siècles comme « rendez-vous à la prière », « prenez le bain rituel » ou « parez-vous de vos plus belles tenues ».

## Stratégie

### Create more interesting sentences

In order to make more interesting sentences for your oral and written work, bear the following points in mind:

- Learn and use more sophisticated synonyms to replace basic words.
- Use a wider range of conjunctions.
- Use subordinate clauses introduced by *qui/ que/dont*....
- Use verbal constructions with verbs followed by à, de or nothing.

- Build up a collection of idiomatic constructions.
- Use a range of constructions such as *si, en +* present participle.
- Try changing the normal word order to add emphasis.

Use these suggestions to help you with activities 6b and 6c.

**6 a** Réécoutez l'annonce pour La Fête de la famille au Québec et faites des recherches sur une autre fête de la famille dans une autre ville au Québec, par exemple celle de Saint-Émile.

- Prenez des notes sur les détails de cette fête et les activités qui y sont offertes.
- Que pensez-vous de cette fête ? Aimeriez-vous en avoir une dans votre pays ? Pourquoi ? Pourquoi pas ?

**6 b** Discutez des informations que vous avez trouvées et comparez vos opinions. Utilisez des expressions telles que :

- Ce que je ne comprends pas, c'est que…
- Ce qui me surprend, c'est que…
- En ce qui me concerne…
- Pour ma part,…
- Je suis surpris(e) que + subjonctif
- Il est dommage que + subjonctif

**À tour de rôles énoncez vos idées. N'oubliez pas vos exemples introduits par des conjonctions telles que :**

- Vu que…
- Étant donné que…
- Quand on considère….

**6 c** Écrivez un paragraphe sur la Fête de la famille en utilisant une langue variée dans lequel vous inclurez les détails que vous avez trouvés pendant vos recherches et votre opinion.

Avec votre partenaire, évaluez vos paragraphes et améliorez le paragraphe de votre partenaire.

# 6.2 Les festivals francophones

- Approfondir ses connaissances des festivals en France et dans d'autres pays francophones
- Utiliser « quand » avec le futur ou le conditionnel
- Acquérir des techniques de révision

## On s'échauffe

**1 a** Voici une liste de festivals francophones. Quelle sorte de festivals sont-ils à votre avis ? Sont-ils, par exemple, des festivals de musique, d'art ou de cinéma ? En avez-vous déjà entendu parler ?

- ○ Le festival médiéval au château de Sedan, France
- ○ Le festival Rock en Seine, France
- ○ Victoriaville en chansons, Québec
- ○ Le festival de la BD francophone, Québec
- ○ Le festival des rencontres de danses métisses, Guyane
- ○ La fête des Masques, Côte d'Ivoire

**1 b** Auquel de ces festivals aimeriez-vous vous rendre ? Pourquoi ?

# UNE MYRIADE DE FESTIVALS FRANCOPHONES

Voici notre éventail hebdomadaire de manifestations francophones.

## L'Île Maurice et le festival Passe-Portes

Le festival Passe-Portes se déroule annuellement à l'Île Maurice et a pour but de permettre aux compagnies théâtrales francophones de présenter leurs talents. De jeunes artistes et professionnels s'y rassemblent. En plus de cette dimension internationale, les artistes mauriciens peuvent chaque soir profiter de ce festival pour promouvoir leurs talents. Désormais festival phare, Passe-Portes a su s'affirmer comme le festival des Arts Vivants de l'Île Maurice. Dès que vous découvrirez son ambiance, vous aurez envie d'y retourner.

## La Guyane et les Maîtres de la Pagaie à Kourou

Chaque année Kourou accueille le festival des Maîtres de la Pagaie : pendant deux jours, une cinquantaine de pagayeurs concourent dans leur pirogue. Outre son esprit sportif, cette manifestation permet aussi à la Guyane de promouvoir son identité et toutes ses spécificités. C'est un véritable atout économique pour la Guyane et un réel patrimoine vivant. Quand vous flânerez le long des stands mettant à l'honneur l'artisanat local, vous vous imprégnerez de la culture locale.

## La France et le festival mondial des théâtres de marionnettes de Charleville-Mézières

Personne ne s'imaginait à sa première édition en 1961 que quand on parlerait de marionnettes on penserait de suite au festival des théâtres de marionnettes de Charleville-Mézières ! Tous les deux ans, se rassemblent à Charleville Mézières, dans le nord de la France, 250 troupes d'amateurs et de professionnels de marionnettes, venant des quatre coins du monde pour partager leur passion. Pendant une dizaine de jours, des spectacles sont offerts quotidiennement. Cette manifestation s'est imposée comme la référence internationale dans ce domaine.

Alors quand vous vous rendrez dans un pays francophone, n'oubliez pas de profiter de la culture locale !

**2 a** Lisez le dépliant et répondez aux questions en français. Utilisez vos propres mots autant que possible.

  1  À quoi servent les festivals ? [*deux détails*]
  2  À qui est-ce que le festival Passe-Portes est destiné de prime abord ?
  3  Quel est l'atout du festival Passe-Portes pour les Mauriciens ? [*deux détails*]
  4  Quel est le but principal du festival des Maîtres de la Pagaie à Kourou en Guyane ?
  5  Quel est l'impact de ce festival sur la population guyanaise ? [*deux détails*]
  6  À qui est-ce que le festival des marionnettes est ouvert ?
  7  Pourquoi est-ce que le festival des marionnettes de Charleville-Mézières est important ?
  8  Quel conseil le dépliant nous donne-t-il ?

**2 b** Traduisez les phrases ci-dessous en français. Servez-vous du dépliant.

  1  The French-speaking world has a lot of events to offer.
  2  Events enable local people to show their talents.
  3  International events are a good opportunity to promote cultural identity.
  4  Local festivals welcome people from all around the world.
  5  It is important to make the most of local festivals and traditions.
  6  Every other year, events are offered to promote local traditions.
  7  French-speaking countries have a rich heritage.
  8  Local handicraft and heritage is an advantage for the country.

## Grammaire

*Quand* suivi du futur ou du conditionnel (*Quand* + future or conditional)

Study H8.5 and H11 in the grammar section.

1  Read the leaflet on page 92 and find:
   ●  three examples of the future (note that one example doesn't use *quand* but a similar conjunction)
   ●  one example of the conditional after *quand*
2  Copy the phrases containing the future and the conditional and translate them into English. One example doesn't use *quand*. Which conjunction is being used instead?
3  How do you decide when to use the future and when to use the conditional after *quand*?

**3** Choisissez les bons verbes au futur et au conditionnel (passé) dans la case pour remplir les blancs dans les phrases.

  1  Je ne sais pas quand il .......... avec les cadeaux de Noël.
  2  Pendant le ramadan je n'.......... pas d'énergie quand je .......... du sport.
  3  À Hanoukka on .......... à la synagogue quand on .......... fini notre travail.
  4  Lorsque nous .......... la représentation religieuse, on rentrera.
  5  Elles ne savent pas quand je .......... pour le festival.
  6  J'.......... là-bas quand la célébration .......... lieu.
  7  Nous .......... faire attention lorsqu'on annonçait le sacrement.
  8  Vous l'.......... quand il .......... dans la tour pour sonner la cloche ?

| | | | |
|---|---|---|---|
| **viendrai** | **aurai, ferai** | **aurions dû** | **irai, aura** |
| **aurons vu** | **ira, aura fini** | **arrivera** | **auriez vu, serait monté** |

D'après Thomas Guénolé, politologue français, il faut déchristianiser les jours fériés

**4 a** Si on changeait les jours fériés ? Écoutez cet extrait d'une émission de radio. Voici des idées exprimées dans l'extrait. Qui les dit ? Est-ce Sami (S), Gabriella (G) ou Paul (P) ?

1 La religion catholique fait partie des valeurs françaises.

2 Il y a des Français qui vivent dans ces régions hors métropole.

3 Je ne suis pas contre l'idée d'avoir moins de jours fériés catholiques.

4 La France a plus d'une dizaine de jours fériés.

5 L'histoire constitue l'identité nationale.

6 Le sujet de la religion est toujours au cœur du débat en France.

7 Certaines régions francophones ne partagent pas la même culture que la France.

8 Certaines populations francophones ne pratiquent pas le catholicisme.

**4 b** Réécoutez l'extrait. Pour chaque phrase choisissez la bonne option.

1 La France compte…

   a …plus de jours fériés civiles que religieux.

   b …onze jours fériés basés sur la religion chrétienne.

   c …plus de jours fériés religieux que civils.

   d …environ une dizaine de jours fériés religieux.

2 Selon Sami, il est important…

   a …de maintenir les fêtes catholiques.

   b …de considérer d'autres jours fériés.

   c …de célébrer la culture française.

   d …d'ignorer les autres religions.

3 Gabriella…

   a …partage l'avis de Sami.

   b …lutte pour la défense de l'identité nationale.

   c …veut que les fêtes religieuses ne soient plus observées.

   d …a un avis mitigé.

4 Paul…

   a …a un avis mitigé.

   b …ne sait pas quoi penser.

   c …est tout à fait d'accord avec Gabriella.

   d …est contre l'idée de changer les jours fériés.

5 Pour Paul, il faudrait que…

   a …les jours fériés religieux soient maintenus.

   b …la religion et la république soient séparées.

   c …les fêtes religieuses ne soient célébrées qu'en France.

   d …les régions hors de la France respectent la religion catholique.

**5** Translate the following paragraph into English.

**Local festivals: authentic or not?**

Quand vous fréquenterez votre prochain festival local ou à l'étranger, demandez-vous si ce festival est une célébration authentique ou un produit artificiel pour les touristes. Les festivals jouent un rôle important dans le développement du tourisme culturel. Prenons le festival d'Ouagadougou au Burkina Faso qui propose des expositions de produits artisanaux et des manifestations artistiques et culturelles pour les locaux et les touristes pour promouvoir la localité. Malheureusement de tels festivals sont souvent perçus comme une simple présentation temporaire folklorique.

**6** Les idées suivantes sont tirées de l'extrait que vous venez d'écouter sur les fêtes religieuses. Prenez part à une discussion avec votre partenaire et discutez-en.

**1** « Il faut choisir d'autres fêtes religieuses dans ces régions où la religion catholique n'est pas prédominante pour tenir compte des spécificités culturelles et religieuses de ces régions. »

**2** « On pourrait supprimer toutes les fêtes religieuses et les remplacer par des commémorations basées sur la république. »

**3** « Supprimer les fêtes religieuses va à l'encontre des valeurs françaises et pourrait mener à la perte de l'identité française. »

**7 a** Choisissez un festival parmi ceux mentionnés dans l'exercice 1a et faites des recherches. Assurez-vous de choisir un festival différent de celui de votre partenaire. Prenez des notes sur :
- le genre de festival
- sa durée et la fréquence
- les activités offertes
- sa popularité
- son impact sur la localité

**7 b** Posez des questions à votre partenaire pour chaque aspect de l'activité 7a et prenez des notes sur les informations que votre partenaire a trouvées. Décidez avec votre partenaire lequel des deux festivals semble le plus intéressant ou celui qui vous plairait le plus et dites pourquoi.

**7 c** Discutez maintenant des aspects suivants en citant les festivals que vous avez recherchés :
- le rôle que jouent ces festivals dans les pays francophones
- leur impact sur la localité
- leur importance dans la préservation de la culture et la promotion du tourisme

---

**Stratégie**

**Acquire revision techniques**
- For each sub-topic start by building a list of:
  - key facts and figures
  - specific vocabulary (nouns, adjectives and verbs)
  - interesting and complex structures
  - a few opinion phrases
  At the end of each sub-unit, make sure that you put great care into writing a paragraph to summarise your thoughts and ideas on the aspects that have been discussed. These paragraphs will be useful when revising and also when you are preparing for your speaking examination.
- Always go over your notes and ensure that you understand the different aspects.
- Make revision notes as you go along, do not wait until the last minute.
- Revisit your notes regularly, make links with other units and add extra information, whether it is fact or language.
- Rework your notes. Do not learn everything off by heart.
- Regular practice is the best way to prepare for your examination.

---

**7 d** Maintenant écrivez un paragraphe pour résumer les idées exprimées dans l'activité 7c. Incluez aussi vos propres idées et assurez-vous que votre français soit correct. Rapportez-vous à la case stratégie.

# 6.3 Les coutumes et les traditions en France

*customs* (handwritten above title)

> - Approfondir ses connaissances des coutumes et traditions en France
> - Utiliser le présent du subjonctif
> - Acquérir des techniques pour l'examen d'écoute

## On s'échauffe

**1 a** Lisez les six traditions ci-dessous. Lesquelles sont françaises ? Lesquelles sont anglaises ?
   a  À Pâques les cloches apportent le chocolat.
   b  Pour le 1er avril on attache un poisson dans le dos de quelqu'un pour rigoler.
   c  Pour fêter le 14 juillet on fait des feux d'artifice.
   d  On porte un coquelicot pour commémorer les deux guerres mondiales.
   e  Pour fêter le solstice d'été le 21 juin, il y a la fête de la musique dans toutes les villes et les villages.
   f  À Noël on porte une couronne en papier sur sa tête.

**1 b** Pour chacune des traditions françaises ci-dessus, est-ce qu'il y a un équivalent dans votre pays ?

**1 c** Connaissez-vous d'autres traditions françaises ?

**2 a** Lisez l'article. Complétez le texte suivant en remplissant les blancs avec les mots manquants. Servez-vous de la liste. Attention ! il y a quatre mots de trop.

La France est réputée pour sa **1**......... *usages* qui est cependant moins marquée dans le **2**......... du pays. Il faut noter que ces **3**......... sont souvent **4**......... par les étrangers. On pense souvent à tort que les Français **5**......... plus qu'ils ne **6**......... pour se saluer. Il faut en fait savoir que **7**......... n'est pas si commune. De plus, quand vous rencontrez quelqu'un, il est important que vous n'utilisiez pas que le **8**......... quand vous leur parlez, mais aussi leur nom de famille. N'oubliez pas que la personne doit vous inviter à ne plus la **9**......... . En France, le tutoiement **10**......... toujours la façon de se parler en famille.

| | | | |
|---|---|---|---|
| sud *south* | impair *blunder* | vouvoiement *formal vous (usage)* | la bise *kiss* |
| méconnus *unknown* | nord *north* | formalité *formality* | vouvoyer *use vous* |
| usages *customs* | se serrent la main *squeeze hand / give each other a kiss* | tutoiement *first name basis* | |
| tutoyer *address / call tu* | se font la bise | n'est pas *isn't* | |

**2 b** Relisez l'article et répondez aux questions suivantes en français. Utilisez vos propres mots autant que possible.
   1  Dans quelles circonstances les usages diffèrent d'un pays à l'autre ? [*trois détails*]
   2  Pourquoi les étrangers se trompent-ils en ce qui concerne les usages ?
   3  En quoi est-ce que certaines régions de France sont différentes ?
   4  À quoi devons-nous nous attendre dans un magasin en France ? [*deux détails*]
   5  Qu'avons-nous tort de penser en ce qui concerne la façon de dire bonjour en France ?
   6  À quoi s'attend une personne française dont vous venez de faire la connaissance ?
   7  Pourquoi est-il important de connaître les rituels de salutations ?
   8  En quoi l'attitude entre amis ou en famille a-t-elle changé en ce qui concerne les salutations ?

Thème 2  La culture politique et artistique dans les pays francophones

# Les us et les coutumes en France

Comme dans n'importe quel pays, il y a certains usages culturels ancrés qui ont été adoptés par la population. Ceux-ci peuvent être pour saluer, dîner ou dans l'environnement professionnel. La France a des coutumes sociales que la plupart des « étrangers » ignorent et afin qu'on ne commette pas d'impair social, il est important que ces coutumes soient respectées. Les Français sont, en général, très formels aussi bien pour le protocole et les manières sociales. Bien que cette formalité soit plus marquée à Paris et dans le nord, elle tend à être plus souple, plus vous allez dans le sud.

En société, les Français sont très polis. Si vous entrez dans n'importe quel magasin, vous serez accueilli par un « bonjour Monsieur/Madame ». De même, quand vous partez, c'est un poli « bonne journée/bon après-midi ou bonne soirée ».

## Les usages pour les salutations

Contrairement à la croyance populaire, la poignée de main est la forme la plus commune de salutation, la bise est en général réservée à la famille, aux amis proches et aux collègues.

Lorsque vous rencontrez quelqu'un pour la première fois, il est important que vous utilisiez « Monsieur, Madame ou Mademoiselle » avec le nom de famille de la personne et le vouvoiement. Il est aussi essentiel que vous sachiez quand il faut vouvoyer ou tutoyer une personne. Il est clair que les formes formelles (vous) et familières (tu) sont sans aucun doute dérangeantes pour les étrangers qui ont peur d'offusquer. En règle générale, à moins que vous ne soyez invité par la personne à la tutoyer et l'appeler par son prénom, il est convenable que vous utilisiez le vouvoiement. Cependant il est bien rare de nos jours que vous ayez à appliquer cette règle aux amis ou à la famille.

www.hunt-a-home.fr

## Grammaire

### Le présent du subjonctif (Present subjunctive)

Study H15.2 in the grammar section.
1 Look again at the above article. Find seven examples of verbs in the present subjunctive.
2 What triggers the subjunctive in each sentence?
3 Is there a way the subjunctive could have been avoided in each sentence?

**3** Complétez les phrases suivantes en vous servant des expressions dans la case. Changez les infinitifs aux formes appropriées du subjonctif. Il y a plusieurs possibilités pour chaque réponse.

1 Il faut que nous…

2 Il est nécessaire que tu…

3 Je suis content(e) que vous…

4 Nous préférons qu'elle…

5 On a fait cela pour que vous…

6 Vous pouvez le faire pourvu que vous nous…

7 On te laisse faire pour que tu…

8 Supposez que nous…

| | | |
|---|---|---|
| commencer de nouveau | informer la police | chercher un compromis |
| savoir la vérité | acheter des cadeaux | grandir un peu ! |
| habiter avec nous | partir d'ici | résoudre le problème |
| aller en ville | accepter la réalité de la situation | contacter les voisins |
| demander pardon | | envoyer des textos réguliers |

**Acquire listening techniques for the examination**

- Don't leave a blank.
- If it is a multiple-choice or true/false task and you are not sure, make an educated guess.
- Read the questions carefully for clues as to what to listen out for.
- Listen for synonyms or paraphrases of words used in the questions.
- Beware of distractors such as negatives, quantifiers and sentence construction.
- Make sure that you have used your own words, rather than writing down chunks of French that you have heard.

- You may also sometimes have a summary in English of what you have heard.
- Make sure you answer according to what is said in the question, rather than making your own assumptions.
- Give the amount of information asked for in the question: (2) means include two pieces of information.

Refer to these suggestions as you carry out exercise 4.

**4 a**  Comment fêtes-tu la Saint-Nicolas ? Écoutez ce reportage en entier. Trouvez les synonymes des mots suivants. Suivez les conseils dans la case stratégie.

1 avoir lieu
2 mettre
3 des bonbons/des sucreries
4 chaussures/chaussons
5 pas méchants
6 être presque pareil
7 une mule
8 avoir des difficultés

**4 b**  Écoutez la première partie du reportage et répondez aux questions suivantes en français en utilisant vos propres mots. Rapportez-vous à la case stratégie.

1 Que fait saint Nicolas ? [*deux détails*]
2 À qui est-ce que saint Nicolas ne rend-il pas visite ?
3 Pourquoi est-ce que tous les Français ne fêtent pas la Saint-Nicolas ?
4 En quoi cette tradition n'est-elle pas une tradition typiquement française ?

**4 c**  Listen now to Anaëlle and Benjamin in the second part of the recording and answer the questions in English.

1 Summarise the main differences between the celebrations in Belgium and France. [*two points*]
2 Summarise the differences between now and before. [*two points*]

**5 a** Traduisez ce paragraphe en français.

 La tradition des mais en France

In the night between 30 April and 1 May, young bachelors in villages place small trees or branches in front of the houses of young girls who are not married. The next day the girls will have to invite the young men for a drink. This tradition still exists nowadays even if it is less celebrated; this tradition is now an opportunity for young people to get together.

**5 b** Quelle est l'idée principale de l'activité ? Que dit-on de cette tradition ? Répondez en français en utilisant vos propres mots.

**6 a** Faites des recherches sur une des traditions du monde francophone ci-dessous ou une tradition dont vous avez déjà entendu parler. Utilisez un moteur de recherche français. Prenez des notes.

Dans quel pays ces traditions se passent-elles ? Quelles sont leurs origines ? Que font les gens exactement ? Quelle est leur popularité de nos jours et auparavant ?
- le Feu d'artifice de la fête nationale
- la Nuit des Trouilles de Nouilles
- le Tromba
- l'Épluchette de blé d'Inde
- le Feu de joie de la Saint-Jean-Baptiste
- la Fête de sainte Cécile

**6 b** Maintenant, en groupes posez-vous les questions sur l'activité 6a et prenez des notes sur chaque tradition.

Discutez avec votre groupe des aspects suivants :
- Laquelle ou lesquelles des traditions vous paraît/paraissent la/les plus intéressante(s), la/les plus bizarre(s) ? Pourquoi ?
- Pensez-vous que ces traditions soient importantes pour sauvegarder l'identité nationale ?
- Faut-il préserver les traditions locales ? Pourquoi (pas) ?

**6 c** Écrivez un paragraphe dans lequel vous exprimerez votre opinion par rapport à une des deux dernières questions dont vous avez discuté dans l'activité 6b.

# 6.4 Les coutumes du monde francophone

- En savoir davantage sur les coutumes des pays francophones
- Utiliser les adverbes
- Apprendre et utiliser une langue plus sophistiquée

## On s'échauffe

**1 a** Les stéréotypes et clichés sur la France et les Français. Regardez le dessin et dites quels stéréotypes français y sont présentés.

**1 b** Connaissez-vous d'autres clichés ?

**1 c** Selon votre connaissance de la France, ces clichés sont-ils vrais ou faux ? Pourquoi à votre avis ces clichés sont-ils les plus courants ? Êtes-vous d'accord avec ces clichés ?

**2 a**  Lisez l'article qui nous parle d'un reportage télévisé français sur le Québec. Il y a huit phrases ou tronçons de phrase en gras dans le texte. Lisez-les bien et remplacez-les par des paraphrases en gardant le même sens.

**2 b** Relisez l'article et choisissez les *quatre* phrases qui sont correctes.

1. Le ministre du Tourisme québécois n'accepte pas ce reportage.
2. Le Québec aurait dû être présenté différemment dans ce reportage.
3. Le ministre du Tourisme est très reconnaissant de l'attention que la France a porté à son pays.
4. Dans ce reportage certains clichés ont été utilisés à bon escient.
5. Il est bien dommage que certains vieux clichés restent ancrés.
6. Quoiqu'on dise, le Québec sera toujours perçu de la même façon.
7. Le reportage ne représente pas vraiment ce que le journaliste pense du Québec.
8. Le reportage a été accueilli à bras ouverts.

**2 c** Écrivez un résumé en français du texte. Notez :
- les clichés mentionnés
- les images des journalistes
- la publicité du ministère
- comment encourager les touristes

# Carte postale du Québec

**Même si le ministre du Tourisme salue** l'initiative de TF1* d'encourager les Français à venir profiter vivement de l'hiver québécois, il souligne que le reportage est loin de présenter objectivement la réalité.

« Les images sont très magnifiques et **on se réjouit de l'intérêt de TF1 à couvrir** si soigneusement le tourisme hivernal au Québec, mais malheureusement, **c'est l'emprunt de nombreux clichés qu'il faut combattre** », a-t-il déploré. Parmi ces clichés, il dénote « la neige qui recouvre le Québec huit mois par an, qu'il faut des Huskies pour survivre et puis que c'est le pays des caribous » et selon lui, « **c'est beaucoup plus que ça l'hiver québécois** ».

**Le ministre s'est d'ailleurs rendu en France et en Belgique** l'an dernier afin de faire la promotion d'un tourisme hivernal actuel, loin de l'idée du chalet en bois rond, de la cabane au Canada et de la poutine**. « Malheureusement, j'ai souvent l'impression que certains journalistes arrivent ici avec, déjà, une image du Québec qu'ils cherchent à conforter plutôt qu'à s'émerveiller face à ce qu'est le Québec moderne présentement », a-t-il expliqué.

Dans les campagnes publicitaires du ministère, **on met plutôt l'accent** sur l'expérience totale d'un séjour enneigé dans la Belle Province qui comprend une gastronomie de qualité, des activités uniques au monde, **des paysages à couper le souffle**, mais surtout, la chaleur du peuple québécois.

Le journaliste de TF1 qui a réalisé ce reportage, assure pourtant savoir que le Québec n'est pas qu'une contrée lointaine où ses habitants se déplacent quotidiennement en traîneau à chiens. « Le but de ce reportage n'était

évidemment pas de décrire toute la réalité du Québec mais de montrer les très belles images de l'hiver au Québec, une réalité que beaucoup de Français ne connaissent pas vraiment ». Ces images de ville enneigée présentées au public français **se voulaient un incitatif au voyage**. « Forcément, en décrivant le Québec en trois minutes, il va y avoir des clichés. Et si ça a heurté certaines personnes, j'en suis absolument désolé », a-t-il ajouté.

*TF1 – réseau de télévision français

**la poutine – nourriture typique du Québec, à base de frites, fromage fondu et sauce

http://tvanouvelles.ca

## Grammaire

### Les adverbes (Adverbs)

Study D in the grammar section.
1 Find the 14 adverbs in the article above.
2 Copy the phrases containing these adverbs and translate them into English.
3 Categorise the ones that you can as frequency, place or manner adverbs. What are the remaining adverbs called?
4 Can you spot any differences between the 14 examples?
5 What can you say about the use of adverbs in French and in English?

**3** Camille ne comprend pas bien la différence entre un adjectif et un adverbe et elle les mélange toujours. Aidez Camille en cherchant l'adjectif incorrect dans chaque phrase et en le remplaçant par la bonne forme adverbiale.

1 Le cinéma français a été partiel financé par les recettes pour les films américains.

2 Les films français ont gagné régulier des prix internationaux.

3 Les frères Lumière n'ont pas réussi facile avec leur invention cinématographique.

4 Ils ont atteint progressif leur premier but.

5 Mon frère abandonné a attendu impatient à la gare.

6 Je suis total d'accord avec cette opinion raisonnable.

7 J'avais complet oublié ma longue liste de commissions !

8 Il était constant nerveux dans cette situation-là.

Une danseuse à la fête de « Heiva i Tahiti »

**4 a** Tahiti, une île pleine de coutumes. Écoutez l'entretien. Les idées ci-dessous sont exprimées dans le texte. Remettez-les dans l'ordre.

1 Les Métropolitains sont de plus en plus séduits par la vie tahitienne.

2 La France aide Tahiti financièrement.

3 Les traditions tahitiennes existent depuis la nuit des temps.

4 Le festival du tatouage est très connu.

5 Les Hexagonaux et Français ultramarins ont des styles de vie différents.

6 Tous les ans les Tahitiens ont l'occasion de célébrer leurs traditions.

7 Les tatouages sont un mode de communication.

8 Les Métropolitains se rendent compte du potentiel de l'île.

**4 b** Répondez aux questions suivantes en français.

1 Quelle est l'une des qualités des Tahitiens ?

2 Quelle est la place de la musique et de la danse dans la culture tahitienne de nos jours ?

3 En quoi *Heiva i Tahiti* respecte-t-il bien les traditions tahitiennes ?

4 Pourquoi ne pourrait-on pas dissocier le tatouage de la Polynésie ?

5 Comment les stéréotypes des Français de la métropole envers ces Français d'outre-mer ont-ils évolué ?

## Stratégie

### Learn and use more sophisticated language

- Gather and build up a list of more sophisticated language as you go along — use your reading and listening tasks.
- Use high-register language.
- Start by finding topic-specific vocabulary and by finding a more sophisticated equivalent to basic words and structures.

- Each time you use a new word or structure, tick it so that you keep a record of which new language you have used.
- Manipulate your newly acquired language and keep reusing your sophisticated language.

Compile a list of new vocabulary that you have learnt in this sub-unit.

**5 a** Traduisez ce paragraphe en français.

**Clichés alimentaires du monde francophone**

More and more traditions in the French-speaking world are changing. For instance, although the French are still really attached to their traditional meals, they tend to eat ready meals more often and unfortunately an increasing number of French people have to, mainly due to work pressures, give up their long lunchtime breaks and opt for fast food. Overseas, less traditional local food is being consumed due to globalisation and we can also see an increase in the number of fast food restaurants. The 'métro food', as they call it, from mainland France is also preferred in a lot of regions.

**6 a** Lisez ces trois opinions sur les stéréotypes.

- « *Pour moi, les stéréotypes nationaux sont fondamentalement vrais et représentatifs d'un peuple dans la majorité des cas.* »
- « *Selon moi, les stéréotypes sur les pays francophones sont réducteurs.* »
- « *Je me méfie des stéréotypes et clichés nationaux mais je reconnais qu'ils sont parfois vrais.* »

**Avec un(e) partenaire, discutez des opinions. Êtes-vous d'accord ou pas ? Utilisez des exemples concrets pour soutenir vos opinions et suivez la case stratégie pour employer une langue plus sophistiquée.**

**Avant de commencer, faites une liste de mots et d'exemples que vous allez utiliser.**

**6 b** Choisissez une de ces opinions et écrivez un paragraphe dans lequel vous présentez les deux côtés de l'argument. Utilisez des exemples concrets.

# Vocabulaire

## 6.1 Les célébrations francophones

**consommer** to consume
un(e) **consommateur (-trice)** consumer
**croire à/en** to believe in
un(e) **croyant(e)** believer
la **dérive commerciale** commercialism
**faire la fête** to have a party
**faire plaisir à** to please someone
**fêter** to celebrate
une **fête** celebration
un **festival** festival
**célébrer** to celebrate
une **célébration** celebration
l' **esprit** (m) spirit
**perdre** to lose
**perpétuer** to perpetuate
la **religion** religion
**religieux (-euse)** religious
**respecter** to respect
**représenter** to represent
se **retrouver** to meet up
se **rassembler** to get together
**signifier** to mean
la **société de consommation** consumer society

## 6.2 Les festivals francophones

**artisanal(e)** handmade
l' **artisanat** (m) handicraft
un **atout** advantage
**attirer** to attract
l' **authenticité** (f) authenticity
**commémorer** to commemorate
se **dérouler** to take place
**exposer** to exhibit
une **exposition** exhibition
le **folklore** tradition
**folklorique** traditional
un **jour férié** bank holiday
une **manifestation** event
**mettre à l'honneur** to celebrate
**partager** to share
le **patrimoine** heritage
**pérenniser** to make durable; to continue with
**profiter** to take advantage, enjoy
**promouvoir** to promote
**sauvegarder** to protect
un **spectacle** show
se **rendre** to go to
**véritable** real
les **valeurs** (m) values

## 6.3 Les coutumes et les traditions en France

**ancré(e)** rooted
la **bise** kiss on the cheek
**faire la bise** to give a kiss on the cheek

un **bisou** kiss
**convenable** appropriate
un **défilé** march, procession
**dérangeant(e)** unsettling, disconcerting, annoying
**embrasser** to kiss
une **époque** era
les **feux** (m) **d'artifices** fireworks
un **impair social** social faux pas
les **manières** (f) **sociales** social manners
**offusquer** to offend
**donner une poignée de main** to give a handshake
**répandu(e)** widespread
**saluer** to greet
les **salutations** (f) greetings
**tutoyer** to use *tu*
le **tutoiement** using *tu*
un **usage culturel** cultural habit
**vouvoyer** to use *vous*
le **vouvoiement** using *vous*

## 6.4 Les coutumes du monde francophone

**accueillir** to welcome
l' **accueil** (m) welcome, reception
**appartenir à** to belong to
**avoir des préjugés envers** to be prejudiced towards
**avoir des stéréotypes** to have stereotypes
un **cliché** cliché
**combattre** to fight
une **coutume** custom
s' **émerveiller** to be amazed, dazzled
**enraciné(e)** rooted
**être fier (fière) de** to be proud of
**être habitué(e) à** to be used to
**être réputé(e) pour** to be famous for
la **fierté** pride
**faire la promotion** to promote
un **honneur** honour
l' **hospitalité** (f) hospitality, welcome
**incarner** to embody
**lutter contre** to battle against
**mettre l'accent sur** to stress
la **réalité** reality
**symboliser** to symbolise
**transmettre** to pass on
les **us (usages) et coutumes** habits and customs

# Littérature et films

This section includes taster pages on some of the books and films you could study at AS and A-level. There are extra pages online that help you to explore the other works that you can choose to study. Visit **www.hoddereducation.co.uk/mfl-film-and-literature** to find out more.

You study only *one* of these books or films at AS, and *two* (either two books or a book and a film) at A-level. The main objective of this section is to introduce you to the book(s) or film you will study and to act as a springboard for further learning. However, you will find it useful to work on other tasters in the following pages in order to:

- encourage you to read more widely in French and to enjoy Francophone literature and film
- help you widen your vocabulary, enabling you to better answer comprehension questions based on different extracts of French literature and film
- increase your exposure to authentic French in an interesting way
- develop a range of critical and analytical skills that can be used in relation to various works of literature and films

At the end of this section there are four pages devoted specifically to helping you to develop the techniques you need to write a well-argued and well-constructed essay.

# 1 Les 400 coups

> - Découvrir le film *Les 400 coups* et le mouvement artistique appelé la Nouvelle Vague
> - Lire le résumé d'un film et dire s'il vous intéresse ou non, tout en expliquant pourquoi

# Une enfance malheureuse

*Les 400 coups*, dont le réalisateur est François Truffaut, est un des films de La Nouvelle Vague, un mouvement artistique en France qui a révolutionné le monde du cinéma à la fin des années cinquante.

Dans *Les 400 coups*, Antoine Doinel a treize ans. Il habite un petit appartement à Paris avec sa mère et son beau-père. Sa mère, qui ne voulait pas d'enfants, ne lui montre aucune affection et son beau-père s'intéresse peu à lui.

Face à ce manque d'affection, Antoine se révolte, se conduit mal en classe et est souvent puni. Son meilleur ami s'appelle René et tous les deux font souvent l'école buissonnière et traînent dans les rues ou vont au cinéma.

Un jour qu'il manquait l'école, Antoine surprend sa mère avec un homme qu'il ne connaît pas. Il fait une fugue mais pas bien longue. La vie familiale reprend sur de meilleures bases qu'avant. Pourtant, un jour qu'Antoine faisait encore l'école buissonnière, il est dénoncé par un camarade de classe. Antoine explique son absence en disant que sa mère est morte. La vérité toutefois se sait rapidement et Antoine fait une nouvelle fugue.

Afin d'avoir de l'argent, il commet, avec René, de petits délits. Il vole une machine à écrire mais comme il ne peut pas la vendre, il la ramène et est surpris par un employé qui contacte son beau-père qui, lui, l'emmène au commissariat où il passe une nuit en cellule.

Sa mère demande au juge qu'Antoine soit mis dans un centre d'observation pour délinquants. Quand elle va le voir, elle lui dit qu'elle ne veut plus de lui. Il décide de s'évader du centre. Il court longtemps et arrive au bord de la mer. Là, il se retourne, comme s'il regardait son passé, l'air triste. Le film finit sur cette image.

**1 a**  **Lisez le résumé du film ci-dessus. Identifiez les quatre phrases qui sont vraies (1 à 8).**

**1** Antoine est un adolescent qui vit dans un appartement dans la capitale.

**2** Antoine n'est pas bon élève et il manque souvent l'école.

**3** Antoine s'est échappé de son appartement une seule fois.

**4** Il ne ment pas. Il dit toujours la vérité.

**5** Il a réussi à vendre la machine à écrire qu'il avait volée.

**6** Au poste de police, il a été mis en prison.

**7** Il a été envoyé au centre d'observation pour délinquants à la demande du juge.

**8** Durant une visite au centre, sa mère a annoncé à Antoine qu'elle ne le reprendrait pas chez elle.

**1 b** Corrigez les phrases fausses dans l'exercice 1a.

**2** Tu es content(e) de l'avoir vu ? Écoutez Océane (O), Justine (J), Théo (T) et Florian (F) qui nous disent ce qu'ils pensent de *Les 400 coups*. Océane ouvre la conversation. Qui a exprimé les idées suivantes ? Écrivez O, J, T ou F.

    **1** Je suis content que le film n'ait pas été tourné en couleurs.

    **2** Ça nous donne une idée de la société du temps de nos grands-parents.

    **3** Truffaut nous raconte plus ou moins sa propre histoire.

    **4** L'histoire d'Antoine n'est pas particulièrement intéressante.

    **5** C'est un des premiers films qui ait été tourné à l'extérieur.

    **6** Moi, je n'ai pas eu une enfance malheureuse mais je comprends bien pourquoi Antoine agit comme il le fait.

    **7** Les effets cinématographiques étaient très réussis.

    **8** Ça m'a plu de voir une école de cette époque.

### Stratégie

**Reading a synopsis of a French film**

- Think about the characters. Do you feel you want to know more about them?
- When and where does the film take place? Does the setting sound interesting?

- Think about the plot. Does it sound intriguing or boring? Why?
- Does the film have a particular style or belong to a particular category? If so, do you feel as if you want to explore this further?
- General impression — do you feel like watching the film? Why or why not?

**3 a** Travaillez à deux ou en groupes. Pour vous aider, demandez à votre professeur l'accès à la transcription et référez-vous aussi aux 'expressions utiles' qui accompagnent ces activités (page 146). Discutez des questions suivantes.

- Qu'aimeriez-vous savoir d'autre sur les personnages du film *Les 400 coups* ?
- Où et quand le film a-t-il été tourné ? Que pensez-vous du cadre utilisé par Truffaut ?
- Trouvez-vous l'histoire intéressante ou ennuyeuse ? Pourquoi ?
- Voudriez-vous en savoir plus sur la Nouvelle Vague ? Pourquoi (pas) ?
- Ça vous plairait de regarder ce film ? Pourquoi (pas) ?

**3 b** Écrivez un paragraphe qui explique pourquoi vous aimeriez (ou vous n'aimeriez pas) voir le film *Les 400 coups*.

**4** Si possible, regardez le film (ou un extrait du film). Est-ce que votre réaction est la même après que vous avez lu le résumé du film ?

# 3    *Le Château de ma mère*

- Découvrir le roman *Le Château de ma mère*
- Commenter la façon dont un personnage est dépeint dans un livre

## Souvenirs d'enfance

## En quelques mots

La famille Pagnol passe ses vacances dans les collines de Provence où le jeune Marcel rencontre Lili, un garçon provençal qui devient son ami. La fin des vacances arrive. La veille du départ, avec la complicité de Lili, Marcel prépare sa retraite dans les collines. Il laisse une lettre d'adieu à ses parents. Mais le courage lui manque. Il rentre à la maison où il voit sa lettre toujours à sa place…

« Il faut bien comprendre, dit mon père, que dans la vie, il n'y a pas que des amusements. Moi aussi je voudrais bien rester ici, et vivre dans la colline ! Même dans une grotte ! Même tout seul comme un ermite ! Mais on ne peut pas toujours faire ce qui vous plaît ! »

L'allusion à un ermite me frappa : mais je compris que c'était une idée bien naturelle, puisque je l'avais eue. Il continua :

« Au mois de juin prochain, Marcel va se présenter à un examen très important, et il aura beaucoup à faire cette année, et surtout pour l'orthographe. Il met deux *l* à « affoler » et je parie qu'il ne saurait pas écrire « ermite » ».

Je sentis que je rougissais, mais mon inquiétude ne dura qu'une seconde : il ne pouvait pas avoir lu ma lettre, puisque je l'avais retrouvée à sa place. Et d'autre part, s'il l'avait lue, on en aurait grandement parlé dès mon retour ! D'ailleurs, il continua tout naturellement :

« Il a donc besoin d'un travail assidu. S'il est sérieux, s'il fait des progrès rapides, nous reviendrons. [...] Allons, [...] serrez-vous la main, comme deux chasseurs que vous êtes ! [...] Au revoir petit Lili. N'oublie pas que tu t'approches peu à peu de ton certificat d'études, et qu'un paysan instruit en vaut deux ou trois ! »

Coll Fortunio, Éditions de Fallois © Marcel Pagnol, 2004

**1 a**  Lisez le résumé et puis lisez l'extrait du livre. Choisissez six phrases dans la liste pour compléter un commentaire sur le personnage du père de Marcel. Attention ! il y en a trois de trop.

a parle gentiment mais avec autorité

b pense que la réussite scolaire n'est pas importante

c être paysan est un métier minable

d emploie des stratégies psychologiques

e est sensible

f est très autoritaire

g traite pas son fils d'une manière abaissante

h trouve que l'éducation est valorisante

l encourage et motive son fils

**1 b** Complétez le commentaire avec les phrases que vous avez choisies.

Le père de Marcel est instituteur et il **1**........... , donc il **2**.......... à réussir sa scolarité. Il sait très bien que Marcel a fugué, mais il ne **3**.......... . Au contraire, il lui **4**.......... , parce qu'il **5**.......... . En fait le père de Marcel est très doué et **6**......... pour faire passer la morale à son fils.

---

### Stratégie

**Comment on the way a character is portrayed in a book**

- Look carefully at the style of language used by the character you wish to comment on.
- Is the language authoritative, forceful, aggressive or conciliatory and gentle for example.
- The character's language will help you assess his/her personality.
- Look at the way the character you are studying interacts with other characters in the book.
- Try to assess whether we get a fully rounded picture, do we see several character traits?

- Is the view we have of the character an objective or a subjective one? For example do we see the character through the eyes of another person in the book or are we left to make up our own minds?
- It may sometimes be necessary to infer information to assess a character's personality.
- We may also see an evolution of the character's personality during the course of the book.

Use the strategy box to help you complete exercises 1a and 1b.

---

**2**  Les souvenirs de Lili. Écoutez l'interview et répondez aux questions suivantes en français.

1 Quand est-ce que Lili et Marcel se voyaient-ils ?

2 Quelles étaient les qualités que Marcel admirait chez Lili ?

3 Quelles étaient les qualités que Lili admirait chez Marcel ?

4 Quelles qualités avaient la mère de Marcel ? [*deux détails*]

5 Quelles qualités avaient le père de Marcel ? [*trois détails*]

6 Quelle était l'institution qui n'engendrait pas l'admiration du père de Marcel ?

**3 a** Pensez à un personnage dans un autre livre que vous avez lu (en français si possible) et rédigez quelques lignes pour le décrire. Mentionnez :

- ses attributs physiques, si appropriés
- son attitude envers les autres
- sa façon de parler
- ses croyances et façon d'être

**3 b** Pensez à un personnage fictif qui est bien connu par tout le monde. Demandez à votre partenaire de commenter la façon dont ce personnage est dépeint.

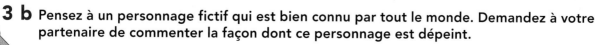

# 4   Au revoir les enfants

- Découvrir *Au revoir les enfants*, un film français traitant de l'enfance et de la seconde guerre mondiale
- Donner des informations sur un film et comparez-le avec d'autres films que vous avez vus

# Une enfance pendant la guerre

Le film se passe dans la France occupée, en hiver 1943-44. Alors que Julien Quentin (un des personnages principaux) retourne dans son collège catholique après les vacances de Noël, il découvre trois nouveaux élèves dont Jean Bonnet qui va devenir son voisin de dortoir. Celui-ci ne parle pas beaucoup et semble très secret.

Julien décide quand même d'en savoir plus sur lui.

Malgré le froid de cet hiver particulièrement rigoureux ainsi que les restrictions dues à l'Occupation (rationnement, etc.) la vie du collège continue. Julien finit par se rapprocher de Jean lors d'un jeu de piste dans lequel ils sont surpris par la nuit et le couvre-feu. Julien pense avoir compris que son nouveau camarade est juif, mais à cette période troublée de l'histoire où le fait même de trop parler peut mener à une dénonciation, il garde le secret de sa découverte.

Pourtant un matin, la Milice accompagnée de la Gestapo, arrive au collège et emmène les trois nouveaux garçons ainsi que le père Jean.

Basé sur l'enfance du réalisateur, ce film a valu à Louis Malle un Lion d'Or à Venise lors de sa sortie et est qualifié par les critiques comme l'un des meilleurs films sur l'enfance.

**1** Lisez le texte ci-dessus et répondez aux questions suivantes en français. Notez le nombre d'informations requises.

1 À quelle époque de l'année se déroule l'histoire du film ?

2 Quelles sont les nouveautés pour Julien ? [*deux détails*]

3 Donnez un détail sur la façon dont l'Occupation affecte la vie quotidienne.

4 Comment se finit le jeu de piste ? [*deux détails*]

5 Pourquoi ne faut-il pas trop s'exprimer à cette époque ?

6 Comment les critiques perçoivent-elles le film ?

## Stratégie

### Giving information about a film and making comparisons

In order to give information on a film, you can include:

- the genre of the film
- a brief summary of the plot
- a few facts about the main character(s)
- whether you would recommend the film and why/why not

To compare a film with another film you have seen:

- say whether they are of the same or similar genre
- say which film had the most interesting plot and why
- say which film had the most convincing characters and why
- say which film you would recommend most, giving reasons

**2** Qu'est-ce que vous pensez du film ? Écoutez ces opinions sur les acteurs du film et dites si les informations suivantes sont vraies (V), fausses (F) non données (ND).

**1** Pour Pauline, les acteurs ont l'air véridique.

**2** Selon William, il y beaucoup d'émotion dans tout le film.

**3** Pour Max, le rythme du film est lent.

**4** Selon Pauline, le réalisateur a choisi des acteurs qu'il connaissait.

**5** Pour William, c'est la musique du film qui en dit le plus.

**6** Selon Max, les enfants-acteurs l'ont ému au début du film.

**7** Pour Pauline, l'œuvre est réaliste car les acteurs sont amateurs.

**8** Selon William, les silences sont pesants.

**3** Écrivez votre opinion sur un film, français de préférence. Aidez-vous des opinions données dans l'activité d'écoute. Vous pouvez inclure :

- le genre du film
- un résumé de l'histoire (deux phases)
- des descriptions d'un ou deux personnages principaux
- une recommandation ou non et des raisons
- une comparaison avec un film similaire

**4** Si possible, regardez *Au revoir les enfants*. Qu'est-ce que vous en pensez ? Discutez-en avec d'autres membres de votre groupe.

Jean Bonnet essaie de cacher le secret de son identité

# 5  La Place

# *La Place* – les pensées de deux lecteurs

Dans son livre documentaire et autobiographique, *La Place*, écrit en 1983 après la mort de son père et très bien reçu, Annie Ernaux, écrivaine française avait comme but d'écrire de son feu papa, ses paroles, ses motivations, ses goûts, de créer un souvenir définitif de lui avant qu'elle ne l'oublie. Y a-t-elle réussi ? Voici les pensées de Virginie, lycéenne qui vient de le lire et de Marcel, professeur de lettres qui l'a lu de nombreuses fois.

**Annie Ernaux**
La place

folio

## Virginie

Ayant déjà lu quelques livres d'Ernaux, j'attendais beaucoup de ce récit. Autobiographique, tout comme *Une femme* où Ernaux explore le rapport entre fille et mère, voici un récit extrêmement honnête où elle se souvient de son feu papa, mort en 1967 : comment il vivait, les faits remarquables de sa vie, son passage de paysan au début du vingtième siècle à petit commerçant. Elle insiste surtout sur les relations père-fille et sa nouvelle identité bourgeoise qui la sépare peu à peu de son père qui prétend n'avoir besoin ni de livres ni de musique pour vivre.

Personnellement, j'adore l'écriture plate et neutre d'Ernaux. C'est à travers des paragraphes distincts, pas toujours liés, représentant sa mémoire fragmentée qu'elle réussit à nous offrir non seulement une impression nette et honnête de son père, mais aussi un aperçu de son passé à elle. Révélateur mais plutôt triste des fois, ce livre explore dans les moindres détails la vie d'un paysan devenu petit commerçant qui voulait seulement voir sa fille réussir mieux que lui dans la vie, ce qui pourtant les éloigna l'un de l'autre.

## Marcel

Étant prof de lettres, j'ai lu et relu ce livre. Alors que je le trouve très bien écrit, je dois avouer que je préfère *Une femme*, livre où Ernaux cherche à décrire ses relations avec sa mère. Ceci dit, *La Place* est certainement une exploration intéressante des conditions socio-économiques en France du début du vingtième siècle aux années soixante. Ernaux peint un portrait vif de son père et de ses efforts de s'affranchir de son pauvre milieu social.

---

**1**   **Lisez l'article. Répondez en français aux questions suivantes, en utilisant le plus possible vos propres mots.**

1. Pourquoi, Virginie, pensait-elle que le livre serait bien ?

2. Qu'est-ce qui sert de lien entre les deux livres d'Ernaux mentionnés dans l'article ?

3. Selon Virginie quel est un des thèmes les plus importants de *La Place* ?

4. Diriez-vous que les livres que décrivent les deux lecteurs abordent des thèmes universels ou sont-ils personnels à Annie Ernaux ?

5. Selon Virginie, qu'est-ce qu'Ernaux arrive à faire grâce à sa façon d'écrire ?

6. Que pense Marcel de *La Place* ?

7. Selon Marcel, comment le père d'Ernaux voulait-il que sa vie change ?

8. D'après ce que disent Virginie et Marcel, décrivez comment vivait le père d'Ernaux ? [*trois détails*]

**2 a** Une femme réussie. Écoutez les gens parler d'Annie Ernaux. Choisissez les *quatre* bonnes phrases.

1 Annie Ernaux est née dans le nord de la France mais a grandi ailleurs.

2 Annie Ernaux a passé une enfance plutôt triste.

3 Elle a bien réussi dans sa vie professionnelle.

4 Elle n'écrit jamais de la fiction.

5 Son écriture est plutôt poétique et pleine d'images.

6 Elle se sert de ses expériences personnelles dans ses livres.

7 Il y a une distance entre ses racines et sa position actuelle dans la société.

8 Dans ses livres, le milieu social n'a aucune importance.

9 Ernaux n'a jamais été reconnue en tant qu'auteure.

**2 b** Réécoutez et corrigez les phrases fausses.

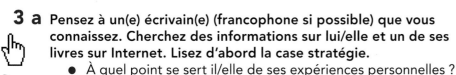

### Stratégie

**Research background information about an author, when the book was written, and the period in which it was set**

- Look at the cover of the book. This often includes information about the author and a synopsis of the book itself.
- Search online. Authors often have a website with contact details. If not, or if the author is no longer alive, you can often still find reliable websites containing a wealth of information about him or her.
- If the author is still living, look online for media interviews with him or her.
- When reading a book make a note of the places mentioned and research these to help you visualise the action better.

- Also think about the period in which the book was set. Research what was happening in that geographical area during that period and how this might have inspired the author.
- Think about whether the author is writing about contemporary events or looking back in time.
- Consider how the author's attitude to the period comes across in the book. Compare facts that you have researched to how they are portrayed in the book.

Use the strategy box to help you complete exercise 3a.

**3 a** Pensez à un(e) écrivain(e) (francophone si possible) que vous connaissez. Cherchez des informations sur lui/elle et un de ses livres sur Internet. Lisez d'abord la case stratégie.

- À quel point se sert il/elle de ses expériences personnelles ?
- Quand a-t-il/elle écrit le livre ?
- Quelle est l'importance de l'époque dans laquelle l'histoire se déroule ?

**3 b** Discutez des informations de l'activité 3a avec un(e) partenaire. Servez-vous des expressions utiles.

**4** Lisez *La Place*, si possible, et faites-en une critique.

# 6   *Le Blé en herbe*

- Découvrir le roman *Le Blé en herbe*
- Commenter l'intrigue d'un roman et considérer sa popularité de nos jours et quand il a été écrit

## Le Blé en herbe

*Le Blé en herbe* de Colette nous présente l'histoire de deux adolescents, Phil, 16 ans et Vinca, 15 ans, complices inséparables, qui se connaissent depuis leur enfance. Chaque été ils se rejoignent en Bretagne dans la maison de vacances que leur famille loue au bord de la mer. Mais cet été tout change ; Colette nous conte l'éveil de la sensualité et l'apprentissage de l'amour entre deux adolescents, que l'arrivée d'une mystérieuse jeune femme va bouleverser.

**Chapitre 1 :** Partis à la pêche les deux jeunes gens viennent de se retrouver comme chaque année mais cette année Phil regarde Vinca sous un angle différent.

**Chapitre 2 :** Lors d'un déjeuner en famille, Vinca reçoit des compliments d'un ami de la famille qui est de passage. Agacé, Phil va sur la plage et comprend alors qu'il avait jusqu'à lors ignoré les charmes de son amie.

**Vinca et Phil dans l'adaption du roman au cinéma par Claude Autant-Lara**

**Chapitre 4 :** Phil fait la connaissance d'une jeune femme, « la femme en blanc » et va se laisser séduire par cette belle inconnue, d'environ vingt ans son aînée.

**Chapitre 8 :** Lors d'une balade à vélo, Philippe rencontre de nouveau la jeune femme, qui l'invite chez elle à boire un verre d'orangeade. Intimidé, déstabilisé et maladroit, Philippe ne sait pas comment réagir face au jeu de séduction de Mme Dalleray.

**Chapitre 10 :** De retour d'une promenade complice avec Vinca, Phil, prétextant aller chercher le second courrier, se rend chez Mme Dalleray. Répondant aux avances de celle-ci, il passera la nuit avec elle.

**Chapitre 14 :** À l'insu de Vinca et du reste de sa famille, Philippe retrouve Camille Dalleray pendant la nuit.

**Chapitre 16 :** La fin des vacances approche, la dame est partie. Phil revient vers Vinca et après une longue discussion à cœur ouvert, Vinca s'offre alors à lui.

**Chapitre 17 :** Les vacances s'achèvent et Phil et Vinca disent, sur un ton amer et nostalgique, adieu aux enfants qu'ils étaient jusqu'àlors.

**1 a** Lisez la page web. Faites correspondre les titres ci-dessous aux chapitres décrits.

a  la jalousie

b  une relation secrète

c  la fin de l'innocence

d  une amitié changeante

e  une relation charnelle

f  l'attirance physique

g  le passage de l'enfance à l'âge adulte

h  la rencontre

**1 b** Relisez la page web. Faites une liste des thèmes présents dans le roman puis décrivez l'histoire à votre partenaire en utilisant vos propres mots.

**2** La réaction des lecteurs. Écoutez l'entretien. Pour chaque phrase choisissez la bonne fin.

**1** À sa sortie, les lecteurs…

  **a** …ont accueilli le roman à bras ouverts.

  **b** …ont été indifférents.

  **c** …n'ont pas aimé le roman.

  **d** …l'attendaient avec impatience.

**2** Les thèmes principaux du roman…

  **a** …sont populaires.

  **b** …sont traités dans d'autres livres.

  **c** …sont mal vus à l'époque.

  **d** …sont démodés pour l'époque.

**3** Certains lecteurs n'apprécient pas…

  **a** …la représentation traditionnelle de la femme dans ce roman.

  **b** …la supériorité des femmes.

  **c** …la supériorité des hommes.

  **d** …la masculinisation des femmes.

**4** La façon dont Colette a écrit son histoire…

  **a** …accentue les thèmes.

  **b** …cache les thèmes.

  **c** …est difficile à comprendre.

  **d** …est simple.

**5** Le journaliste recommande de lire *Le Blé en herbe*…

  **a** …pour la qualité de l'écriture.

  **b** …pour les thèmes abordés.

  **c** …pour découvrir les mœurs des années 1920.

  **d** …pour la beauté des paysages décrits.

**6** Pour finir, le présentateur demande si l'histoire…

  **a** …intéresse toujours les lecteurs de nos jours ?

  **b** …est démodée ?

  **c** …plaît aux jeunes de nos jours ?

  **d** …a plu aux jeunes de l'époque ?

**7** Ce qui déplaît à certains lecteurs c'est que l'histoire…

  **a** …n'est pas excitante.

  **b** …est trop éloignée de la réalité.

  **c** …a été écrite pour les jeunes.

  **d** …a été écrite pour un certain public.

**8** Selon le journaliste, le lecteur est aussi attiré par…

  **a** …les descriptions précises.

  **b** …le caractère de Phil et Vinca.

  **c** …l'endroit où l'histoire se déroule.

  **d** …les thèmes du roman.

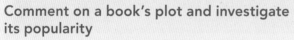

**Stratégie**

**Comment on a book's plot and investigate its popularity**

- Consider what makes a plot interesting. Why do people want to read it?
- Think about when the book was written and society at that time. Consider why readers were attracted to the book.
- Think about today and consider why the book still appeals to readers.
- Consider the different angles from which the book is perceived now and before.
- Which age group do you think relates the most to the plot? Young readers or older ones?

Use the strategy box to help you complete exercises 3 and 4.

**3** Avec votre partenaire choisissez un livre que vous connaissez (en français si possible) dont l'intrigue est intéressante. Considérez les points suivants :

- Qu'est-ce qui rend l'intrigue intéressante ? Pourquoi est-ce que les lecteurs s'y intéressent ?
- Comment est-ce que les lecteurs modernes accueillent l'intrigue ?

- À quels lecteurs est-ce que l'intrigue plaît le plus de nos jours ? Pourquoi ?

Si vous avez lu le même livre que votre partenaire, partagez-vous le même avis ? Si vous avez choisi un livre différent, posez-vous les questions à tour de rôle.

**4** Maintenant rédigez un paragraphe dans lequel vous résumez votre point de vue.

## 7  Les choristes

- Découvrir le film *Les choristes*
- Commenter le cadre d'un film et son efficacité par rapport au déroulement de l'histoire

# Au Fond de l'Étang

C'est l'année 1948 et Clément Mathieu, qui est professeur de musique, se trouve sans emploi. Cependant il faut bien qu'il gagne sa vie donc il n'a plus d'autre choix que d'accepter un poste de surveillant dans un internat de rééducation pour mineurs ; l'internat, comme son nom l'indique, est lugubre et menaçant. Dès le premier jour le système répressif appliqué par le directeur, Rachin, bouleverse Mathieu. Mais il tient bon et décide d'initier ces enfants brutalisés à la musique et au chant. Le parcours est long et difficile mais Mathieu parviendra à transformer le quotidien de ses chers élèves.

## Secret de tournage sur *Les choristes* – Un film de Christophe Barratier

Pour 'incarner' l'école austère où se déroule l'histoire des choristes, il fallait trouver un décor sombre. Le réalisateur a immédiatement écarté les bâtiments typiques de l'école républicaine. Il voulait au contraire une bâtisse exagérément grande, démesurément lourde, inhospitalière, afin de restituer cette sensation que peut avoir un enfant pour qui tout est plus grand, plus impressionnant que la réalité. Il a trouvé ce qu'il cherchait au cœur de l'Auvergne sous l'apparence d'un vrai château. La magie du réalisateur et de son équipe a réussi à faire reculer le temps et le magnifique château d'aujourd'hui est devenu un centre de réinsertion d'après-guerre.

**1**  Lisez l'article et répondez aux questions suivantes en français.

1  Résumez pourquoi le nom de l'établissement, « Fond de l'Étang », lui convient bien.

2  D'après vous, pourquoi une école républicaine n'aurait-elle pas été idéale pour le tournage du film?

3  Le réalisateur, pourquoi cherchait-il un très grand bâtiment ?

4  Trouvez-vous qu'il y ait un rapport entre la nature du régime pratiqué par le directeur Rachin et le cadre de l'école ? Expliquez vos idées.

5  Pourquoi Clément Mathieu devient-il surveillant ?

6  Quelles sont les émotions éprouvées par Clément Mathieu quand il arrive à l'école ? [*deux détails*]

7  Que décide-t-il de faire ?

8  Si vous visitiez le château aujourd'hui, que verriez-vous ?

**2 a**  Le tournage. Écoutez l'interview avec une décoratrice du film. Identifiez les *quatre* phrases qui sont vraies.

    **a** Le film a été tourné en hiver.

    **b** Il a fallu que les pièces soient bien illuminées.

    **c** C'était important que l'endroit où le film a été tourné soit loin de tout.

    **d** Pour convaincre les spectateurs, le cadre d'un film doit sembler authentique.

    **e** Les enfants ne portaient que des tee-shirts pendant le tournage du film.

    **f** Le lieu où le film a été tourné était déjà sombre et délabré.

    **g** Il a fallu trouver un moyen de rendre les pièces plus sombres.

    **h** Le film a connu un énorme succès en France.

**2 b**  Le tournage. Corrigez les quatre phrases qui sont fausses. Puis associez les huit phrases dans un ordre logique pour faire un bref résumé du tournage.

---

**Stratégie**

**Comment on the setting of a film and its effectiveness with regard to the development of the story**

- Identify whether the film is set in the distant past, the recent past, the present or the future.
- Does the film set mirror the era perfectly or are there anomalies?
- Analyse how the setting contributes to the atmosphere the director wishes to create.
- Does the setting change as the story develops in order to reflect the evolution of the story?
- How are lighting effects and colour used in the film?
- Are there flashbacks in the film?
- If there are flashbacks in the film, what differences can you identify in the way these are presented?

Use the strategy box to help you complete exercise 3.

---

**3 a** Utilisez les consignes dans la case stratégie pour vous aider à compléter cette tâche. Pensez à un film que vous avez regardé (un film français si possible) où le cadre a joué un rôle très important dans le déroulement de l'histoire. Racontez à un(e) partenaire le cadre et le contexte du film. Exprimez votre avis sur le succès ou autre de la réalisation de ce cadre et son lien à l'histoire. Mentionnez :

- comment l'époque ou le(s) lieu(x) de tournage ont été présentés
- est-ce qu'ils ont été présentés avec succès ?
- l'ambiance qui a été créée

**3 b**  Regardez le film *Les choristes*. Prenez des notes sur l'ambiance qui est créée dans le film. Voyez-vous une évolution lors du déroulement de l'histoire ?

# 8  *Boule de Suif*

- Se familiariser avec la nouvelle *Boule de Suif* de Guy de Maupassant
- Comparer et contraster les différents personnages de la nouvelle
- Faire une analyse de la manière dont les personnages sont décrits

## Le lot d'une prostituée

*Boule de Suif* fait partie d'une collection de contes écrits par Guy de Maupassant en 1880.

L'histoire se passe en 1870 et la France qui était en guerre avec la Prusse a été occupée. Le Général en chef prussien a permis à dix personnes de se rendre de Rouen au Havre en diligence. Il y a trois couples, les Loiseau, les Carre-Lamadou et les De Breville, plus Cornudet, deux religieuses et Boule de Suif, une prostituée.

Au début du voyage, tous semblent gênés par la présence de Boule de Suif. À cause de la neige, le voyage prend plus de temps que prévu et tout le monde commence à avoir faim. Boule de Suif toutefois a un panier plein de provisions qu'elle partage avec tous.

Le soir, la diligence arrive à l'Hôtel du Commerce, à Étaples. Un des résidents de l'hôtel est un officier prussien. Pendant le repas, l'officier prussien parle à Boule de Suif et, pensant que c'était une prostituée, lui demande de coucher avec lui. Boule de Suif ne dit rien à personne mais est très en colère. Par patriotisme, elle refuse de faire ce que l'officier lui demande.

Le lendemain, les voyageurs sont prêts à repartir afin de terminer leur voyage. L'officier toutefois ne le leur permet pas. Personne ne comprend pourquoi jusqu'au soir où Boule de Suif explique aux autres ce que l'officier lui a demandé. Tous sont choqués par cette révélation.

Ce n'est que le troisième jour qu'ils vont essayer de convaincre Boule de Suif de céder à l'officier. Le soir, Boule de Suif décide d'accéder à la demande de l'officier.

Le jour suivant, les voyageurs sont autorisés à partir. Au lieu de recevoir des remerciements de la part des autres, Boule de Suif se sent plutôt méprisée. Dans la diligence, tous partagent leurs provisions mais ne donnent rien à Boule de Suif qui, déçue et attristée, se tourne et pleure.

**1 a** Lisez le résumé page 120 et remettez ces six phrases (a à f) qui résument l'histoire de *Boule de Suif* dans le bon ordre.

**1 b** Puis, remplissez les blancs en choisissant les mots corrects dans la liste ci-dessous. Attention ! il y a deux mots de trop.

    **a** Boule de Suif, bien qu'elle soit une .........., ne veut pas partager son lit avec l'ennemi.

    **b** Pour le bien de tous les autres voyageurs, Boule de Suif fait ce que .......... lui demande.

    **c** Le contexte .......... dans lequel se passe l'histoire nous est expliqué.

    **d** Boule de Suif est blessée par le manque de .......... des autres voyageurs envers elle.

    **e** Pour .........., l'officier n'autorise pas le groupe à continuer son voyage.

    **f** Dans la .........., la générosité de Boule de Suif devient évidente.

| | | | |
|---|---|---|---|
| se venger | reconnaissance | historique | diligence |
| prostituée | coucher | remerciements | l'officier |

**2 a** Qu'est-ce que tu en as pensé ? Écoutez la conversation entre Quentin et Justine et identifiez les quatre phrases qui sont vraies.

    **1** Quentin a bien aimé ce livre.

    **2** L'histoire se passe au début du dix-neuvième siècle.

    **3** Justine s'intéresse à l'aspect historique du film.

    **4** Les voyageurs font preuve d'hypocrisie envers Boule de Suif.

    **5** Selon Justine, les différents personnages rendent l'histoire intéressante.

    **6** Boule de Suif condamne la bourgeoisie et la religion.

    **7** Justine pense que la société d'aujourd'hui est bien différente de celle de cette époque-là.

    **8** Quentin a apprécié non seulement le côté historique du livre mais aussi la description du comportement des classes sociales de l'époque.

**2 b** Corrigez les quatre phrases ci-dessus qui sont fausses.

### Stratégie

**Comparing and contrasting characters and analysing their portrayal**

- List the main characters and underline any that you consider to have pivotal roles.
- Make notes on what you have learned about their appearance, character, their role in life and in the story.
- Select two important characters and list what is different and what is similar.
- Do you get a clear picture of them in your mind as you read? This will tell you whether they are well portrayed.

# 9 No et moi

Connaître les problèmes sociaux des grandes villes, décrits dans le roman *No et moi*

Étudier la description d'un environnement et dire si le livre donne une bonne idée de la notion de lieu

**1** Lisez la critique page 123 et choisissez les expressions (a à j) dans la liste ci-dessous qui complètent les phrases 1 à 8. Attention ! il y a deux expressions de trop.

1 …on aperçoit les lumières de la ville.

2 L'intrigue se déroule dans…

3 Les personnages évoluent…

4 Les parents de Lou ont…

5 No est… où passer ses nuits

6 Lou aime les endroits anonymes, par exemple…

7 No procède à des…

8 Lou et Lucas pensent que No a besoin d'…

a sans toit précis
b un logement luxueux
c là où les foules prennent le train
d un collège
e la plus grande métropole de France
f au milieu de la grande ville
g occupations illégales de logement
h un point fixe
i en arrière-plan
j en bordure de route

**2 a** Un dialogue entre un journaliste et un professeur de littérature française. Écoutez et répondez aux questions 1 à 8 en français.

1 Pourquoi est-ce que Mme Bertin trouve important de décrire l'environnement ?

2 Le journaliste cite six lieux décrits par l'auteur. Pouvez-vous en citer trois ?

3 Qui Lou aime-t-elle rencontrer dans les gares ?

4 De quelle contradiction de la ville moderne Mme Bertin parle-t-elle ?

5 Quelle vision a Mme Bertin de la gare et de la station de métro ?

6 Les rendez-vous de Lou et No ont lieu devant la gare ; pourquoi Mme Bertin affirme-t-elle qu'ils ont lieu en espace fermé ?

7 D'après Mme Bertin, que représente la gare pour No ? [*deux détails*]

8 Pourquoi est-ce que le cœur généreux de Lou est attiré par les gares ?

**2 b** Réécoutez le dialogue et notez les adjectifs et les images utilisés pour décrire l'environnement du roman.

# Quand les ados osent la solidarité

L'histoire, écrite par Delphine de Vigan, est présentée comme une fable moderne, avec, en toile de fond, Paris et son anonymat.

Au cœur de la capitale, trois êtres, minés par la solitude, se retrouvent. Grâce aux déplacements des uns et des autres, l'auteur parvient à nous décrire quelques morceaux de la cité.

Lou, une enfant surdouée de 13 ans, habite un appartement confortable, avec ses parents. Elle est d'un milieu social aisé. Elle a deux ans d'avance à l'école. Elle est brillante, mais petite et timide. Sa mère est coupée du monde, brisée par la perte subite de son second bébé.

Lucas a 17 ans. Il habite seul dans un grand appartement de ses parents. Son père est parti et sa mère ne vient que sporadiquement remplir le frigo. À l'école, il a deux ans de retard. Il est grand, beau et déterminé. Lou et Lucas sont dans la même classe.

No a 18 ans, elle habite nulle part. Elle est SDF. C'est une enfant née d'un viol, battue puis abandonnée par sa mère. Sans but ni avenir, elle tue le temps dans les gares, les cafés, les jardins publics et les allers-retours en métro.

Lou aime les rues, les stations de métro et surtout les gares. Elle y croise les voyageurs qui passent et les affligés qui y restent. C'est dans les courants d'air d'une gare et la saleté qu'elle remarque No. L'univers de No c'est les trottoirs avec ses files pour un repas chaud et les squats pour la nuit. Lou est émue par le sort tragique d'une femme si jeune. Elle va s'en faire une amie. Avec l'aide de Lucas, elle mettra toute son énergie à lui trouver un endroit stable, chaud et propre. Elle lui trouvera un emploi dans un hôtel.

Les efforts touchants de Lou et Lucas vont-ils réussir à sauver No ?

## Stratégie

### Studying descriptions of surroundings

- Check the association between place/site/setting and character.
- Check how the setting is organised in relation to the plot.
- Show the beauty/ugliness/neutrality of the place.
- Which typical aspects of a room/an environment are described (e.g. student's versus teacher's room: order/disorder, quality of furniture/electronic and computer equipment)?
- Are there any useful elements of the setting that contribute to the overall atmosphere?
- Which verb tense is used (for a description, the imperfect will often be the most appropriate).
- Check whether vocabulary is objective, subjective/rewarding or demeaning.

**3 a** Examinez le cadre d'un autre livre que vous avez lu (de préférence en français) et écrivez un paragraphe qui décrit comment ce cadre contribue à l'évolution d'un personnage ou de l'intrigue.

**3 b** Partagez vos idées en discussion avec le reste de la classe.

# 10 *Intouchables*

- ● Découvrir le film *Intouchables*
- ● Commenter la représentation d'un personnage dans un film, et l'utilisation de styles narratifs et de niveaux de langue

## *Intouchables*, un film d'Éric Toledano et Olivier Nakache

Dans *Intouchables* nous faisons la connaissance de deux personnages, Philippe et Driss. D'un côté nous avons Driss, jeune banlieusard d'origine sénégalaise tout juste sorti de prison et de l'autre, Philippe, un bourgeois qui habite dans un hôtel particulier à Paris, devenu tétraplégique à la suite d'un accident de parapente. Philippe est à la recherche d'un nouvel aide à domicile et Driss à la recherche d'un emploi. Contre toute attente Driss sera engagé. Ce film s'inspire d'une histoire vraie, celle de Philippe Pozzo di Borgo et Abdel Yasmin Sellou.

**Driss** se distingue par son attitude décontractée, son langage familier et par sa passion pour la musique funk. Driss se plaît à jouer avec les mots, à blaguer et à se moquer des gens qu'il côtoie quelque soit leur milieu social. Le personnage de Driss est tellement imprégné de ce langage argotique, voire grossier, qu'il ne saura très peu le modifier selon les situations ; et on le verra tutoyer les agents de police et plaisanter vulgairement avec Yvonne, l'intendante de Philippe. Derrière ses apparences se cache un Driss compatissant et attentif qui saura aussi nous faire sourire et rire.

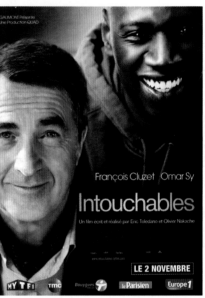

**Philippe**, lui en est l'opposé ; son verbe est soutenu et il se passionne pour l'art, la littérature, l'opéra et la musique classique. Il s'habille en costume et s'adonne à l'écriture ; il entretient même une correspondance épistolaire avec Éléonore, sa correspondante qu'il n'a jamais vue.

Malgré leurs différences, leurs univers vont se télescoper et naîtra devant nos yeux émerveillés une relation d'amitié étonnante.

---

**1** **Répondez en français aux questions suivantes.**

1 En quoi les deux personnages s'opposent-ils dans la deuxième phrase du texte ?

2 Quelle impression de Driss avons-nous en lisant la deuxième phrase du texte ?

3 Qu'apprenons-nous sur la condition physique de Philippe ?

4 Dans quelle circonstance est-ce que Philippe et Driss se rencontrent ?

5 En quoi Philippe et Driss s'opposent-ils ? [*deux détails*]

6 Quelle est l'attitude de Driss face à l'autorité ?

7 Expliquez pourquoi on dit « derrière ses apparences ».

8 Pourquoi est-ce que leur amitié est inattendue ?

**2 a** Des scènes qui en disent beaucoup. Écoutez la première partie et répondez aux questions suivantes en français.

1 Pourquoi est-ce que selon la première personne le personnage de Driss est comique dans cette scène ? [*deux détails*]

2 Comment est-ce que les deux personnages s'opposent dans cette scène ?

3 Selon la deuxième personne, comment est-ce que les différences entre les deux personnages sont montrées dans cette scène ? [*deux détails*]

4 Que pense Philippe du comportement de Driss pendant l'interview ? [*deux détails*]

**2 b** Listen to the second part and answer the following questions in English.

1 Summarise the main differences between Philippe and Driss. [*two points*]

2 Summarise the relationship between Philippe and Driss.

---

**Stratégie**

**Comment on character portrayal in a film and use of narrative styles and register of language**

Consider what people say:
● What type of language do they use? Do they use slang? What register do they use? Who with?
● What impressions does the type of language convey? Does it help us understand a character? Do we understand more about a character? What do you think of it?
● Is this technique effective? Does it reinforce other messages in the film ?

● Can the language give a wrong impression of a character?

Consider narrative techniques:
● Is the story told in a chronological order or not ?
● Are flashbacks used? What is the effect of using flashbacks?
● What about contrasts? What can be contrasted in a film?

Use the strategy box to help you complete exercise 3a.

---

**3 a** Avec un(e) partenaire choisissez un personnage d'un film que vous connaissez (un film français si possible) ou choisissez soit Driss ou Philippe du film *Intouchables.* En vous servant de la case stratégie, identifiez quelles techniques ont été utilisées pour le présenter. Est-ce que la représentation du personnage est plutôt positive ou négative ? Discutez-en.

**3 b** Écrivez un paragraphe qui présente un ou deux personnages du film *Intouchables* ou d'un autre film que vous connaissez.

Faites d'abord un inventaire des détails, des scènes et des techniques qui sont employées. Dans votre paragraphe vous devez mentionner :
● des détails de ce personnage
● l'importance de ce personnage dans l'histoire et par rapport aux autres personnages
● les différentes techniques employées pour le présenter
● les messages qui sont communiqués par ces techniques.

**4** Si possible, regardez le film *Intouchables* et identifiez les différents aspects de la stratégie.

# 11 *La vie en rose*

- Se familiariser avec le film *La vie en rose*
- Comparer les personnages d'un film et dire s'ils sont bien présentés

## *La vie en rose* : une vie tumultueuse

Édith Piaf, quelle personne fascinante ! Et dans son film de 2007, *La vie en rose*, la vie tumultueuse de celle-ci, Olivier Dahan nous fait traverser toute la gamme des émotions. Peu étonnant, étant donné le personnage principal, son enfance misérable, son succès fulgurant, ses amours, sa dépendance à la drogue et à l'alcool pour tout anesthésier, sa maladie et enfin, sa mort prématurée.

Voici l'histoire aussi belle que triste d'Édith Giovanna Gassion, devenue « la Môme Piaf » et incarnée de façon convaincante par Marion Cotillard. Dahan recrée avec habileté les hauts et les bas qu'a connus celle-ci ainsi que ses relations, souvent difficiles, avec ceux qui l'entouraient. Se concentrer autant sur les personnages secondaires, qu'ils soient de son enfance ou bien de sa vie de chanteuse célèbre, ainsi que sur les personnages plus importants lui a permis d'explorer dans les moindres détails cette vie extraordinaire et de souligner le contraste entre l'enfance misérable de Piaf et sa vie au sommet de la gloire.

**Édith Piaf, un personnage plutôt tragique**

C'est à travers ses rapports avec autrui qu'on commence à comprendre le caractère complexe de Piaf. Le montage, construit en flash-back, nous montre les épisodes et les personnes qui ont le plus marqué la vie de Piaf, de sa mère, incapable de l'élever, son père qui a dû partir à la guerre et Titine, jeune prostituée qui a rendu plus supportable sa vie chez sa grand-mère, patronne d'un bordel, à ses managers et les grandes célébrités du jour. Une des personnes les plus marquantes dans la vie de Piaf était sûrement le boxeur français, Marcel Cerdan, qu'aimait passionnément Piaf et dont la mort tragique dans un accident d'avion l'a bouleversée, ce qui explique sans doute l'épisode new-yorkais du film, trop long selon certains, mais qui voit apparaître Cerdan et représente donc un moment clé du film.

Enfin, voici un film où l'on découvre cette femme hors du commun et l'univers qui l'entourait.

**1** Lisez la critique de *La vie en rose*. Trouvez la bonne fin de phrase chaque fois.

**1** Dans le film *La vie en rose* il s'agit…

    **a** …de la vie du réalisateur Olivier Dahan.

    **b** …de la vie de la chanteuse Édith Piaf.

    **c** …de la vie de l'actrice, Marion Cotillard.

    **d** …de la chanson française en général.

**2** Édith Piaf…

    **a** …était très âgée quand elle est morte.

    **b** …est née de parents pauvres.

    **c** …a joui d'une enfance stable.

    **d** …est morte quand elle était toujours enfant.

**3** Selon la critique, Marion Cotillard…

    **a** …avait du mal à incarner Piaf.

    **b** …était trop belle pour incarner Piaf.

    **c** …ne voulait pas incarner Piaf ; Dahan a dû la convaincre.

    **d** …a bien joué le rôle de Piaf.

**4** Les personnages secondaires…

    **a** …jouaient un rôle significatif dans le film.

    **b** …n'avaient pas vraiment d'importance.

    **c** …étaient tous de l'enfance de Piaf.

    **d** …étaient tous de l'âge adulte de Piaf.

**5** Dahan…

    **a** …s'est servi des flash-back au cours du film.

    **b** …s'est servi des flash-back uniquement pour montrer l'enfance de Piaf.

    **c** …ne voulait pas se servir des flash-back qui pourraient embrouiller les spectateurs.

    **d** …croit que se servir des flash-back, c'est la seule façon de montrer les épisodes et les personnes importantes.

**6** Titine était…

    **a** …la mère de Piaf.

    **b** …la prostituée qui s'est occupée de Piaf.

    **c** …la grand-mère de Piaf.

    **d** …le manager de Piaf.

**7** Marcel Cerdan…

    **a** …s'est marié avec Piaf.

    **b** …a rencontré Piaf aux États-Unis.

    **c** …est toujours vivant.

    **d** …était chanteur.

**8** Édith Piaf a mené une vie…

    **a** …longue mais solitaire.

    **b** …ennuyeuse et anonyme.

    **c** …saine et, à la fin, heureuse.

    **d** …plutôt difficile mais intéressante.

**2** Les personnages de *La vie en rose*. Écoutez la conversation et répondez en français aux questions en utilisant vos propres mots.

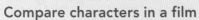

    **1** Que pense Agathe de l'actrice qui a joué Édith Piaf dans le film ? [*deux détails*]

    **2** Que pense son ami de la représentation de Piaf dans le film ?

    **3** Selon lui, comment aurait-on pu améliorer le film ?

    **4** Pourquoi préfère-t-il d'autres personnages ?

    **5** Comment était Piaf en tant que personne ? [*deux détails*]

    **6** Selon Agathe, quel était le vrai rôle des autres personnages ?

    **7** Pourquoi Marcel Cerdan a-t-il joué un rôle clé dans la vie de Piaf ?

    **8** Selon l'ami d'Agathe, est-ce que Cerdan est bien représenté dans le film ? Pourquoi ? [*deux détails*]

## Stratégie

### Compare characters in a film

- When watching a film, consider whether the characters are believable in terms of their appearance, description and interactions.
- Look at their behaviour, their dialogue and their actions. Is this what we would expect of them?
- If the character is based on a real person, is the performance realistic?
- Think about your opinion of the characters throughout the film. What makes you form this opinion and does it change as the film progresses?
- Consider the director's aims. Is he or she biased?
- After watching the film, ask yourself how the story would be affected if a certain character were to be removed.
- Are some characters more important than others? Consider why.

Keep these points in mind when completing exercises 3a and 4.

**3 a** Travaillez avec un(e) partenaire. Pensez à un film, français si possible, que vous connaissez tous les deux. Discutez des points suivants en vous servant des expressions utiles (page 146) et de la case stratégie.

    - Qui sont les personnages principaux ?
    - Qui sont les personnages secondaires ?
    - Comment sont-ils représentés dans le film ?
    - Est-ce qu'il y a des personnages que vous aimez ? Pourquoi ?
    - Est-ce qu'il y a des personnages que vous n'aimez pas ? Pourquoi ?
    - Votre avis sur les personnages change-t-il au cours du film ?

**3 b** Écrivez un paragraphe pour résumer votre discussion.

# 12 *Le dernier métro*

● Découvrir le film *Le dernier métro*
● Comparer la présentation de cette période avec ce que vous savez de la réalité de l'époque

Paris, septembre 1942. Lucas Steiner, le directeur du théâtre Montmartre a dû fuir parce qu'il est juif. Sa femme Marion dirige le théâtre et engage Bernard Granger pour jouer à ses côtés. La troupe subit les menaces du virulent critique Daxiat. Mais si, par amour pour sa femme, Lucas Steiner avait fait semblant de fuir la France et était resté caché dans la cave de son théâtre pendant toute la guerre…

## Le film et son contexte

I : Le film dont on va discuter a emporté dix césars si je m'en souviens bien.

C : Oui et parmi ceux-là, cinq des plus prestigieux.

I : Rappelez à nos lecteurs le sujet du scénario.

C : L'histoire se déroule à Paris, en 1942, où Lucas Steiner, un metteur en scène juif, s'est officiellement réfugié en Amérique, laissant la direction du Théâtre Montmartre à son épouse, Marion, une comédienne. En réalité, il vit dans les caves de l'établissement, qu'il n'a pas pu se résoudre à abandonner. Marion lui rend visite tous les soirs et recueille ses directives. C'est ainsi qu'elle s'apprête à monter la pièce norvégienne dont Lucas avait préparé la mise en scène.

I : Est-ce que le film dépeint véritablement un Paris sous l'Occupation ?

C : Oh oui, François Truffaut avait souhaité depuis longtemps faire un film sur le quotidien des Parisiens sous l'Occupation. On voit dans ce film son merveilleux sens du détail, la vie d'une troupe, le marché noir, les femmes qui, à la place des bas, hors de prix, se teignent les jambes, couture comprise. Et aussi le film comprend de nombreuses références à l'actualité culturelle française des années 1940. Par exemple les arrestations successives jusqu'à la Libération, et certains personnages incarnés dans le film sont très librement inspirés par des gens de l'époque. La scène où le personnage de Gérard Depardieu s'en prend au critique Daxiat est tirée d'un vrai incident.

**1** Lisez l'introduction et l'interview et répondez aux questions suivantes en français.

1  Pourquoi le metteur en scène du théâtre a-t-il confié la direction de l'établissement à sa femme ?

2  Les autorités, où croient-elles que Luc Steiner se trouve ?

3  Qui met la troupe en danger ?

4  Comment sait-on que le film a connu un très grand succès quand il est sorti ?

5  Quelle était une des ambitions du cinéaste François Truffaut ?

6  Résumez les éléments qui font du film une bonne représentation de Paris sous l'Occupation. [*quatre détails*]

7  Comment ensemble Luc Steiner et sa femme vont-ils monter la nouvelle pièce de théâtre ?

8  Quel est le rôle joué par Bernard Granger dans le film ?

**2** Trois étudiants partagent leurs avis à la sortie du cinéma. Écoutez la discussion et trouvez les *quatre* phrases qui sont correctes.

    **a** Jean-Luc n'était pas choqué par l'antisémitisme qui est dépeint dans le film.

    **b** Agnès comprend pourquoi les gens sortaient se distraire le soir.

    **c** Agnès a trouvé le film trop ancien.

    **d** Marie ne comprend pas comment Daxiat avait le droit de s'exprimer aussi violemment.

    **e** Jean-Luc n'a pas aimé l'idée que les Français fréquentaient les occupants allemands.

    **f** Jean-Luc ne s'attendait pas à voir les gens sortir se distraire.

    **g** Marie trouve l'idée que les femmes se teignaient les jambes normale.

    **h** Les femmes à l'époque se frottaient du café sur les jambes pour imiter les bas en soie.

---

### Stratégie

**Look at how an historical period is portrayed and compare this with your knowledge of the reality of the time**

- Make a list of all the things you know about the period of history in which the film is set.
- Use research to help you find out as much as you can if your current knowledge is sketchy.
- Select six or eight aspects you think are really important and would expect to see portrayed in the film.

- Does the film portray the aspects you expected to see?
- Are there any aspects that you did not expect to see?
- If there are, make a note of them and then check to see if they are authentic.
- Draw your conclusion. Is the film true to its era?

Use the strategy to help you complete exercise 3a.

---

**3 a** À deux, mettez-vous d'accord sur un film ou une série à la télévision qui se déroule dans le passé. Faites des recherches et prenez des notes sur la période de l'histoire dépeinte dans le film/la série. Utilisez la case stratégie pour vous aider.

Ensuite prenez des notes sur la représentation de la période qui est dépeinte dans le film ou la série que vous regardez et décidez si vous trouvez la représentation authentique.

**3 b** Présentez vos conclusions à la classe.

**4** Si possible, regardez le film *Le dernier métro*. Pensez-vous que le cinéaste a dépeint avec succès Paris en période d'occupation ? Si oui, donnez des exemples et faites vos commentaires. Sinon, donnez des exemples et faites vos commentaires.

# 13 *La haine*

- Découvrir le film *La haine*
- Étudier le travail d'un réalisateur et son utilisation des techniques cinématographiques dans le film

## La vie dans les banlieues

Dans son film *La haine*, le réalisateur Mathieu Kassovitz nous fait vivre pour un jour dans le monde des quartiers chauds de Paris où la ségrégation ainsi que la marginalisation sont évidentes. L'année est 1993. Abdel, un jeune noir des banlieues, est arrêté et brutalisé par la police et il en résulte des émeutes contre les autorités.

Vinz est juif, Hubert est noir et Saïd est arabe. Ils vivent dans un quartier défavorisé, n'ont aucun espoir pour leur avenir et sont déjà tombés dans la criminalité et la toxicomanie. Leur haine de l'autorité et de la police en particulier est exacerbée par la nouvelle de la mort d'Abdel. Vinz décide de le venger et, à son tour, de tuer un policier. Par hasard, il trouve un révolver qu'un agent de police a perdu lors d'une émeute récente. Hubert et Saïd toutefois ne sont pas d'accord avec Vinz et rentrent chez eux. Plus tard, pourtant, on retrouve les trois amis chez Astérix (un trafiquant de drogues) mais Saïd et Hubert sont emmenés au commissariat. On les voit ensuite à Paris même où un groupe de skinheads les attaque, mais ils sont sauvés par Vinz. Tous les trois retournent alors en banlieue où Vinz est tué accidentellement par un policier. On entend un autre coup de feu et le film est fini. Kassovitz nous laisse décider à qui cette balle était destinée.

**1** Lisez le résumé du film *La haine* ci-dessus et complétez les phrases (1 à 8) en choisissant les bons mots dans la liste (a à j). Attention ! il y a deux mots de trop.

**1** *La haine* a essentiellement lieu dans les .......... de Paris.

**2** Le traitement d'Abdel par la police a donné lieu à des .......... .

**3** Vinz, Hubert et Saïd sont d'origine .......... .

**4** Bien qu'Hubert et Saïd ne soient pas d'accord, Vinz veut .......... Abdel.

**5** Ils vont tous les trois voir Astérix pour acheter .......... .

**6** À la fin du film, on pourrait supposer qu'Hubert .......... .

**7** Les banlieusards souffrent souvent de .......... .

**8** *La haine* dépeint non seulement la vie des banlieues mais aussi le désespoir des gens qui se sentent .......... de la société.

| | |
|---|---|
| **a** exclus | **f** émeutes |
| **b** banlieues | **g** société |
| **c** venger | **h** des drogues |
| **d** criminalité | **i** étrangère |
| **e** tue un policier | **j** marginalisation |

**2 a** L'opinion d'une cinéphile. Écoutez ce que Marie pense de *La haine*. Les phrases 1 à 6 sont un résumé de l'opinion de Marie. Remettez-les dans le bon ordre.

1 L'absence de couleurs crée bien l'atmosphère que le réalisateur voulait faire passer.

2 Ils sont plus à plaindre qu'à blâmer.

3 Ça décrit un peu comment les gens vivent dans les quartiers défavorisés.

4 Ça nous fait nous demander si la société dans laquelle nous vivons est bien celle que nous choisirions si nous avions le choix.

5 À part l'amitié, ils n'éprouvent pas d'autres sentiments et ne respectent pas les forces de l'ordre.

6 Ce sont des immigrés qui sont sans travail.

**2 b** Translate into English the six sentences in exercise 2a.

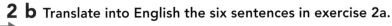

### Stratégie

**Studying a director's work and cinematographic techniques**

Think about:
- the use of colour (or lack of it)
- the use of sound effects
- the use of music
- different types of camera work used (close-ups, distance shots etc.)
- unusual ways of beginning or ending a film

**3 a** Travail à deux. Discutez des questions suivantes.
- Pourquoi *La haine* est-il un film en noir et blanc ?
- Quelle est l'importance du tic-tac de l'horloge ?
- Qu'est-ce que le choix de musique du réalisateur illustre ?
- Comment contraste-t-il le Paris touristique et le monde des banlieues ?
- Qu'est-ce que la fin du film a d'inattendu ?

**3 b** Écrivez un paragraphe qui résume vos réponses aux questions de l'exercice 3a.

**4** Si possible, regardez un extrait du film (ou le film entier) et écrivez un paragraphe qui explique comment vous y avez réagi. Écrivez des phrases complètes et faites attention aux fautes de grammaire !

# 14  *L'Étranger*

● Se familiariser avec le roman *L'Étranger*
● Situer historiquement le contexte du roman et dites si, d'après vous, l'œuvre est le produit de son époque

## Albert Camus (1913-1960)

Né en Algérie, colonie française jusqu'en 1962, Camus étudie la philosophie.

*L'Étranger* et *Le Mythe de Sisyphe* sont publiés en 1942, en pleine Seconde Guerre mondiale, une période de grands bouleversements aux conséquences historiques décisives pour le monde.

En 1951, le philosophe Jean-Paul Sartre critique violemment son livre *L'Homme révolté* : Camus y condamne les révolutions, des mouvements collectifs aliénants et violents. Il y célèbre la révolte individuelle, seule capable de changer la société.

Il gagne le Prix Nobel de littérature en 1957, et meurt dans un accident de voiture trois ans plus tard en 1960.

Pendant la guerre d'indépendance de l'Algérie (1954-1962) il condamne à la fois torture et terrorisme.

## *L'Étranger*, un homme sans prénom

### 1ère partie : les faits

Nous sommes en Algérie où le soleil de midi est accablant et aveuglant. Meursault apprend que sa mère est morte. Sa réaction est détachée. Il va à l'enterrement. Il ne pleure pas. La chaleur est torride. Il a hâte que cela se termine. Le lendemain il rencontre Marie. Ils vont au cinéma. Raymond, un voisin, lui dit vouloir se venger de sa maîtresse infidèle. Un jour Meursault, Marie et Raymond se retrouvent sur la plage. Là se trouve un Arabe, frère de l'amant de la maîtresse. Raymond et l'Arabe se battent. Pour lui éviter un meurtre, Meursault prend le revolver de Raymond et le met dans sa poche. De retour sur la plage, Meursault revoie l'Arabe. Celui-ci sort un couteau. Écrasé par la chaleur, aveuglé par la lame de couteau, la main de « *Meur*(tre)*sault*(leil) » se crispe sur le revolver. Le coup part, seul. Puis sans raison, il tire quatre autres coups sur le corps sans vie.

### 2e partie : le verdict

Devant le juge, Meursault ne montre aucun remords. Au procès, l'interrogatoire porte principalement sur le fait qu'il n'ait pas pleuré à l'enterrement de sa mère.

Meursault est condamné à mort. La raison importe peu, Camus nous rappelle seulement que tout homme, dès sa naissance, est condamné à mourir.

Dans sa cellule, il pense à sa mort proche. Il réagit violemment contre les paroles d'un prêtre venu le réconforter. Une fois le religieux parti, goûtant « l'indifférence du monde » et la sentant proche de la sienne, il comprend qu'il est heureux. Et pour être moins seul, il souhaite qu'une foule pleine de haine assiste à son exécution.

Finalement, avec *L'Étranger*, Camus nous aura montré le désert de la condition humaine.

**1** Lisez l'article encyclopédique sur Camus et *L'Étranger* page 132  et répondez aux questions 1 à 8.

    **1** Que pense Camus de la révolte dans *L'Homme révolté* ?

    **2** Quelle est la position de Camus pendant la guerre d'Algérie ?

    **3** Comment est perçu le soleil dans cette partie du globe ?

    **4** Comment réagit Meursault devant la mort de sa mère ?

    **5** Comment expliquez-vous la présence d'un revolver dans la poche de Meursault ?

    **6** Quel rôle joue le soleil dans l'accomplissement du meurtre ?

    **7** Quels éléments ont été déterminants dans la condamnation de Meursault ?

    **8** Pour quelle raison Meursault se sent-il soudainement heureux ?

**2 a** L'homme qui refusait de mentir. Écoutez la conversation entre Anna et ses trois amis Denise, Claude et Bernard. Parmi les phrases 1 à 8, identifiez les quatre phrases qui sont fausses (F).

    **1** *L'Étranger* est un des livres les plus vendus au monde.

    **2** La jeunesse se reconnaît dans le personnage de Meursault.

    **3** Au début, on apprend que la mort de sa mère fut une surprise pour Meursault.

    **4** Le même jour, il demande la main de Marie sans trop y croire.

    **5** Pour Meursault, les évènements de la vie s'accumulent sans suite logique.

    **6** On nous dit aussi que Meursault a tué un homme de sang-froid.

    **7** D'ailleurs il le dit au tribunal en riant.

    **8** Meursault et la société ont vraiment des points de vue divergents.

**2 b** Si possible, lisez le premier chapitre du roman. Est-ce que ça vous intéresse ? Voulez-vous continuer à lire ce roman ?

### Stratégie

**Examining a book's setting in history**

- Is the plot tied in with an historical event?
- Is the novel well-documented?
- Does the plot accurately reflect its time?
- Are the characters real or fictional?
- Is the hero a historical figure?
- Does the novel recount a social episode of the past, e.g. the Second World War?
- Does it focus on political life in a given period?
- Does the novel reflect a philosophy linked to a specific time?
- Would the same plot work in a different era?

**3 a** Pensez à un livre, français ou autre, de plus de 50 ans.

- Dites à la classe si d'après vous il est un produit de son temps. Expliquez pourquoi.
- Dites pourquoi vous estimez qu'il vaut/qu'il ne vaut pas la peine de le lire aujourd'hui.

**3 b** Écrivez un bref résumé de vos idées sur le livre dont vous avez  parlé et comparez-les avec le reste de la classe. Écrivez des phrases complètes et faites attention aux fautes de grammaire !

# 15 *Entre les murs*

- Se familiariser avec le film *Entre les murs*
- Rechercher d'autres films du même réalisateur, faire des comparaisons, dire ses préférences en les justifiant

# *Entre les murs et son réalisateur Laurent Cantet*

Nous sommes dans une classe de 4ème, à Paris. Un professeur de français vit un corps à corps de tout instant avec une classe de jeunes à la sensibilité particulièrement réactive.

Le film est l'histoire d'une année scolaire éprouvante, dans un établissement classé ZEP, zone d'éducation prioritaire. Ces établissements accueillent des élèves avec des « difficultés scolaires et sociales ».

Le rôle principal est joué par François Bégaudeau, ancien professeur de français et auteur du roman éponyme *Entre les murs*. On l'aura compris, le film est tiré du roman. L'intrigue s'inspirerait de son expérience, alors qu'il enseignait en ZEP, au collège Mozart, à Paris.

François Bégaudeau en a écrit le scénario. Le film obtient la Palme d'or 2008 au festival de Cannes.

Si cette expérience est fidèlement reproduite, cela donne une dimension supplémentaire à l'œuvre, roman ou film : une œuvre artistique à valeur de documentaire.

De quoi s'agit-il ? Un jeune professeur enthousiaste, qui croit à son métier, est confronté à des situations qui semblent le dépasser. Pourtant, il se bat pour sauver ses élèves, censés être inadaptés au système scolaire. Des murs d'incompréhension bloquent toute tentative de communication saine et constructive entre le maître et les adolescents. En guise de récompense pour ses efforts, le vigoureux

pédagogue n'obtient qu'équivoque et friction. Il passe son temps à débusquer l'intolérance, à amortir le choc des cultures, à esquiver les pièges de la provocation.

Dans la classe, les élèves s'appellent Burak, Boubacar, Esmeralda ou Souleymane. Derrière une attitude parfois agressive se cache une sensibilité fragile. Il faut faire attention. Entre les quatre murs de sa classe, le professeur se sent seul. Comment réagir quand un jeune faux naïf vous pose publiquement une fausse question sur votre sexualité supposée ? Et un jour, c'est la catastrophe. Un mot de trop, un mot qui vous échappe. C'est le drame. C'est la guerre.

Laurent Cantet, le metteur en scène, a concentré, en 128 minutes, l'équivalent d'une année d'enseignement riche en péripéties. Son film est une masse compacte de temps forts : agressions, frustrations, insultes publiques, désobéissance et irrespect. Heureusement, il a réussi à exprimer cette atmosphère oppressante et la cacophonie persistante de la classe avec talent.

**1 a** Lisez l'article sur Laurent Cantet et son film *Entre les murs* ci-dessus. Parmi les phrases 1 à 8, trouvez quatre faits positifs et quatre faits négatifs. Écrivez P ou N.

1 Le professeur mène un combat sans relâche avec des jeunes particulièrement susceptibles.

2 Il bataille pour tirer d'affaire ses élèves défavorisés.

3 Le professeur adoucit les conflits culturels.

4 Il passe beaucoup de temps à éviter les pièges que les jeunes lui tendent.

5 Une hostilité manifeste cache souvent une sensibilité touchante.

6 Un élève pose à haute voix une question intime à son professeur.

7 Le film de Cantet est un concentré d'injures, d'indocilité et d'insolence.

8 Laurent Cantet a réussi à décrire cette ambiance lourde et ce bruit incessant avec adresse.

**1 b** Si vous pouvez, regardez le film. Demandez-vous si la situation décrite est exceptionnelle ou courante.

 **2 a** Cantet : Quatre films et un schéma. Écoutez la conversation entre Amélie et Bruno et répondez aux questions 1 à 8.

**Laurent Cantet**

    **1** Quel personnage principal est mis en scène par le film *Entre les murs* ?

    **2** Dans *Ressources humaines*, quels sont les trois groupes sociaux que Franck doit affronter en tant que DRH (Direction des ressources humaines) ?

    **3** Dans *L'Emploi du temps*, qu'est-ce que la honte fait faire à Vincent ?

    **4** Dans *Firefox, confessions d'un gang de filles*, quelle est la cible de Legs et de ses copines ?

    **5** Dans les films de Cantet, quels sont trois des espaces clos privilégiés où évolue une microsociété ?

    **6** Face aux injustices, qu'est-ce qui fait que les héros de Cantet sont plutôt des antihéros ?

    **7** Citez deux des trois faits réels qui ont servi de base aux films de Cantet.

    **8** Qu'est-ce que le choix des acteurs et leur jeu ont de particulier dans les films de Laurent Cantet ?

 **2 b** Réécoutez la conversation. Faites une liste des similitudes et des différences entre les films de Laurent Cantet.

---

### Stratégie

**Researching other films by the same director**

- Are they different genres of movie or more or less the same? (e.g. science fiction, detective)
- Which ones have humanist/social/political messages?
- Are the cinematic techniques similar or different? (e.g. use of special effects, narrative style)
- Which ones were more successful? Why? Better actors, choice of subject?

- Are these films based on real facts or fiction?
- Which ones were selected in festivals or won awards? Which ones weren't?
- Do they have the same strengths, e.g. a favourite actor, effective soundtracks?
- Is there analogy/diversity between the films:
  - in the script?
  - in the themes?

---

**3 a** Travaillez en petits groupes de trois ou quatre. Prenez les listes que vous avez écrites pour l'exercice 2b et discutez des raisons qui, d'après vous, ont poussé le metteur en scène à faire ces choix.

 **3 b** Écrivez l'introduction d'un essai visant à comparer les films de Laurent Cantet.

# 16 *Le Gone du chaâba*

> - Découvrir le roman *Le Gone du chaâba*
> - Rechercher le contexte historique d'un livre, et voir si ce contexte historique y est présenté efficacement

## « Du bled au bidonville »

Azouz, un jeune Algérien de famille très modeste vit dans un bidonville de Lyon : le Chaâba, sans eau courante, ni électricité. Les parents d'Azouz, qui sont tous les deux analphabètes, accordent beaucoup d'importance à la réussite scolaire de leur fils car elle est la clé d'une intégration réussie dans la société française. Cependant, il attise la jalousie de ses autres camarades de classe qui l'isolent et l'insultent, l'accusant de ne plus être un vrai Arabe ou plutôt d'être un traître à sa propre culture.

**Élodie:** Je viens de terminer le livre d'Azouz Begag, *Le Gone du chaâba*, et je l'ai trouvé fascinant. Comme je suis de Lyon moi-même, je connaissais déjà le mot argotique « gone », qui signifie gamin ou enfant des rues mais le mot « chaâba » ne m'était pas du tout familier. Pouvez-vous me l'expliquer ?

**Chercheuse:** Oui, bien sûr. Le chaâba, comme vous avez vu dans le livre, était un bidonville dans la banlieue de Lyon qui existait entre 1954 et 1968. Du fait de sa localisation excentrée, ce lieu d'habitation a été rapidement surnommé « chaâba » par ses habitants car ça signifie 'trou' ou 'patelin lointain' en arabe dialectal.

**Élodie:** Alors pourquoi choisir de s'installer là, loin de tout ?

**Chercheuse:** Il faut regarder le contexte historique de l'époque. Dans les années d'après-guerre il y avait une demande de main-d'œuvre considérable en France. Dans la colonie française d'Algérie, en revanche, la situation économique, politique et sociale était difficile. En 1954 deux frères algériens qui travaillaient en France ont acheté un terrain d'environ 400 m² sur lequel se trouvait une petite maison. Cet achat a permis à leurs femmes et leurs enfants restés en Algérie de les rejoindre.

**Élodie:** Les conditions de vie détaillées dans le livre me paraissent très insalubres. Est-ce que c'est une juste représentation ?

**Chercheuse:** Oui, cette évocation est juste car les baraques étaient autoconstruites avec des matériaux de fortune. Elles n'étaient pas alimentées en électricité et il fallait aller chercher de l'eau à l'unique pompe située sur le terrain.

**1** Lisez la page web et choisissez la bonne fin de phrase.

**1** Les baraques étaient construites…

    **a** …de matériaux qui coûtaient une fortune.

    **b** …de toutes sortes de matériaux.

    **c** …de matériaux volés.

    **d** …de matériaux importés d'Algérie.

**2** Le mot 'gone' est un mot…

    **a** …d'argot lyonnais.

    **b** …d'arabe dialectique.

    **c** …impoli.

    **d** …qui ne veut rien dire.

**3** Les conditions dans le bidonville étaient…

    **a** …insalubres.

    **b** …conforme aux normes.

    **c** …convenables pour les travailleurs.

    **d** …convenables pour les femmes et les enfants.

**4** Le mot « chaâba » signifie…

    **a** …petit pays.

    **b** …endroit loin de tout.

    **c** …colonie française.

    **d** …petite Algérie.

**5** Après la guerre en France il y a eu…

    **a** …un essor économique.

    **b** …une crise politique.

    **c** …très peu de travail.

    **d** …trop de main-d'œuvre.

**6** Les hommes venus d'Algérie…

    **a** …ne pouvaient pas trouver du travail en France.

    **b** …étaient tout de suite accompagnés de leur famille.

    **c** …sont arrivés pour travailler en France.

    **d** …ne voulaient pas travailler en France.

**2** Une Lyonnaise nous raconte. Écoutez l'extrait et répondez aux questions suivantes en français.

**1** Quelle émotion ressentait-elle quand elle passait devant le chaâba ?

**2** Expliquez pourquoi elle éprouvait une telle émotion ? [*deux détails*]

**3** Pourquoi voulait-elle lire le livre ? [*quatre détails*]

**4** Selon elle, qu'est-ce qui a aidé l'auteur du livre à améliorer son sort ? [*deux détails*]

**5** De quelle manière vivaient les gens dans le bidonville ? [*quatre détails*]

**6** Comment a-t-elle découvert l'existence du bidonville ?

---

**Stratégie**

**Research a book's historical background and decide whether this background is effectively portrayed in it**

- Find a reliable French site (.fr) to source information about the historical context.
- List the historical facts that appear in the book.
- Compare this list with your research.
- Do the facts match or are there glaring anomalies?

- If the book is autobiographical, beware of 'poetic licence'.
- A subjective account is not always historically accurate.
- If the author has not portrayed the period accurately, try to work out why.

Use this strategy to help you complete exercise 3.

---

**3 a** À deux, choisissez un autre livre autobiographique que vous connaissez et, en collaboration avec votre partenaire, faites une liste, en français, de faits et de détails historiques qui apparaissent dans le livre. Ensuite faites des recherches sur l'époque où se déroule le livre pour pouvoir vérifier les faits et juger si le contexte a été représenté avec authenticité. Utilisez la case stratégie pour vous aider.

**3 b** Discutez-en avec votre partenaire. Que pensez-vous de la présentation du contexte historique ? Est-ce authentique ou pas ? Qu'est-ce qui est bien représenté ? Qu'est-ce qui est moins bien représenté ? Expliquez vos conclusions.

**3 c** Écrivez un résumé de vos conclusions.

## 17 *Les Petits Enfants du siècle*

> • Découvrir le roman de Christiane Rochefort, *Les Petits Enfants du siècle*
> • Examiner les lieux évoqués dans un roman et leur importance dans le déroulement de l'intrigue

# *Les Petits Enfants du siècle,* Christiane Rochefort

Josyane, ou Jo comme on la surnomme, est l'aînée de la famille et dix enfants vont suivre dans ce climat des **Trente Glorieuses** et la **politique nataliste** de l'époque, apportant à leurs parents grâce aux allocations, la machine à laver, le frigidaire, la télé et la voiture ! Josyane les élèvera tous. Ses seules distractions : les courses et ses devoirs le soir sur la table de la cuisine. Ses seuls amis, Nicolas, le petit frère qui comprend tout, et Guido, le maçon italien, né sur les collines. L'amour de Guido bouleverse la vie de Josyane, il en chasse toute **la laideur** et **la bêtise**. Christiane Rochefort fait ici un tableau criant de vérité **des grands ensembles** dans les années 1960, de ces blocs ou **HLM** comme on les appelle, illuminés la nuit, en plein ciel, si gris le jour, le béton* cachant mal la pauvreté. Elle dit, admirablement

**Christiane Rochefort**

et avec beaucoup d'humour, le mal de vivre à Bagnolet, à Sarcelles et autres lieux du même genre, sans âme et sans arbres. Une œuvre très forte du célèbre auteur du *Repos du guerrier* et des *Stances à Sophie*.

Quand on survole Paris la nuit, on a la vision **de myriades** de lumières qui **scintillent** comme un gigantesque essaim* de lucioles*; puis on distingue à la périphérie les silhouettes des grands ensembles avec leurs tours pareilles à des balises* aux feux multiples dominant les immeubles « en barre ». Avec le jour, la magie se dissipe dans **la grisaille** du béton dont sont faits les cubes et les **gratte-ciel** des cités neuves qui ne ressemblent plus qu'à des boîtes à chaussures ou à des clapiers*, s'il faut en croire l'appréciation générale. Le fait est que ces modèles d'architecture moderne **grouillent** comme des terriers de lapin. Le pourquoi et le comment de la chose, Christiane Rochefort l'explique par l'intermédiaire de Josyane, fille aînée de la famille Rouvier, locataire d'un des blocs bâtis du côté d'Avron et de Bagnolet. Cette chronique acidulée déclenche le rire en même temps que la réflexion.

www.livrenpoche.com

* *le béton – concrete*     * *un luciole – glowworm*     * *des clapiers – hutches*

* *un essaim – swarm*     * *des balises – markers*

**1 a** **Expliquez les mots en gras dans le texte ou trouvez-en des synonymes.**

**1 b** Lisez les deux résumés du roman *Les Petits Enfants du siècle* et répondez aux questions suivantes en français.

Premier résumé

1 Qu'apprenons-nous sur les familles françaises pendant les Trente Glorieuses décrites dans ce livre ? [*deux détails*]

2 Qu'apprenons-nous du quotidien de Jo dans les premières lignes du premier résumé ? [*deux détails*]

3 En quoi est-ce Guido a joué un rôle important dans la vie de Jo ?

4 Quelle impression avons-nous de l'endroit où Jo vit ?

Second résumé

5 En quoi est-ce que Paris et la banlieue s'opposent ? [*deux détails*]

6 Quelle impression avons- nous *des blocs d'immeubles* en lisant la dernière partie de la deuxième phrase ?

7 Qui en est responsable ?

8 Qui est le narrateur de ce roman ?

**2 a** Un lieu, une émotion. Écoutez la première partie et répondez aux questions suivantes en français.

1 Que symbolise la cité de Bagnolet selon le premier étudiant ?

2 Comment est-ce que le premier étudiant explique le comportement de Jo ? [*deux détails*]

3 Quel est le rôle de la banlieue dans l'action du roman, selon la deuxième étudiante ?

**2 b** Maintenant écoutez la seconde partie et répondez aux deux questions suivantes.

1 Résumez ce que symbolisent les lieux mentionnés par ces deux étudiants. [*deux détails*]

2 Résumez l'importance de ces deux lieux dans l'histoire. [*deux détails*]

### Stratégie

**Examine the setting of a book and its effectiveness in the development of the plot**

- Identify the settings in the book. Are they similar or different? Is there a main place where most of the actions take place?
- Consider the events that take place in the different settings. What is the impact of the setting on what happens?
- How is the setting described in the book? Pay attention to the detailed description.

What impact has it on the characters? On the readers? What is the mood produced?

- What is the relation between the setting and the characters? Does the setting influence their personalities or their actions?
- Consider the importance of the setting. Would the story be the same in a different setting? Is the setting a key element of the story?

Use the strategy box to help you complete exercises 3a and 4.

**3 a** Travaillez avec un partenaire. Choisissez un livre que vous avez lu, si possible en français, et faites une liste des différents lieux qui y sont évoqués. Puis répondez en français, à tour de rôle, aux questions de la case stratégie.

**3 b** Pour le livre que vous avez étudié, écrivez un paragraphe qui répond à la question suivante. Donnez deux raisons et argumentez en donnant des exemples précis et en vous servant des expressions utiles :

En quoi est-ce que l'espace décrit dans le roman nous aide à comprendre les actions des personnages ?

**4** Si possible, lisez quelques chapitres du roman *Les Petits Enfants du siècle* et prenez des notes en répondant aux questions de la case stratégie.

- Découvrir le roman *Thérèse Desqueyroux*
- Étudier les rapports changeants entre le personnage principal et d'autres personnages clés

# Raisonnement du roman

François Mauriac a fait publier *Thérèse Desqueyroux* en 1927. Le roman a été nommé parmi les cinquante meilleurs romans de la première moitié du vingtième siècle. Mauriac l'a écrit pour essayer de changer les attitudes de la société envers les jeunes femmes coincées dans des environnements hostiles.

C'est alors un livre qui va certainement intéresser les jeunes adultes qui veulent apprendre plus sur les surprises de la vie et sur la manière dont notre comportement peut changer selon nos circonstances.

## Résumé de l'intrigue

**Première section, l'introduction des personnages critiques :** Thérèse Larroque, presque adulte, passe des vacances d'été idylliques avec la jeune Anne de la Trave, dans les forêts landaises et au bord de l'Atlantique. Leurs vies semblent alors, comme le temps ensoleillé, au beau fixe. Mais tout change quand Anne fait la connaissance de l'étudiant, Jean Azévédo, dont elle tombe follement amoureuse.

Entretemps, Bertrand Desqueyroux, propriétaire d'une grande plantation de pins, propose le mariage à Thérèse pour garantir le pouvoir financier et social des deux familles. Elle accepte la proposition.

**Deuxième section : les premiers changements.** Au début, la vie de couple se déroule assez bien, mais graduellement, Thérèse se sent de plus en plus isolée dans une famille obsédée par la continuation de sa lignée et de son influence dans la région. Ceci coïncide avec le désastre personnel d'Anne, car Jean l'abandonne pour étudier à Paris.

Cet incident met en route une réaction en chaîne, où la famille Desqueyroux oblige Thérèse à se ranger de leur côté, en essayant de persuader Anne d'oublier Jean et leur amitié est brisée. Anne montre son côté hystérique. Thérèse, sachant qu'elle a transigé sur ses propres principes en se rangeant derrière la famille, devient très solitaire.

**Troisième section : l'attentat de Thérèse.** Bertrand a commencé à souffrir de palpitations. Il reçoit une ordonnance pour des gouttes d'arsenic et fait une overdose devant sa femme.

De plus en plus seule, Thérèse augmente les doses de Bertrand et obtient une grande quantité de gouttes du pharmacien, qui raconte cela finalement à la famille. Ceci mène à la possibilité d'un procès contre Thérèse.

Mais Bertrand décide que, pour sauver sa réputation, il faut étouffer le scandale et avec la complicité du pharmacien et du juge, le procès n'a pas lieu.

**Quatrième section : le bannissement de Thérèse.** Maintenant, Anne, très changée, est totalement soumise aux besoins de la famille Desqueyroux, et s'occupe de Marie, la petite fille de Thérèse. Celle-ci se trouve exilée à Paris pour vivre seule.

**1** Lisez le résumé du roman *Thérèse Desqueyroux*. Liez les bonnes moitiés de phrases ci-dessous. Attention ! il y a quatre phrases de trop.

1 Au début Thérèse et Anne paraissent…

2 Sans que l'on le sache, la jeunesse dorée…

3 Tout change après l'entrée…

4 Typique des personnes riches de la région, …

5 Pour la classe à laquelle les Desqueyroux…

6 Thérèse voit l'occasion…

7 Bien que les Desqueyroux aient caché…

8 Thérèse a mérité…

a …du père de Thérèse.

b …d'être exilée à Paris ?

c …Bertrand est obsédé par sa propriété.

d …veut acheter un nouveau château.

e …en scène de Jean Azévédo.

f …le crime de la belle-fille, ils la détestent maintenant.

g …d'empoisonner Bernard en augmentant sa dose.

h …être de vraies sœurs.

i …des deux jeunes filles tourne à la tragédie.

j …appartiennent, le bien familial est primordial.

k …trouver un nouveau mari.

l …vivre une vie très idyllique ensemble.

**2** Deux lecteurs ont une dispute intellectuelle sur *Thérèse Desqueyroux*. Écoutez la conversation entre Annie et Rachid. Notez A pour les opinions d'Annie et R pour celles de Rachid.

1 Thérèse a subi de la pression morale.

2 Je crois que Bernard a toujours de l'affection pour sa femme.

3 Anne aurait pu être plus tolérante.

4 Bertrand s'est montré assez loyal quand même.

5 C'est Thérèse qui a causé la détérioration de leurs rapports.

6 N'oublions pas que Bertrand a mis de la pression sur le juge !

7 Bernard ne déteste pas totalement sa femme.

8 La famille voulait tout simplement garder leur position dans la communauté.

---

### Stratégie

**Examine the changing relationships between the main character and other key characters**

- List any relationships which evolve.
- What are the reasons for these changes?
- Are they positive or negative?
- Are they deliberate or accidental?
- Are they caused by outside events?

- In each relationship is it one or both of the characters who evolve?
- Do the changes make you feel more or less positive/negative about the characters?

Use the strategy box to help you complete exercises 3a and c.

---

**3 a** Travaillez avec un(e) partenaire. Décrivez le personnage principal d'un livre (de préférence en français) que vous avez lu. Décrivez ses relations avec un autre personnage du livre. Utilisez la case stratégie pour vous aider.

**3 b** Écrivez un paragraphe résumant les idées que vous avez exprimées dans l'activité 3a.

# Writing an AS essay

- Comprendre ce qu'on exige de vous dans la partie littéraire de l'examen *AS*
- Apprendre une variété de stratégies qui vous aideront à produire une rédaction bien structurée au sujet d'un film

Une partie de l'examen *AS* vous exige d'écrire une rédaction sur un livre ou un film que vous avez étudié en classe. On vous présente deux questions sur chaque livre et chaque film. À vous de choisir la question sur le livre ou le film que vous avez étudié qui vous convient le mieux.

**1 a** Regardez les genres de film ci-dessous, ainsi que les titres génériques de rédaction. Faites correspondre les titres (1 à 3) aux films (A à C).

Film A

Film B

Film C

**1** Faites le portrait du personnage principal et analysez son rôle dans le film. Utilisez les points suivants :
- comment il est physiquement
- son attitude envers la vie et les autres personnages
- son mode de vie
- ce qu'il fait de plus important dans le film

**2** À quel point le film est-il lié à un endroit particulier ? Utilisez les points suivants :
- le choix du lieu principal du film
- les épisodes et les événements les plus importants du film
- ce que représente cet endroit pour le personnage principal du film
- le lien entre le lieu principal du film et le titre du film

**3** Analysez l'importance des épisodes et les événements les plus importants de l'histoire. Utilisez les points suivants :
- les épisodes les plus importants et leur impact
- l'attitude des personnages envers ces événements
- le lien entre les épisodes les plus importants et le titre du film
- comment ils font avancer l'histoire

**1 b** Translate into English the questions and bullet points in exercise 1a.

**2** Maintenant, regardez le site web d'Edexcel et trouvez d'autres titres de rédaction pour les films qui s'étudient pour l'examen *AS* en français. Choisissez un titre qui vous intéresse et regardez le film dont il s'agit. Cherchez aussi sur Internet des critiques en français du film. Écrivez entre 275 et 300 mots, en utilisant les stratégies ci-dessous.

## Stratégie

### Planning your writing

- Make sure you understand the three bullet points, as they are a good guide to what you might want to cover in your answer. You could devote one paragraph to each bullet point. Initially just write brief notes for each. You can write rough notes on your exam paper but make sure you cross them out so that they aren't marked as part of your answer.
- Find an example in the film to illustrate each point. For some it may be appropriate to find a suitable quotation. It is important to learn key quotes from a film or book and use them in the essay when appropriate. This helps to illustrate points that you are making and demonstrate your knowledge of the film. Use these examples and quotes to flesh out your paragraphs.
- Decide the most sensible order for the three points you want to make. It does not have to be in the same order as the bullet points in the question, but this may be the best order. Next, read the sentence you have written for each point again and double-check that it relates to the title.

## Stratégie

### Writing

- Write a short introduction to set the question in context. This context may be historical, how it fits into the director's body of work, how it was received, its social setting etc. Show that you have some background understanding and are not writing in a vacuum. You need to be concise, so structure your sentences carefully, e.g. *Entre les murs, film du professeur François Bégaudeau, dirigé par Laurent Cantet est….*
- Now refer back to your notes for the first paragraph. Construct the first sentence so that it carries on logically and smoothly from the introduction. See page 146 for useful phrases. Add the rest of the paragraph, making sure you give your own opinion, justify it and that any points you make refer directly to the essay question.
- Carry out the above step for the other bullets.
- Devote one paragraph to each bullet point.
- Read through everything again and then write your conclusion, summarising what you have said and giving your overall opinion. It is not a place to add new ideas, but one to pull together the ideas you have expressed so far.

## Stratégie

### Checking your writing

- Check the length of your essay. It should be between 275 and 300 words but you must make sure you have said everything that needs to be said.
- Finally, check for accuracy and style:
  - verb tenses and past participle agreement
  - adjective agreement
  - variety of styles of sentences, using connectives
  - variety of vocabulary, including some sophisticated terms (see list on page 146)

## Stratégie

### Time management

In the exam you have about 1 hour 15 minutes to complete this task, so you need to manage your time carefully. Allocate a certain amount of time for planning, writing and checking your essay and stick to these times as closely as possible, e.g. 15 minutes, planning; 45 minutes, writing; 15 minutes, checking.

# Writing an A-level essay

Une partie de l'examen *A-level* exige que vous écriviez deux rédactions, dont une doit être sur un des livres que vous avez étudiés en classe. L'autre partie de l'examen *A-level* peut être sur un des films ou un autre livre que vous avez étudié. On vous présente deux questions sur chaque livre et chaque film. À vous de choisir la question sur le livre ou le film que vous avez étudié qui vous convient le mieux.

## Stratégie

### Planning your essay

- Planning your essay is important. You can write rough notes on your exam paper but make sure that you cross them out so that they aren't marked as part of your answer. A good way you could start is to draw a diagram as follows or you could devise your own:

> Introduction — « Dans ce roman les <u>personnages féminins</u> sont beaucoup plus forts que les <u>personnages masculins</u>. » Dans <u>quelle mesure</u> êtes-vous <u>d'accord</u> avec ce jugement? — Conclusion

- Write the essay question in the middle box and underline the most important words. Refer back to this frequently. Remember that to produce a good essay, you must answer the question exactly — a prepared essay will not be sufficient.
- Using the important words in the essay question as prompts, think about points that you want to make to answer the question. Add these in boxes around the essay question in your diagram in French or in English. Aim for around three to five main points. For example, with the essay question above, you may want to look at:
  - who the main female and male characters are and the relationships between them
  - their attitudes and motivations
  - the main events of the story — how these affect the female/male characters and their reactions to these
  - the relationships between them at the end of the book — have these changed and if so, why?

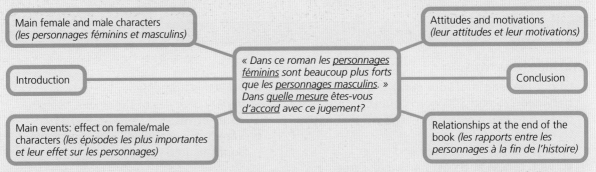

Main female and male characters *(les personnages féminins et masculins)*

Attitudes and motivations *(leur attitudes et leur motivations)*

Introduction — « Dans ce roman les <u>personnages féminins</u> sont beaucoup plus forts que les <u>personnages masculins</u>. » Dans <u>quelle mesure</u> êtes-vous <u>d'accord</u> avec ce jugement? — Conclusion

Main events: effect on female/male characters *(les épisodes les plus importantes et leur effet sur les personnages)*

Relationships at the end of the book *(les rapports entre les personnages à la fin de l'histoire)*

These will become your paragraphs. Decide on a sensible order for them, making sure they follow on logically, and write a simple sentence for each.

**1** Regardez le site web d'Edexcel et trouvez les titres de rédaction pour les livres que vous étudiez. Choisissez le titre qui vous intéresse le plus. Faites un diagramme comme celui ci-dessus en utilisant la stratégie. N'oubliez pas que le nombre de cases variera selon le nombre de points principaux.

**2** Maintenant que vous avez fait votre diagramme, écrivez une rédaction sur le titre que vous avez choisi, en utilisant les stratégies ci-dessous.

## Stratégie

### Getting started on your essay

- Find an example in the book to illustrate each point. It may also be appropriate to find a suitable quotation. You have to offer different viewpoints and present your argument about which one you feel is correct and why. Back up your opinion with evidence from the text and with background information you have researched on issues and themes in the book. Discuss and evaluate the cultural and social contexts explored in the work.
- For the question on page 144, you could look at:
  - the role of men and women in the period/place/milieu the book is set

Then, with this in mind, consider:
- why the women's reactions to the main events might portray them as being stronger than the men
- why the men's reactions may suggest that they are actually the stronger characters
- what you believe to be the case
- Remember that your essay needs to be analytical. Writing down facts about the plot and character is not sufficient. At A-level you also need to analyse features such as form and technique (e.g. effect of narrative voice in prose text, camera work in a film or a playwright's dramatic technique).

## Stratégie

### Writing your essay

- Now focus on the introduction: what you are going to say and setting the question in context. This may be historical, how it fits into the author's body of work, how it was received etc. Show you have some background understanding and are not writing in a vacuum. You must be concise, so structure your sentences carefully.
- Refer to your notes for the first paragraph. Construct the first sentence of the first paragraph so that it carries on logically and smoothly from the introduction. Add the rest of the paragraph and make sure that you have included differing

viewpoints, given your own opinion, justified it and are referring directly to the essay question.
- Always look for more sophisticated ways of making statements and use the correct register for describing a literary work.
- Carry out the steps above with each of the other bullet points.
- Devote a paragraph to each of your main points.
- Read through everything again and write your concluding paragraph: sum up what you have said, give your overall opinion and pull together the ideas you have expressed so far.

## Stratégie

### Checking your essay

- Check the length. It should be between 300 and 350 words. You can write more: everything you write will be marked, but you should not need to write over 350 words to get full marks.
- Make sure that you have given evidence to back up every point and that you have referred to the words you underlined in the essay question.

- Finally, check for accuracy and style:
  - verb tenses and past participle agreement
  - adjective agreement
  - variety of styles of sentences, using connectives
  - variety of vocabulary, including some more sophisticated terms (see page 146)

## Stratégie

### Time management

In the exam you have about 2 hours 10 minutes to complete both essays, so you need to manage your time carefully. Allocate a certain amount of time for planning, writing and checking each

essay. For example, you could devote 10 minutes, planning; 45 minutes, writing; 10 minutes, checking for each.

# Expressions utiles

## Essay phrases

**En regardant ce film/En lisant ce livre, on se rend vite compte que...** On watching this film/On reading this book, you quickly realise that...

**Considérons d'abord...** Let's first consider...

**Il faut considérer aussi...** It is also necessary to consider...

**En continuant à lire, il devient évident que...** On continuing to read, it becomes obvious/evident that...

**Passons maintenant à...** Let's move on to...

**En fin de compte, ceci amène à conclure que...** At the end of the day, this leads you to conclude that...

**Pour conclure...** To conclude...

**D'une part..., d'autre part...** On the one hand..., on the other hand...

**La raison pour laquelle je (ne) voudrais (pas) lire/regarder...** The reason why I would (not) want to read/watch....

**Le livre est accessible et facile à lire/est compliqué et difficile à lire.** The book is accessible and easy to read/is complicated and difficult to read.

**Cela m'a fait une forte impression.** That made a big impression on me.

**Quoi qu'on en pense, il faut dire que...** Whatever you think about it, you have to say that...

**Il s'agit ici de (l'amour et du regret).** Here it is a matter of (love and regret).

**Je ne pense pas que ce soit réaliste.** I don't think that it is realistic.

**Ce qui me saute aux yeux, c'est...** What strikes me is...

**Ce que je sais du contexte historique/de l'auteur m'amène à croire que...** What I know of the historical context/the author leads me to believe that...

**Le dénouement du film/de l'histoire a été surprenant/émouvant/décevant.** The ending of the film/story was surprising/moving/disappointing.

## Character

**Le personnage principal est au cœur de l'intrigue.** The main character is at the heart of the plot.

**Le romancier dresse un portrait exhaustif de son personnage principal.** The novelist paints a complete portrait of the main character.

**Le personnage symbolise.../est sensible à.../éprouve.../est mal dans sa peau.** The character symbolises.../is sensitive to.../feels.../is ill at ease.

**Voici un personnage complètement sans sentiments, semble-t-il.** This is a character completely without feelings, it seems.

**Ce trait de caractère souligne...** This character feature underlines...

**L'amour, l'émotion, l'ambition manquent presque entièrement dans le caractère de ce personnage.** Love, emotion, ambition are lacking almost entirely in (the nature of) this character.

**La description de son aspect physique nous indique que...** The description of his physique gives us the idea that...

**Ce personnage n'est pas aussi bien développé que d'autres personnages.** This character is not as well developed as other characters.

## Plot and structure

**L'histoire se déroule...** The story takes place...

**Les principaux événements sont...** The main events are...

**Ce livre est une critique de...** This book is a criticism of...

**J'ai trouvé l'intrigue bien construite/bien ficelée/originale/décevante.** I found the plot well constructed/well put together/original/disappointing.

**Cette intrigue présente toutes les caractéristiques de...** This plot shows us all the characteristics of...

**L'auteur emploie de différents calendriers pour...** The author uses different time frames to...

**L'auteur a été influencé par...** The author was influenced by...

**La manière dont l'histoire est écrite est...** The way in which the story is written is...

**L'intrigue est basée sur une série de quiproquos.** The plot is based on a series of misunderstandings.

## Setting

**Cette ville/quartier sert de lien entre...** This town/area serves as a link between...

**C'est une toile de fond parfaite.** It's a perfect backdrop.

**L'auteur fait une belle description de...** The author gives a beautiful description of...

**L'espace joue un rôle majeur/décisif...** The setting plays a major/important role...

**L'environnement intensifie l'histoire de...** The environment intensifies the story of...

**Au premier plan on distingue...** In the foreground there are...

**Au loin/De plus près on pouvait remarquer...** Far away/Close by you could see...

**La scène se déroule à l'époque de...** The action takes place at the time of...

## Cinema

**Les réalisateurs ont fait un portrait réaliste de...** The directors have portrayed...in a realistic way.

**Le metteur en scène a capturé parfaitement l'ambiance de l'époque.** The director captured the atmosphere of the time perfectly.

**Cela représente un moment clé du film.** That represents a key moment of the film.

**Les bruitages qu'il a inclus...** The sound effects that he included...

**Son utilisation de gros plans/flash-back...** His use of close-ups/flashbacks...

**On emploie de plus en plus d'effets spéciaux.** More and more special effects are used.

**Le tournage/La bande originale contribue au succès du film.** The filming/original soundtrack contributes to the success of the film.

**Beaucoup de spectateurs se mettront dans la peau de...** Many viewers will sympathise with...

# UNITÉ 7

## L'impact positif de l'immigration en France

7.1 **Les immigrés en France : d'où viennent-ils et pourquoi sont-ils venus ?**

7.2 **L'immigration – une nécessité pour l'économie française**

7.3 **L'immigration et l'enrichissement culturel de la France**

## Theme objectives

This unit looks at immigration in France, focusing on:
- the origins of immigrants and their reasons for coming to France
- the positive contribution of immigrants in France
- how immigrants enrich French culture

**The content in this unit is assessed at A-level only.**

## Grammar objectives

You will study and practise the following grammar points:
- using expressions of time — *depuis* and *venir de*
- constructing sentences with mixed tenses (I)
- using direct and indirect speech

## Strategy objectives

You will develop the following strategies:
- expressing proportions and statistics in written or spoken French
- summarising a listening passage in French
- dealing with unknown language

# 7.1 Les immigrés en France : d'où viennent-ils et pourquoi sont-ils venus ?

- Découvrir d'où viennent les immigrés et les raisons de leur immigration
- Utiliser des expressions de temps : *depuis* et *venir de*
- Exprimer les proportions et les statistiques à l'écrit et à l'oral

## On s'échauffe

**1 a** Faites une liste des raisons pour lesquelles une personne immigre dans un autre pays. Les raisons sont-elles les mêmes de nos jours qu'il y a 50 ans ?

**1 b** Maintenant comparez votre liste à celle de votre partenaire. Êtes-vous d'accord ?

## Témoignages d'immigrés

**Marta**, petite-fille de Pieds-Noirs

L'Algérie était en guerre depuis 1954. Ma famille était parmi les 600 000 Pieds-Noirs qui, contraints de quitter l'Algérie après l'indépendance en 1962, ont afflué en métropole. Démunis de leurs biens et privés d'un accueil chaleureux de la part des Français de souche, ils ont dû s'intégrer dans ce pays inconnu et combattre les préjugés. Les nouveaux arrivants étaient alors perçus comme les boucs-émissaires des problèmes de société.

**Moncif**, fils d'immigrés tunisiens

La Tunisie était depuis longtemps en crise. Comme des milliers de Tunisiens, ma famille a gagné la France, après l'indépendance en 1958, en quête d'une vie moins dure. Confrontée à cette marée humaine, la France a dû improviser pour répondre aux besoins de ces migrants. Des cités de HLM en banlieue des grandes villes se sont alors rapidement construites et des immigrés de différentes nationalités s'y sont côtoyés. Malheureusement, faute de logement, des milliers d'immigrés ont dû ensuite vivre dans des bidonvilles.

**Khaled**, fils d'immigrés marocains

Mon père est arrivé après la Seconde Guerre mondiale. La France venait d'être dévastée et tout devait être reconstruit. En manque d'ouvriers, la France a fait appel à la main-d'œuvre étrangère bon marché, principalement, aux ressortissants de ses anciennes colonies comme le Maghreb. Comme la plupart des femmes d'immigrés, et grâce à la politique de regroupement familial, ma mère a rejoint mon père. L'immigration était depuis peu contrôlée par l'État mais les Trente Glorieuses ont cependant entraîné des entrées clandestines, les immigrants étant attirés par cette économie en plein essor.

**Ninng**, réfugiée politique laotienne

Ma famille était parmi « les boat people d'Indochine », demandeurs d'asile qui, en 1979, ont fui les persécutions ethniques. En France l'immigration de travail venait d'être suspendue et la crise économique semblait peu propice à l'accueil de nouveaux étrangers. La France nous a quand même accueillis à bras ouverts, et nous a aidés à nous installer légalement.

**2 a** Lisez les quatre témoignages. Trouvez les synonymes des mots ou expressions suivants.

1  être forcés
2  sans
3  amical
4  les personnes nées en France depuis des générations
5  les responsables
6  aller

7  beaucoup de personnes
8  habiter à côté de
9  les travailleurs
10 illégale
11 en croissance
12 ont échappé à

**2 b** Relisez les témoignages et choisissez les *quatre* phrases correctes.

1  Pour la famille de Marta, quitter leur pays natal représentait une opportunité à ne pas manquer.
2  Les Pieds-Noirs ont pu emporter tout ce qu'ils voulaient avec eux quand ils ont quitté l'Algérie.
3  À leur arrivée en France, les Pieds-Noirs se sont sentis chez eux.
4  Pour les Tunisiens, la France représentait un avenir meilleur.

5  Le gouvernement ne s'attendait pas à un tel flux de migrants.
6  Les immigrés sont venus s'installer en France puisque ce pays n'avait pas assez d'ouvriers.
7  La prospérité d'après-guerre a encouragé l'immigration clandestine.
8  Les « boat people » ont eu des difficultés à s'intégrer en France à cause de l'hostilité du gouvernement.

**2 c** Traduisez les huit phrases ci-dessous en français en vous servant du vocabulaire du texte qu'il faudra parfois adapter.

1  Native French people perceived the Pieds-Noirs as scapegoats when they arrived in France.
2  Marta's family was forced to immigrate to France after the independence.
3  The crisis in Tunisia forced thousands of Tunisians to flock to France in 1958.
4  France had to build accommodation as the country was faced with a wave of immigrants.

5  After World War II, France had to call upon a foreign workforce to rebuild the country.
6  France's economy was soaring during the Trente Glorieuses and the situation attracted illegal immigrants.
7  At the end of the seventies the people from Indochina were facing ethnic persecutions.
8  The 'boat people' received a warm welcome in France.

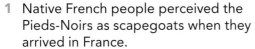

## Grammaire

**Les expressions de temps *depuis* et *venir de* (Expressions of time: *depuis* and *venir de*)**

Study H13 in the grammar section.

1  Read the text on page 148 and find the following examples of *depuis* and *venir de*:
   • a sentence where *depuis* is used with a date
   • two sentences where *depuis* is used with a length of time
   • two sentences where *venir de* is used in the imperfect
2  Translate the sentences you found into English.
3  How do the tenses differ in French and in English?

**3** Remplissez les blancs en utilisant les mots de la liste ci-dessous. Attention ! il y a quatre mots de trop.

**G** ✓

1 Les Pieds-Noirs .......... retourner en France, quand il y a eu l'attentat sur la vie du président.

2 Nous les .......... depuis dix ans avant leur mariage.

3 « Cinq immigrés .......... se cacher dans ma voiture, » a révélé le camionneur.

4 .......... , la France connaît une crise du logement.

5 Je vous présente mon père, il .......... ici depuis la fin de la guerre.

6 Ce nouvel arrivé d'Afrique .......... vivre dans un taudis.

7 Je .......... arriver ici il y a deux jours.

8 Le flot d'immigrés en bateau .......... depuis deux ans.

| est | venait de | venaient de | viens d' |
|---|---|---|---|
| connaît | connaissions | viennent de | depuis 50 ans |
| deux ans | depuis | augmente | sont |

**4 a** L'immigration ultramarine vers la France. Écoutez la conversation et remettez dans l'ordre les phrases suivantes. Ce sont des phrases synonymes de celles que vous allez entendre.

1 Le nombre de personnes qui quittent les DOM-TOM s'intensifie.

2 La France a reçu un soutien important après la Seconde Guerre mondiale.

3 Le nombre de personnes qui sont sans emploi est en hausse.

4 La France vient au secours de ses concitoyens.

5 Les gens ne sont pas contents.

6 La France aurait eu des difficultés sans l'aide de ses colonies.

7 Les flux ultramarins vers la France augmentent.

8 La métropole compte plus d'Antillais que de Réunionnais.

**4 b** Réécoutez la conversation. Répondez aux questions suivantes en français en utilisant vos propres mots.

1 À quoi correspond le chiffre qui nous est donné dans la première réponse ?

2 Pour quelle raison la France a-t-elle tout d'abord accueilli les populations d'outre-mer ?

3 Qu'est-ce qui a forcé les gens des DOM-TOM à continuer d'immigrer en métropole?

4 Pourquoi la France se devait-elle d'intervenir dans les DOM-TOM ?

5 Quels étaient les objectifs du BUMIDOM ? [*deux détails*]

6 Comment l'immigration des années soixante se compare-t-elle à celle des années soixante-dix ?

7 D'où proviennent les deux populations d'outre-mer les moins nombreuses à s'être installées en France ?

8 Que dit-on sur le sud de la France ? [*deux détails*]

## 5 Translate the following text into English.

### The Schengen area

Depuis 1985, « l'espace Schengen » désigne le territoire constitué par des pays européens, dont la France, ayant signé les accords de Schengen. Les accords de Schengen ont pour objectif la libre circulation des personnes au sein de l'espace Schengen, un territoire sans frontières. Toutefois ces accords sont souvent critiqués, surtout dans les débats sur l'immigration clandestine en Europe. À cause des récents problèmes de migrants à Calais, ces accords viennent encore d'être critiqués.

---

### Stratégie

#### Expressing proportions or statistics in written or spoken French

- Make sure you make up and learn a list of the language needed to express proportions or statistics such as *deux tiers* (two thirds), *30 pour cent* (30%).
- Learn how to express something 'out of', e.g. *une personne sur dix* (one out of ten people — literally, 'one person out of ten').
- Learn how to express statistics and proportions in different ways. For example, *vingt-cinq pour cent* is the same as *un quart*. *Quarante-huit pour cent* would be similar to *presque cinquante pour cent, presque la moitié* ou *un peu moins de la moitié/de cinquante pour cent.*

- Learn phrases to express trends such as *sont/est en hausse/en baisse depuis...* (have been increasing/decreasing for...) or *augmente(nt)/baisse(nt)* (is/are increasing, is/are decreasing).
- Focus on the pronunciation of cognates such as *pour cent/pourcentage/quart/tiers.* They are very often mispronounced and too anglicised.
- In your notes and revision notes, write out numbers, statistics and proportions in full in French.
- Keep practising your statistics and proportions — do not overlook them.

Use this strategy with activites 6a, 6b and 6c.

---

## 6 a Voici une liste de pays en provenance desquels un grand nombre de personnes ont immigré en France. En groupes, recherchez chacun un pays différent et prenez des notes sur l'immigration vers la France.

**Pays de provenance : l'Algérie, la Syrie, le Portugal, la Chine ou les pays de l'Europe de l'Est.**
- Combien de personnes sont venues en France dans les deux dernières années ?
- Quelles en sont les raisons ? Politiques ? Économiques ? Autres raisons ?
- Quelle est la proportion pour chaque catégorie ?

## 6 b En groupes, discutez de l'affirmation suivante :

> La France devrait limiter son immigration.

**Pour soutenir vos idées, utilisez des exemples précis de statistiques et de chiffres que vous avez trouvés dans vos recherches, introduits par des expressions telles que *compte tenu que/vu que/en considérant que*. Utilisez la case stratégie.**

## 6 c Résumez ce dont vous venez de discuter en groupes et utilisez la case stratégie pour exprimer vos chiffres. Quel est votre avis sur la question ? Présentez les deux côtés du débat.

# 7.2 L'immigration – une nécessité pour l'économie française

- Découvrir les contributions positives des immigrés en France
- Construire des phrases avec des temps variés (I)
- Résumer un exercice d'écoute en français

## On s'échauffe

**1 a** Avec votre partenaire faites une liste de personnalités célèbres issues de l'immigration qui ont ou ont eu du succès dans votre pays. Dans quel domaine ont-ils connu ou connaissent-ils du succès ?

**1 b** Connaissez-vous des immigrés qui ont eu du succès en France ? Dans quel domaine ?

**2 a** Lisez l'article et complétez le texte ci-dessous avec les mots donnés en gardant le sens de l'article. Il faudra quelquefois modifier les mots. Attention ! il y a quatre mots de trop.

Étant donné que les **1**.......... français sont confrontés à un **2**.......... de compétences dans leur pays ils **3**.......... aux étrangers. Par exemple 800 informaticiens étrangers vont être **4**.......... par une **5**.......... française. Joëlla a été employée grâce à ses **6**.......... puisqu'elle **7**.......... les clients de son entreprise. Selon Wuong les étrangers aident la France à être plus **8**.......... sur le marché international.

| faire appel | patrons | embaucher | compétitive | culturel |
|---|---|---|---|---|
| comprendre | manque | travailler | croissance | |
| boîte | venir de | origines | compétences | |

**2 b** Relisez l'article. Répondez aux questions en français en utilisant vos propres mots.

1 De quoi se plaignent les patrons des travailleurs français ? [*deux détails*]
2 À quoi les immigrés sont-ils forcés ?
3 Selon Nooria, quel est le paradoxe de la situation économique actuelle en France ? [*deux détails*]
4 Quelle est la profession de Joëlla ? [*deux détails*]
5 Qu'est-ce que les employés français ne pourraient pas offrir aux entreprises de produits ethniques selon Joëlla ?
6 Quel était l'état d'esprit de Joëlla il y a deux ans?
7 Comment est-ce que les entreprises comme celles décrites dans le témoignage de Joëlla se développent en employant des travailleurs étrangers ?
8 Selon Wuong, que ne pourraient pas faire les entreprises françaises sans leurs employés étrangers ?

# Les compétences étrangères – une aubaine pour la France

On dit souvent que les patrons emploient les immigrés parce que ceux-ci travaillent plus ardument que les Français, parce qu'ils n'hésitent pas à faire les boulots méprisés des autochtones et aussi parce qu'ils offrent une flexibilité en acceptant, souvent par nécessité, des emplois à temps partiel et des horaires discontinus. Mais est-ce que ce sont les seules raisons ?

Voici trois témoignages d'étrangers qui expliquent les raisons pour lesquelles, selon eux, les entreprises françaises ne peuvent pas se passer des étrangers.

## Nooria

J'ai été engagée parce que mon patron était confronté depuis un certain temps à une pénurie de jeunes bien formés en France et c'est pour cela qu'il a dû faire appel à des étrangers. De nombreux secteurs en plein essor comme celui de l'informatique peinent à recruter leur personnel sur le territoire. Nous apportons à la France ce dont elle a besoin. Par exemple j'ai entendu dire qu'une des plus grandes entreprises d'informatique allait recruter environ 800 ingénieurs qui ont été formés au Maroc et en Tunisie.

## Joëlla

Avant de monter ma propre boîte je travaillais pour une entreprise qui développe des produits ethniques. Cette entreprise m'avait embauchée puisqu'elle recherchait des employés qui sont culturellement en phase avec leur clientèle. Les origines des clients sont un aspect significatif sur leur comportement d'achat alors si on est de la même culture on comprend mieux ce dont les consommateurs ont envie. Nous promouvons l'innovation de certains services ou produits pertinents pour la clientèle française immigrée. Après y avoir

travaillé pendant deux ans je me suis lancée ! Je ne pensais pas que j'y arriverais toute seule mais la demande est forte alors mon entreprise de produits de beauté africains marche très bien !

## Wuong

Nous sommes en pleine mondialisation et nous, immigrants, nous sommes de véritables ressources pour les entreprises françaises qui font face à la compétition et qui voudraient s'affirmer sur le marché. Nous apportons avec nous notre identité culturelle et linguistique. Nous leur fournissons quelque chose que les Français n'ont pas – la compréhension d'autres cultures qui aiderait les entreprises à développer leur marché d'exportation mais aussi pour attirer des investissements étrangers.

**2 b** Relisez l'entretien. Choisissez les bonnes fins de phrases.

1 La France compte des auteurs étrangers…

   **a** …depuis peu.

   **b** …depuis longtemps.

   **c** …qui sont peu connus.

   **d** …qui n'ont qu'une renommée nationale.

2 Selon le sociologue, les auteurs étrangers…

   **a** …influencent constamment la littérature française.

   **b** …ont connu du succès jusqu'au début du siècle.

   **c** …n'ont pas encore été reconnus au niveau international.

   **d** …manquent de reconnaissance nationale.

3 Albert Camus et Henri Bergson…

   **a** …sont les seuls auteurs français d'origine étrangère à avoir reçu un prix Nobel.

   **b** …ne sont pas les seuls auteurs français d'origine étrangère à avoir reçu un prix Nobel.

   **c** …ont reçu le prix Nobel plusieurs fois.

   **d** …sont les seuls auteurs français d'origine étrangère connus.

4 Un grand nombre de lecteurs français…

   **a** …ne connaissent pas le prix Goncourt.

   **b** …ne savent pas à qui le prix a déjà été attribué.

   **c** …méconnaissent la signification du prix Goncourt.

   **d** …ne savent pas que de nombreux immigrés ont reçu le prix Goncourt.

5 Le prix Goncourt est réservé aux auteurs qui…

   **a** …proviennent des anciennes colonies françaises.

   **b** …sont d'origine étrangère.

   **c** …écrivent des livres en français.

   **d** …ne parlent pas français.

6 En ce qui concerne la contribution des auteurs maghrébins, les deux sociologues…

   **a** …partagent le même avis.

   **b** …ne sont pas d'accord.

   **c** …ont écrit un livre ensemble.

   **d** …en savent autant.

7 Azouz Begag et Mehdi Charef…

   **a** …ont peiné à connaître le succès.

   **b** …n'ont commencé à être reconnus qu'au début des années 2000.

   **c** …ont introduit un nouveau genre de littérature en France.

   **d** …ont immigré en France il y a 30 ans.

8 Le sociologue qui a été interviewé…

   **a** …a un avis mitigé quant à la contribution étrangère sur la littérature française.

   **b** …déplore les influences étrangères.

   **c** …accueille cette influence à bras ouverts.

   **d** …trouve l'influence étrangère très restrictive.

## Grammaire

### Le discours direct et indirect (Direct and indirect speech)

Study H18 in the grammar section.

1 Look again at the article on page 157. Find five examples of indirect speech and comment on how the speech is being introduced.

2 Now find the four questions and change them into indirect speech.

3 What do you notice when you change direct speech to indirect speech?

**3** Complétez les phrases de discours indirect qui remplacent les phrases 1 à 8 :

1 Je vais arriver bientôt.
   La mère dit qu'..........

2 J'ai perdu mes clés
   Le conducteur a dit qu'..........

3 Nous sommes d'accord
   Ils disent qu'..........

4 Je suis avec vous !
   Elle dit qu'..........

5 Je serai à la réunion.
   Elle a dit qu'..........

6 Nous voudrions accepter.
   Ils ont dit qu'..........

7 L'accusé était responsable du crime.
   Il a dit qu'..........

8 L'actrice a gagné l'Oscar.
   On a annoncé qu'..........

**4 a** L'apport culturel des immigrés. Écoutez ces quatre personnes et dites à qui appartiennent ces propos. Écrivez S pour Salvador, T pour Tiffaine, P pour Pascal ou D pour Doria.

1 La France a vu l'émergence d'un groupe cosmopolite.

2 La culture française connaît un apport perpétuel d'influences.

3 C'est une contribution vraiment variée.

4 La France jouit d'un héritage important grâce à l'immigration.

5 Ces influences ont été adaptées à la française.

6 Ces influences ont apporté des subtilités artistiques.

**4 b** Écoutez la première partie du reportage et répondez aux questions suivantes en français en utilisant vos propres mots.

1 Pourquoi est-ce que la contribution culinaire de l'immigration ne peut être ignorée ?

2 Quel est l'impact culinaire des immigrés sur la cuisine française ? [*deux détails*]

3 Comment est-ce que la cuisine française a évolué grâce à l'apport culinaire des immigrés ? [*deux détails*]

**4 c** Maintenant écoutez la seconde partie et répondez aux questions suivantes en français en utilisant vos propres mots.

1 Résumez les bénéfices de l'immigration sur la musique française. [*deux détails*]

2 Résumez l'apport de l'École de Paris sur l'art français. [*deux détails*]

**5** Traduisez ce texte en français.

### Fashion Mix

The Fashion Mix exhibition is a tribute to French fashion. Many foreign designers, Russian, Armenian, Italian, Spanish amongst others, have transformed French fashion and richly contributed to its history. This exhibition emphasises the fundamental contribution made by these foreign artists to French haute couture and it also presents the lives of these men and women who have helped raise Paris to its status of international fashion capital. These foreign artists, pushed into exile or emigrating out of artistic choice, have helped establish the reputation of French haute couture and Paris as world capital of fashion.

**6** Maintenant, rédigez un paragraphe dans lequel vous présenterez quelques influences étrangères sur la culture française dans des domaines différents. Exprimez ce que vous en pensez.

# Vocabulaire

## 7.1 Les immigrés en France : d'où viennent-ils et pourquoi sont-ils venus ?

**accueillir** to welcome
**affluer** to flock
une **banlieue** surburb
un **Beur** second generation North African immigrant
**bon marché** cheap
un **bouc-émissaire** scapegoat
**clandestin(e)** illegal
les **compatriotes** (m/f) fellow countrymen and -women
un(e) **demandeur (-euse) d'asile** asylum seeker
un(e) **étranger (-ère)** foreigner
**étranger (-ère)** foreign
un(e) **exilé(e)** exile
la **guerre** war
**faire appel à** to call upon
un(e) **Français(e) de souche** a French person of French origins/native french person
**issu(e)/en provenance de** from
un(e) **immigré(e)** an immigrant
**immigrer** to immigrate
s' **installer** to settle
s' **intégrer** to integrate
un **logement social** social housing
le **Maghreb** area in Northern Africa
la **main-d'œuvre** work force
un **manque** lack
la **métropole** mainland France
les **nouveaux arrivants** newcomers
**originaire de** from
les **Pieds-Noirs** people of French and other European ancestry who lived in French North Africa
les **préjugés** (m) prejudice
un(e) **ressortissant(e)** national, citizen
le **sol français** French soil

## 7.2 L'immigration – une nécessité pour l'économie française

**ardu(e)** hard, taxing
**y arriver** to succeed
**attirer** to attract

une **aubaine** good opportunity
la **clientèle** customers
une **compétence** skill
la **concurrence** competition
la **croissance** growth
**croître** to grow
**être en phase** to understand, be on the same wave length
**embaucher** to employ
**exercer la profession** to pursue an occupation
se **lancer** to try, dare do something
**marcher** to do well
**méprisé(e)** frowned upon
**monter sa propre boîte** to start one's business
se **passer de** to do without
un **patron** boss
**en plein essor** growing, soaring
se **plaindre** to complain
**recruter** to recruit
la **retraite** pension; retirement
un **titre de séjour** residence permit

## 7.3 L'immigration et l'enrichissement culturel de la France

**apporter** to contribute
un **apport** contribution
**élargir** to broaden
une **empreinte** footprint, trace
**emprunter** to borrow
un **emprunt** loan
**enrichir** to enrich, improve
l' **enrichissement** (m) enrichment
**d'ailleurs** from somewhere else
un **hommage** tribute
**faire hommage à** to pay tribute to
**imprégner** to have an impact on
le **métissage** mix
le **patrimoine** heritage
une **récompense** reward
une **recette** recipe
**reconnaître** to recognise, acknowledge
la **résonance** sound
une **saveur** flavour, taste
un **plat** dish

# UNITÉ 8

## Les défis de l'immigration et de l'intégration en France

## Theme objectives

This unit looks at the challenges of immigration in France, focusing on:
- the effects of immigration on local people
- the challenges and benefits of immigration and multiculturalism
- issues surrounding multiculturalism in France

**The content in this unit is assessed at A-level only.**

## Grammar objectives

You will study and practise the following grammar points:
- using demonstrative pronouns and demonstrative adjectives
- using possessive pronouns and possessive adjectives
- acquiring a wider range of uses of the subjunctive

## Strategy objectives

You will develop the following strategies:
- extracting and summarising information from a longer passage
- researching an event or series of events
- translating from French to English to give authentic English

# 8.1 Vivre ensemble

- Comprendre les effets de l'immigration sur la localité
- Utiliser les pronoms et adjectifs démonstratifs
- Extraire et résumer les informations d'un long extrait

## On s'échauffe

**1 a** Regardez la carte du monde page 7.
En considérant la position géographique de la France et sa situation économique, faites une liste des raisons pour lesquelles les immigrés décident de venir en France.

**1 b** Maintenant comparez vos raisons à celles de votre partenaire et présentez-les à votre groupe.

# Entente ou tension entre les populations locales et nouveaux arrivants ?

Nous avons demandé à nos lecteurs de nous faire part de leur expérience de l'immigration, qu'elle soit volontaire ou forcée, ou de leur expérience en tant que nouveaux arrivants.

Philippe, 45 ans

J'ai entendu dire que les écoles allaient s'organiser pour accueillir des réfugiés mais celles-ci ne sont-elles pas déjà surchargées ? Apparemment on va rouvrir des écoles. Celles qu'on avait fermées, celles pour lesquelles la population locale avait manifesté pour qu'on ne supprime pas de classes. Je me demande comment soudainement le gouvernement va trouver des logements et des places d'école disponibles ? Et nos familles locales qui ont dû envoyer leurs enfants dans des écoles à des dizaines de kilomètres ! Et les crèches. Tous ces nouveaux enfants... on va leur trouver des places alors que les mamans de ma ville qui travaillent sont sur la liste d'attente souvent depuis plus d'une année. Je pense qu'on en fait trop pour ces populations au détriment de nos familles.

Maryse, 62 ans

Certains disent que cette situation est ingérable avec tous ces immigrés à qui on accorde toutes ces aides. Cette attitude est vraiment navrante. Bien qu'on entende souvent dire que les services publics croulent sous la pression des immigrés puisque soi-disant ceux-ci sont les principaux bénéficiaires des aides sociales, moi je ne suis pas d'avis que notre pays pâtit de l'immigration. Il suffit d'aller dans nos hôpitaux pour s'apercevoir que sans ces médecins et infirmières étrangers nos services ne pourraient pas fonctionner. J'ai entendu dire récemment que mon hôpital ne pourrait pas survivre sans ces professionnels de santé étrangers.

Abdul, 35 ans

Nous n'aurions pas pu nous intégrer si vite ici sans l'aide d'un groupe de bénévoles de notre quartier. Quand nous sommes arrivés, ceux-ci nous ont aidés à nous installer en s'assurant que nous touchions l'aide matérielle qui était disponible. Grâce à cette association nos enfants ont pu recevoir des cours de français donnés par des volontaires pour les immigrés allophones et moi, ils m'ont aidé à trouver un travail dans une entreprise locale. Cet emploi m'a permis de pouvoir subvenir aux besoins de ma famille. Je ne sais pas ce que nous aurions fait sans ce soutien. Je les remercie chaleureusement.

**2 a** Lisez le forum et trouvez des antonymes pour les mots ou expressions qui suivent.

1 vide
2 auquel on ne peut pas avoir recours
3 en pensant à
4 qu'on peut maîtriser
5 une personne qui donne

6 profiter
7 un salarié
8 ne pas avoir le droit à quelque chose
9 une personne qui parle français
10 avec amertume

**2 b** Relisez le forum et choisissez les *quatre* phrases correctes.

1 Les écoles ont la capacité de recevoir plus d'élèves.
2 On promet aux immigrés ce qu'on a enlevé aux populations locales.
3 Les enfants des populations locales ont été forcés de changer d'école.
4 La garde d'enfants de la ville sera attribuée aux parents immigrés qui trouveront un travail.
5 Maryse n'est pas contre l'immigration.
6 Maryse déplore la situation du système de santé en France.
7 La famille d'Abdul n'a eu droit qu'aux dons des associations de son quartier.
8 Abdul est reconnaissant de l'aide que lui et sa famille ont reçue.

**2 c** Translate Abdul's forum contribution into English.

**Grammaire**

**Les pronoms et adjectifs démonstratifs (Demonstrative pronouns and adjectives)**

Study B5 and C4 in the grammar section.

1 In the web forum on page 162, find:
 ● five different demonstrative adjectives — two masculine singular, one feminine singular, one masculine plural and one feminine plural
 ● three different demonstrative pronouns — one masculine plural, two different feminine plural
2 Copy the phrases and translate them into English.

**3** Choisissez le bon adjectif/pronom dans chaque phrase.

1 *Ces/ceux/celles* politiciens, ils sont tous malhonnêtes !
2 Des deux solutions, je préfère *celui-là/celle-là/cette*.
3 *Ce/celui/celle* qui t'a parlé est un clandestin.
4 *Ce/celle/cette* réponse est nettement préférable.
5 Qui est-ce que vous préférez ? *Ceux/Celles/Ce* qui sont bien organisées !
6 Est-ce que c'est *ce/cet/celui* titre de séjour dont tu parles ?
7 Quels critères ? *Ces/Ceux/Celles* que vous avez dans votre document !
8 *Ce/cet/celui* officier dont vous parlez, c'est bien lui ?

**Manifestations pour le retour de Léonarda**

**4 a** L'affaire Léonarda. Écoutez l'entretien. Répondez aux questions suivantes en français en utilisant vos propres mots autant que possible.

1 De quelle origine est Léonarda ?

2 Quel âge avait Léonarda lors de cette affaire ?

3 Où est-ce que sa famille résidait exactement ? [*deux détails*]

4 Cette affaire s'est passée il y a combien de temps ?

5 Qui était présent lors de l'interpellation de la jeune fille ? [*deux détails*]

6 À part de nombreuses associations, le Parti socialiste et le Parti communiste, qui s'est joint à cette révolte ? [*deux détails*]

7 Contre qui est-ce que la population exprime son mécontentement ?

8 Qu'est-ce que Léonarda a décidé de faire finalement ?

**4 b**  Écoutez l'entretien de nouveau. Pour chaque phrase choisissez la bonne option.

1 Léonarda a été expulsée…

   a …en même temps que son père.

   b …après son père.

   c …avant son père.

   d …sans sa famille.

2 La famille vivait dans un centre de demandeurs d'asile…

   a …depuis moins de cinq ans.

   b …depuis plus de cinq ans.

   c …depuis peu.

   d …depuis leur arrivée en France.

3 La police a emmené Léonarda…

   a …après l'école.

   b …hors de l'école.

   c …avant le début des classes.

   d …dans sa classe.

4 Le professeur de Léonarda…

   a …n'a pas essayé d'arrêter l'interpellation.

   b …a tenté d'arrêter l'interpellation.

   c …a laissé la classe.

   d …a regardé sans rien dire.

5 En ce qui concerne la situation des Roms en France, cette affaire était…

   a …la première polémique.

   b …une polémique parmi d'autres.

   c …la polémique la plus importante.

   d …celle qui a duré le plus longtemps.

6 Devant la réaction de la population, le Ministre de l'Intérieur…

   a …se sent forcé de quitter le gouvernement.

   b …change d'avis.

   c …demande à Léonarda et à sa famille de revenir.

   d …maintient sa décision.

7 François Hollande a tout d'abord…

   a …défendu le Ministre de l'Intérieur.

   b …critiqué la décision du Ministre de l'Intérieur.

   c …exprimé son désaccord.

   d …changé la loi.

8 François Hollande a par la suite…

   a …émis des conditions sur le retour de Léonarda.

   b …autorisé Léonarda et sa famille à revenir.

   c …interdit à Léonarda de revenir.

   d …dit que Léonarda devait continuer ses études en France.

**5** Traduisez ce passage en français.

**Monday 1 March 2010: an historic day**

'24 hours without us' took place for the first time in 2010 in France and other European countries. On that day the organisers asked all immigrants to stop work for 24 hours. Hundreds of immigrants gathered in Paris and in other French cities as well as in Spain, Italy and Greece. With this action immigrants wanted to demonstrate what immigration brings to the economy of these countries. They also wanted to denounce the increasing number of racist acts and the persecution and stigmatisation that immigrants are victims of.

---

## Stratégie

### Extract and summarise information from a longer passage

Very often in a longer passage, a lot of information will be repeated using synonyms or synonymous expressions and some information will not necessarily be essential.

When extracting information, concentrate on the main details:
- Start with 'what', 'when', 'who', 'where', 'why', 'for how long', 'how'. Not all these question words will be appropriate for all passages.
- Work through each paragraph at a time, extracting the main point for each one.

- Make notes.
- Go over your notes and then in *your own words* write a sentence about each aspect. While using your words, reuse some of the new vocabulary or structures that you have come across in the text but *manipulate* them.
- Now link all your information together, using appropriate connectives and time markers, to create a *coherent summary*.
- Finally, check that you have not added any other extra information that was not in the original text.

---

**6 a** Faites des recherches sur la réaction des Français à l'arrivée de réfugiés ou d'immigrants dans leur ville ou village. Prenez des notes. Trouvez :
- des exemples positifs d'associations par exemple, qui ont offert leur aide aux nouveaux arrivants
- des exemples négatifs de populations locales qui sont contre ces vagues d'immigration

**6 b** Écrivez un résumé de ce que vous avez trouvé en utilisant la case stratégie.

**7 a** Voici deux affirmations :
- Les Français accueillent les immigrés à bras ouverts.
- Nombreux sont les étrangers qui ressentent l'hostilité des populations autochtones.

Avec votre partenaire choisissez une affirmation chacun(e). Avant d'en discuter vous avez cinq minutes pour utiliser vos notes pour faire une liste d'arguments et d'exemples. La personne qui a choisi la deuxième affirmation va commencer la discussion.
- Présentez votre avis sur la question.
- L'autre personne utilisera ses exemples pour vous contredire.
- Parlez pendant cinq minutes.
- Inversez les rôles et utilisez des idées et des exemples qui n'ont pas encore été utilisés.

**7 b** Choisissez une des affirmations dans l'exercice 7a. Écrivez un paragraphe dans lequel vous présenterez votre avis et dans lequel vous inclurez des exemples en faveur et contre l'affirmation.

# 8.2 Les défis et bienfaits de l'immigration et du multiculturalisme

- Découvrir les défis et bienfaits engendrés par le multiculturalisme et l'immigration
- Utiliser les pronoms et adjectifs possessifs
- Faire des recherches sur un événement ou une série d'événements

## On s'échauffe

**1 a** On entend souvent dire que les immigrés profitent du pays où ils résident. Est-ce vrai ou est-ce que leur contribution n'est pas toujours valorisée ? Faites une liste des contributions positives que les immigrants peuvent apporter à un pays et une sur les inconvénients qui peuvent être causés par les immigrés.

**1 b** Comparez vos idées à celles de votre partenaire. Êtes-vous d'accord ?

**2 a** Lisez la brochure. Expliquez avec vos propres mots les mots et expressions en caractères gras.

**2 b** Relisez la brochure. Dites si les phrases suivantes sont vraies (V), fausses (F) ou pas mentionnées (PM).

1 Selon le texte, les avis sur les contributions de l'immigration sont mitigés.

2 Personne ne nie que les Maghrébins font tout ce qu'ils peuvent pour s'intégrer.

3 La France a dépensé une somme astronomique l'an passé pour assister la communauté maghrébine en particulier.

4 Selon le journaliste la contribution des immigrés est vitale au bon fonctionnement de l'économie française.

5 Les immigrés font partie des couches les plus précaires de la société.

6 La France doit dépenser beaucoup d'argent pour les aides sociales destinées aux immigrés.

7 Selon le texte, les immigrés en France font face à davantage d'injustices dans le secteur professionnel.

8 Selon le texte, le pays d'origine peut avoir une influence sur la réussite des immigrés en France.

# LES CONTRIBUTIONS ÉCONOMIQUES DE L'IMMIGRATION EN FRANCE

D'un côté on dit que les immigrés sont une chance pour notre France, qu'ils ne coûtent rien à ses finances publiques. De l'autre, on considère que les immigrés, et en particulier ceux du Maghreb et d'Afrique coûtent des milliards, ne font aucun effort pour rejoindre la République et préfèrent **l'assistanat** et **le travail au noir**.

## Sans ses 1,3 millions de travailleurs immigrés légaux, la France ne serait pas la 6° puissance économique mondiale.

- Les immigrés **occupent des fonctions** que les « Français de souche » ne veulent pas.
- 65 pour cent des patrons du BTP* concèdent qu'ils ne peuvent pas **faire tourner** leurs entreprises sans eux.
- En outre, les médecins étrangers **font marcher** nos hôpitaux et les informaticiens nos réseaux.

## Les immigrés coûtent-ils cher à la France ?

Le taux de pauvreté des foyers immigrés est trois fois supérieur à celui de la moyenne française. Il est donc normal qu'ils consomment plus de **prestations sociales**. Au total, leurs aides sociales représentent 24.2 pour cent du revenu pour les immigrés africains par exemple et 6.6 pour cent pour ceux nés dans l'Union européenne. C'est le reflet de leur faible insertion dans le travail : un taux de chômage moyen de 8,8 pour cent pour les enfants de personnes nées en France et de 24 pour cent pour ceux dont les parents sont non-européens.

Mais ce ne sont pas les seuls éléments: la République **n'a jamais lésiné sur l'argent** destiné à favoriser l'intégration : 5 milliards par an pour les HLM, 1 milliard pour l'éducation prioritaire et des centaines de millions pour les associations d'insertion. La République investit lourdement dans ses minorités.

## Des résultats mitigés...

Une étude a récemment montré que 26 pourcent des jeunes immigrés asiatiques **décrochaient** un diplôme universitaire contre 8 à 15 pour cent pour ceux dont les parents sont arrivés d'Afrique ou du Maghreb. Sans aucun doute, le poids de la crise, la ghettoïsation, les discriminations **à l'embauche** sont à considérer mais ce ne sont pas les seules explications de ce **décalage** : la réussite des immigrés d'Asie en est la preuve. Les économistes estiment que l'adhésion aux codes économiques et sociaux de la société française joue aussi un rôle important dans l'intégration.

*BTP – l'industrie du bâtiment

www.rtl.fr

---

## Grammaire

### Les pronoms et adjectifs possessifs (Possessive pronouns and adjectives)

Study B6 and C3 in the grammar section.
1. In the brochure above, find six phrases containing examples of possessive adjectives.
2. Write them down and translate them into English. For each one, say what gender they are, what person they are and whether they are singular or plural.
3. Now change them into possesive pronouns, respecting the gender, the person and whether they are singular or plural.

**3** Remplissez les blancs par la traduction française des mots en italique.

**1** ......... France ? Et les enfants d'immigrés ? La France est ......... aussi ! *our, theirs*

**2** Ahmed est arrivé ici avec tous ......... , mais dépourvu de ......... argent. *his (people), his*

**3** Pour Maria et Asaf, ......... chef d'État était pire que ......... . *their, yours*

**4** ......... politiciens sont meilleur que ......... . *your (tu), ours*

**5** ......... aide à domicile a été plus efficace que ......... . *my, hers*

**6** *Pour faire tourner* ......... *entreprises, il faut imiter* ......... . *our, theirs (pl)*

**7** Je préfère ......... approche à ......... . *your (tu), mine*

**8** ......... prestations sociales sont moins importantes que ......... . *her, mine*

Les enfants d'immigrés sont-ils bien intégrés ?

**4 a** L'intégration des enfants d'immigrés. Écoutez la première partie de ce reportage et répondez aux questions suivantes en français en utilisant vos propres mots.

**1** Pourquoi est-ce que les enfants d'immigrés, selon ce reportage, peinent moins avec la langue française que leurs parents? [*deux détails*]

**2** Que dit-on sur la situation face au chômage des enfants d'immigrés et leurs parents ? [*deux détails*]

**3** En quoi la situation des fils est-elle différente de celle des filles ?

**4** Que dit-on sur les femmes étrangères de premières générations d'immigrés ?

**4 b** Écoutez la seconde partie du reportage et répondez à ces deux questions en français en utilisant vos propres mots.

**1** Résumez comment les enfants d'immigrés décrivent leur situation actuelle. [*deux détails*]

**2** Résumez en quoi, selon eux, leur situation est similaire à celle de leurs parents. [*deux détails*]

**5** Traduisez ce passage en français.

**Calais is overflowing!**

French authorities have just announced that the number of illegal immigrants in Calais has increased significantly in the last year. Migrants have been coming to Calais for a long time now with the hope to claim asylum in the UK, but this recent increase is mainly due to humanitarian crises in the Middle East, with thousands of people displaced because of the civil wars. The situation in Calais has led for some time now to a growing number of sanitation problems and violent clashes with locals. For years now, migrants have been living in camps known as 'the jungle'.

## Stratégie

### Research an event or a series of events

- **Undertake your research in French.** When researching an event, it is important that you use a French-language search engine, e.g. ending in *.fr*. This will give you appropriate language.
- **Use key words.** Research the event using key dates, key people or key words related to the event.
- **Pick the most useful information.** Look at different websites and decide which one best describes the event and gives you the most comprehensive information.

- **Get the 'big picture'.** Some websites may be biased, so it is important to look for a range of websites. On this occasion it may be useful to have a quick look at an English website to see if the information is treated in the same way.
- **Use your own words.** Remember not to lift information straight from an article. Use your own words, manipulate the new language from the article and pick out topic-specific vocabulary.

**6 a** En vous servant de la case stratégie, faites des recherches sur des événements, récents ou non, liés à l'immigration clandestine. Prenez des notes.

**6 b** Une fois vos recherches terminées, en groupe posez-vous des questions pour savoir ce que vos partenaires ont recherché.

**7 a** Avec votre partenaire, faites un inventaire des raisons pour et contre la question suivante :

- Pensez-vous que l'immigration soit un fardeau ou un atout pour la France ? Justifiez votre opinion.

Maintenant, faites un remue-méninges des bonnes expressions et des conjonctions de coordination que vous allez utiliser dans votre débat. Puis, à tour de rôle présentez vos arguments en faveur et contre cette question.

**7 b** Rédigez un paragraphe dans lequel vous présenterez les deux côtés de l'argument, soutenus par des exemples concrets.

# 8.3 Les enjeux du multiculturalisme en France

- Comprendre les enjeux du multiculturalisme en France
- Élargir son utilisation du subjonctif
- Traduire du français vers l'anglais, en s'assurant que l'anglais soit authentique

## On s'échauffe

**1 a** Faites un inventaire des mots que vous connaissez qui peuvent s'utiliser pour parler du multiculturalisme et organisez-les en deux listes – une positive et une négative.

**1 b** Maintenant, avec votre partenaire, choisissez à tour de rôle des mots des listes de l'un(e) et l'autre et faites des phrases avec ceux-ci. Essayez de faire référence à des situations liées au multiculturalisme que vous connaissez ou dont vous avez entendu parler.

**2 a** Lisez l'article page 171. Trouvez des synonymes ou expressions similaires pour les mots soulignés. Essayez de déduire leur sens avec le contexte. En dernier recours, utilisez un dictionnaire.

**2 b** Relisez l'entretien. Répondez aux questions suivantes en français.

1 De quelle façon l'immigration a-t-elle affecté la France ?

2 En quoi l'immigration n'est-elle pas compatible à la société française ?

3 De quelle manière est-ce que les Français réagissent à cette immigration ?

4 Qu'est-ce que la France n'a pas fait à ce jour en ce qui concerne l'immigration ?

5 Qu'est-ce que la diversité empêche la France de faire ?

6 Pourquoi est-ce que la France devrait être plus ouverte au multiculturalisme ?

7 Selon la vision optimiste, à quoi sommes-nous en train d'assister ?

8 En quoi est-ce que l'attitude de la France n'adhère pas à l'attitude européenne du XXI^ème siècle ? [*deux détails*]

## Grammaire

### More uses of the subjunctive

Study H15 in the grammar section.

1 Look again at the article on page 171 and find seven verbs in the subjunctive.

2 Copy out the phrases containing the subjunctives and translate them into English.

3 For each one identify why the subjunctive has been used. Can you also identify the rule for each example?

# Vive la diversité ?

**Le multiculturalisme est-il compatible avec les valeurs de la France ?**

Depuis les années 1970, la France connaît de profonds changements dans la composition de sa population et l'Hexagone est donc devenu un état multiculturel regroupant des populations aux caractéristiques variées que ce soit au niveau de l'appartenance religieuse, des coutumes, des pratiques socio-culturelles, ou encore des rapports entre les sexes.

La montée des communautarismes semble représenter un schéma de société contraire aux principes de la République. En effet ce mouvement s'accompagne d'un ressentiment important d'une partie des Français, qu'il s'agisse de populations « autochtones » ou de descendants d'immigrés européens, vis-à-vis des nouveaux arrivants d'origine extra-européenne. Face à ce phénomène, les autorités politiques paraissent désemparées, ne sachant pas comment adapter les institutions aux évolutions de la démographie du pays, qui conduiront au renforcement du caractère multiculturel de la France. Dès lors, deux visions de la société française s'opposent.

## 1 Une vision conservatrice et pessimiste

Quoi que certains fervents du multiculturalisme puissent dire, la première vision, conservatrice et pessimiste quant au devenir d'une conception républicaine et homogène de la société sur le plan culturel, considère que le multiculturalisme mène nécessairement à la dissolution pure et simple de l'identité et de l'unité nationale. La fragmentation de la société en diverses communautés, que ce soit d'un point de vue socio-culturel, économique ou politique, entraînerait la disparition de l'État-nation comme entité politique pertinente, puisque plus personne ne s'y reconnaîtrait comme citoyen.

## 2 Une vision pragmatique et optimiste

La seconde vision, pragmatique et plus optimiste, considère qu'une société multiculturelle peut être compatible avec les principes d'une République, par exemple, les trois piliers que sont « liberté, égalité, fraternité », dont l'interprétation induit la tolérance mutuelle, le pluralisme, la laïcité publique respectueuse du métissage des cultures et un modèle de justice, pourraient servir de socle* à la nouvelle identité nationale.

La France doit réfléchir à la constitution d'un modèle politique à la fois compatible avec sa tradition républicaine et avec les exigences plus libérales d'une société multiculturelle caractéristique de l'Europe occidentale du XXI^ème siècle, qui fasse en sorte que la société qui se dessine serve d'exemple.

*le socle – *the basis*

http://leplus.nouvelobs.com

---

**3** **Écrivez la bonne forme du présent du subjonctif à la place de chaque infinitif entre parenthèses.**

1 Je suis optimiste, à condition que l'on .......... (*prendre*) encore des mesures positives dans les banlieues.

2 Pour que vous le .......... (*savoir*), les Français ne sont pas racistes.

3 Pour faciliter le multiculturalisme, il faut que la construction des ghettos .......... (*être*) arrêtée.

4 Bien qu'on .......... (*faire*) des progrès là-dessus, il reste du travail à faire.

5 Supposez que l'on .......... (*suivre*) le modèle britannique, quel en serait le résultat ?

6 Sans que nous y .......... (*verser*) des fonds considérables, l'initiative ne va pas marcher.

7 J'envisage un avenir heureux, pourvu que nous ........... (*commencer*) à faire des progrès côté immobilier.

8 Nous allons continuer à y travailler, jusqu'à ce que nous .......... (*réaliser*) notre but.

La France, une société multiculturelle

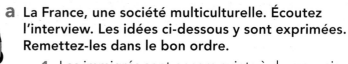

**4 a** La France, une société multiculturelle. Écoutez l'interview. Les idées ci-dessous y sont exprimées. Remettez-les dans le bon ordre.

1 Les immigrés sont encore sujets à de mauvais traitements.

2 Environ un quart des Français sont métissés.

3 De nos jours l'immigration n'est plus principalement en provenance des anciennes colonies.

4 Les flux migratoires vers la France ne sont pas récents.

5 Le multiculturalisme est généralement bien accueilli.

6 Selon les Français, la France est un pays très multiculturel.

**4 b** Réécoutez l'interview. Choisissez la bonne option pour chaque phrase.

1 Selon l'interview, une des façons dont les Français se différencient les uns des autres est…

   a …leur héritage.

   b …les langues qu'ils parlent.

   c …leur physique.

   d …leurs familles.

2 Parmi les Français interrogés, un plus grand nombre déclarent…

   a …qu'ils parlent une autre langue.

   b …qu'ils ont des parents de plusieurs cultures.

   c …qu'ils voudraient être issu d'une famille d'origine étrangère.

   d …que la France est très multiculturelle.

3 Avec sa deuxième question, le présentateur demande…

   a …si les Français sont contre le mélange des cultures.

   b …si la mixité culturelle est accueillie à bras ouverts.

   c …ce que pensent les Français du multiculturalisme.

   d …si le brassage des cultures est mal vu en France.

4 Selon le texte, les minorités ethniques en France…

   a …n'ont jamais été ignorées.

   b …sont acceptées depuis longtemps.

   c …ont longtemps été ignorées.

   d …s'ignorent les unes les autres.

5 La France…

   a …a connu deux siècles d'immigration importante.

   b …a toujours accueilli les immigrés provenant d'Afrique.

   c …a commencé à accueillir les Français ultramarins vers le milieu des années 1900.

   d …n'a jamais cessé d'accueillir de nouveaux arrivants.

6 Le terme « issus de la diversité » pour parler des immigrés…

   a …n'est pas si bien accepté par les immigrés.

   b …a toujours été utilisé.

   c …est bien accepté par les immigrés.

   d …est, selon les immigrés, très évocateur de la société actuelle.

7 Depuis peu la France connaît…

   a …une immigration en baisse.

   b …une immigration en hausse.

   c …un autre type d'immigration.

   d …une immigration plus européenne.

8 Selon l'interview, les Européens de l'Est émigrent en France principalement pour…

   a …échapper aux persécutions.

   b …trouver du travail.

   c …faire fortune.

   d …pour pouvoir ensuite aller dans d'autres pays.

## Stratégie

### Translating from French to give authentic English

When translating from French into English, it is important that what you produce reads like authentic English:

- Remember that a word-for-word translation is unlikely to work.
- Skim through the text and spot particular grammar and linguistic structures. For instance, *en …ant*, subjunctive triggers, idiomatic phrases.
- Once you have identified the tricky elements, think how these are expressed in English.

- What is the idea that you want to translate? What do we say in English? It is easy to be influenced by the French structures and syntax.
- Write your initial thoughts down and read the text again.
- Then have another look at your English translation and evaluate whether your English is authentic.

Put these ideas into practice as you carry out exercise 5.

**5** Translate the following text into English.

**Everyone against racism**

SOS Racisme, la LICRA et le MRAP sont les trois associations les mieux connues en France qui combattent le racisme et l'antisémitisme et tout le monde a entendu parler des campagnes qu'elles mènent sans relâche contre les actes antiracistes. Quelles que soient les injustices ou les victimes elles n'hésitent jamais à montrer les coupables du doigt pour que les droits des immigrés soient respectés. Toutefois, bien qu'elles luttent activement contre les discriminations depuis de nombreuses décennies maintenant, il est déplorable que les immigrés et leurs descendants fassent toujours face à des traitements injustes.

**6 a** Avec votre partenaire, faites une liste d'arguments qui soutiennent cette déclaration et d'arguments qui s'y opposent. Décidez si vous êtes d'accord ou non.

> Nicolas Sarkozy, ancien Président de la République française, a un jour déclaré que « le multiculturalisme est un échec » en France.

**6 b** Faites maintenant un débat en groupe. Si vous n'êtes pas d'accord, exprimez votre désaccord et continuez en le justifiant avec un ou deux exemples concrets. Assurez-vous d'utiliser des expressions comme celles que vous voyez ci-dessous pour réagir aux idées de vos partenaires.

| | |
|---|---|
| ce que tu dis est tout à fait vrai | tu n'as pas tout à fait raison |
| il y a une part de vérité dans ce que tu dis | tu te trompes, c'est insensé ce que tu viens de dire… |
| tu as complètement raison | |

**6 c** Écrivez un paragraphe dans lequel vous incluerez un argument qui soutient les propos de M. Sarkozy et un contre. Finissez votre paragraphe avec votre opinion personnelle.

# Vocabulaire

## 8.1 Vivre ensemble

**accorder à qqn de** (+ infinitive)  to grant someone to
un(e) **citoyen(ne)**  citizen
un(e) **descendant(e)**  descendant
**être en règle**  to be legal
**expulser**  to deport, expel
l' **expulsion** (f)  deportation
une **interpellation**  arrest, questioning
un **flux migratoire**  migration
une **frontière**  border
**ingérable**  unmanageable
la **loi**  law
**prévoir**  to foresee
**rapatrier**  to send back
**régulariser**  to make legal
un **sans-papiers**  illegal immigrant
en **situation irrégulière**  illegal, without the necessary legal documents
**surchargé(e)**  overloaded
une **terre d'accueil**  host land, country
un **titre de séjour**  residency permit
**toucher**  to earn

## 8.2 Les défis et bienfaits de l'immigration et du multiculturalisme

l' **aide sociale**  state benefits
les **allocations sociales**  state benefits
un **affrontement**  a clash
l' **assistanat** (m)  dependency
**avoir de la peine à**  to struggle to
se **battre contre**  to fight
un **bienfait**  benefit
la **collectivité**  community
**combattre**  to fight
la **contribution**  contribution
une **crise humanitaire**  humanitarian crisis
un **défi**  challenge
**dépendre de**  to depend on
la **discrimination raciale**  racial discrimination
**être touché(e) par**  to be affected by

**exclu(e)**  excluded
un **fardeau**  burden
l' **inégalité** (f)  inequality
l' **insertion** (f)  inclusion
une **langue**  language
une **minorité ethnique**  ethnic minority
**occuper une fonction**  to work
la **pauvreté**  poverty
**peiner**  to struggle to
les **prestations** (f) **sociales**  social benefits
**profiter de**  to take advantage of
les **revenus** (m)  wages
le **taux**  rate

## 8.3 Les enjeux du multiculturalisme en France

l' **appartenance religieuse**  religious affiliation
les **autorités** (f) **politiques**  political authorities
un(e) **autochtone**  native
le **brassage**  intermingling
**brasser**  to intermingle
la **citoyenneté**  citizenship
le **communautarisme**  communitarianism
une **coutume**  custom
un **enjeu**  issue, challenge
l' **identité** (f) **nationale**  national identity
**lutter**  to fight
un **mélange**  mix
un **métissage**  mix of different races
**métissé(e)**  of mixed race
un(e) **métis(se)**  person of mixed race
le **multiculturalisme**  multiculturalism
**multiculturel(le)**  multicultural
la **diversité culturelle**  cultural diversity
un **état**  state
l' **Hexagone**  France (*France has an hexagonal shape*)
les **mœurs** (f)  ways, customs
les **principes** (m)  principles
**ressentir**  to feel
le **ressentiment**  feeling
la **tradition**  tradition
les **valeurs** (f)  values

# UNITÉ 9

## L'extrême droite

## Theme objectives

This unit looks at the extreme right in France, focusing on:
- the *Front National* (FN)
- the rise of the FN
- the aims of the FN party leaders
- what the public think of the FN

**The content in this unit is assessed at A-level only.**

## Grammar objectives

You will study and practise the following grammar points:
- using comparative and superlative adverbs
- using the passive with tenses other than the present
- using indefinite adjectives and pronouns
- using the perfect subjunctive

## Strategy objectives

You will develop the following strategies:
- checking writing for an appropriate range of language and accuracy
- weighing up opinions and drawing conclusions
- adding variety to language
- using a variety of complex grammatical structures

# 9.1 Le Front National

- Acquérir des connaissances sur l'histoire du Front National
- Utiliser les adverbes comparatifs et superlatifs
- Vérifier que son travail écrit contienne une langue variée, appropriée et précise

## On s'échauffe

Voici trois slogans du FN, parus dans les années 1980 :

> Un million de chômeurs, c'est un million d'immigrés en trop !

> LES FRANÇAIS D'ABORD !

> La France aux Français

**1 a** Traduisez les slogans en anglais.

**1 b** Voici une liste d'adjectifs pour décrire les slogans. Qui emploierait ces adjectifs ? Des gens pour ou contre le FN ? Faites deux listes. Connaissez-vous d'autres adjectifs ?

| | | |
|---|---|---|
| patriotique | raciste | honnête |
| nationaliste | réaliste | xénophobe |
| scandaleux | trompeur | provocateur |

**1 c** Maintenant, avec un(e) partenaire, exprimez des opinions par rapport à ces slogans en utilisant les adjectifs. Décidez qui sera pour et qui sera contre le FN.

## L'HISTOIRE DU FRONT NATIONAL

### La création du FN

Le cinq octobre 1972 : en quête d'une meilleure représentation politique, un petit groupe de mouvements d'extrême droite depuis longtemps connu sous l'appellation de l'Ordre Nouveau lance un nouveau parti. Le Front National voyait ainsi le jour. Jean-Marie Le Pen en fut désigné président. L'Ordre Nouveau défendait des idées nationalistes d'extrême droite et rejetait plus principalement la France d'après-guerre avec ses envies de modernisation et une France dont la population avait changé à cause de l'immigration. L'Ordre Nouveau promouvait plus particulièrement l'idée qu'il fallait donner la priorité à la nation française.

### Jean-Marie Le Pen

Pendant son long parcours politique Jean-Marie Le Pen a tenu de nombreux discours qui ont fait le plus souvent polémique et parfois scandale en France et ailleurs. Le Pen s'est progressivement formé une image de provocateur, de chef de file autoritaire au discours protestataire.

### Les débuts difficiles du FN

Aux élections présidentielles de 1974 Jean-Marie Le Pen n'a atteint que 0,74 pourcent des votes. Le parti a végété pendant une dizaine d'années avant de percer aux élections municipales de 1983. Le FN gagnait en effet son premier succès en utilisant la menace de l'immigration comme atout politique. La population française commençait en effet à mieux comprendre les idées et les buts du FN et les électeurs s'y identifiaient plus facilement. Pour le FN, les non-Européens étaient de plus en plus visibles dans la vie quotidienne française et les coutumes des Maghrébins, plus particulièrement, étaient vécues, le plus fréquemment, comme une menace pour le style de vie des Français.

### Les idées du FN

Le FN lutte pour l'indépendance nationale et les valeurs traditionnelles. Il refuse donc l'intégration européenne.

De plus le FN séduit le plus généralement son électorat avec sa position envers l'immigration et la diversité sociale, qui selon lui, mènent à la perte de l'identité nationale et est en partie responsable de certains maux de la société.

**Jean-Marie Le Pen se présentant pour la présidence**

**2 a** Lisez le dépliant sur le FN. Les idées ci-dessous sont exprimées dans les textes. Associez-les à chaque sous-titre.

1   Ses débuts ont été lents.

2   Les Français de souche sont les plus importants.

3   Le parti est né.

4   Ses idées ont fait outrage.

5   Il voulait avoir plus de pouvoir politique.

6   Il aimait se rebeller.

7   Il a bien choisi son arme politique.

8   Son idée de l'immigré en tant que. bouc-émissaire plaisait de plus en plus aux Français.

**2 b** Relisez le dépliant et choisissez les bonnes fins de phrase.

1   Au début des années 1970, l'Ordre Nouveau…

    **a**   …existait depuis peu.

    **b**   …venait de se former.

    **c**   …était présidé par Jean-Marie Le Pen.

    **d**   …n'était pas nouveau.

2   À cette époque, l'Ordre Nouveau…

    **a**   …manquait de poids politique.

    **b**   …était un parti politique important.

    **c**   …prenait le devant de la scène politique.

    **d**   …venait de naître.

3   L'Ordre Nouveau défendait…

    **a**   …l'idée d'une Europe unifiée.

    **b**   …les guerres.

    **c**   …l'indépendance de la France.

    **d**   …le multiculturalisme.

4   Après la Seconde Guerre mondiale, la France…

    **a**   …était en train de perdre ses valeurs d'avant-guerre.

    **b**   …avait maintenu ses principes.

    **c**   …avait besoin de se moderniser.

    **d**   …était plus nationaliste.

5   Jean-Marie Le Pen…

    **a**   …a outré la population française à de nombreuses reprises.

    **b**   …n'a pas vraiment outré les Français.

    **c**   …a toujours fait outrage avec ses propos.

    **d**   …n'a créé des scandales qu'en France.

6   Jean-Marie Le Pen n'a pas toujours…

    **a**   …voulu être le Président du FN.

    **b**   …été le même personnage.

    **c**   …été dans la politique.

    **d**   …eu les mêmes idées.

7   Les idées de Jean-Marie Le Pen…

    **a**   …ont toujours plu aux Français.

    **b**   …ont mis du temps à plaire aux Français.

    **c**   …ont toujours été contre celles de l'opinion publique.

    **d**   …ont toujours été les mêmes.

8   Le FN attire principalement ses électeurs…

    **a**   …en luttant contre l'Europe.

    **b**   …en défendant la préférence nationale.

    **c**   …en perpétuant les principes français.

    **d**   …en s'attaquant aux préoccupations des Français.

## Les adverbes comparatifs et superlatifs (Comparative and superlative adverbs)

Study D4 in the grammar section.

1. In the leaflet on page 176, find:
   - three regular comparative adverbs
   - three superlative adverbs
   - one irregular comparative adverb

2. Copy the sentences containing the comparative and superlative adverbs and translate them into English.

3. What do you notice about the relationship between comparative and superlative adjectives and comparative and superlative adverbs?

**3** Remplissez les blancs avec l'équivalent français des mots entre parenthèses.

1. Marine Le Pen a agi .......... son père en tant que leader. (*more reasonably than*)
2. Le FN s'est comporté .......... le British National Party (BNP) dans le temps. (*as radically as*)
3. Le BNP anglais a changé .......... le FN. (*less greatly than*)
4. Le FN a changé .......... pendant la présidence de Marine. (*more notably*)
5. En Europe, l'extrême droite a réussi .......... chez la classe moyenne. (*less well*)
6. Grégory a salué ses visiteurs .......... . (*as warmly as possible*)
7. C'était la musique .......... réactionnaire de toutes. (*most profoundly*)
8. Notre patron nous donne des primes .......... le vôtre. (*less frequently than*)

**4 a** Les étapes importantes du Front National. Voici un reportage qui nous parle des étapes importantes dans l'histoire du Front National. Associez les dates aux étapes de l'histoire du FN.

1. les années quatre-vingts
2. les années quatre-vingt-dix
3. 1998
4. fin du vingtième siècle
5. début du millénaire
6. 2002
7. 2011
8. 2014

a. Marine Le Pen impose ses idées
b. un électorat grandissant
c. le FN gagne du terrain
d. Bruno Mégret et Jean-Marie Le Pen sont les deux visages du FN
e. le parti change de discours
f. Jean-Marie Le Pen est évincé par sa fille
g. rupture au sein du parti
h. la première victoire du FN

**4 b** Réécoutez le reportage et dites lesquelles de ces phrases sont correctes. Il y en a quatre.

1. Pendant ses dix premières années le parti n'a connu aucun succès.
2. Bruno Mégret est devenu Président du FN en 1990.
3. Jean-Marie Le Pen a demandé à Bruno Mégret de quitter le parti.
4. Bruno Mégret n'approuvait pas le discours politique de Jean-Marie Le Pen.
5. Marine Le Pen a su réagir à la perte de crédibilité.
6. Jean-Marie Le Pen a failli être Président de la République.
7. Marine Le Pen a perpétué les idées de son père.
8. La tactique politique de Marine Le Pen n'a pas porté ses fruits.

**5** Translate this passage into English.

**The FN logo**

Depuis que le Front National existe, plusieurs logos représentant principalement une flamme se sont succédés. Le logo du FN n'est pas une création originale, le FN s'est inspiré du logo du parti fasciste italien le MSI. À part les couleurs, la première flamme du FN – une flamme bleu, blanc et rouge sur une base rouge où on peut lire le nom du parti en lettres blanches est copié sur le graphisme de la flamme du MSI. Le parti italien représente une inspiration politique pour le FN et lui a fourni plus particulièrement de l'aide financière.

## Stratégie

### Check your writing for an appropriate range of language and accuracy

Once you have made a first draft for your work, follow these steps to improve your piece of writing.

- Make sure you have used some of the topic-specific vocabulary you have just learnt.
- Are there any well-known words or repetitions? Replace some of them with more interesting synonyms. Look in a French dictionary to check the difference between synonyms.
- Have you included a few recent grammar points that you have covered in class?

- Ensure that you have experimented with the grammar point that you have learnt.
- Ensure that you have looked at your last few pieces of writing. What were your mistakes/your targets? Have your addressed them in this piece of writing?
- Finally check for accuracy: check your adjectives, verb endings, plurals, genders and your tenses.

**6 a** Lisez le dépliant page 176 et écoutez le reportage une nouvelle fois. Prenez des notes sur les points suivants. Utilisez vos propres mots ainsi que la case stratégie et la grammaire. Les mots suivants sont à utiliser. Il faudra bien sûr les modifier selon vos phrases.

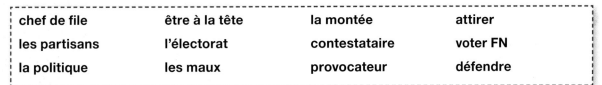

| chef de file | être à la tête | la montée | attirer |
| les partisans | l'électorat | contestataire | voter FN |
| la politique | les maux | provocateur | défendre |

- Les idées de Jean-Marie Le Pen
- Les idées du parti
- Les raisons du succès du FN
- Les élections de 2002
- Les raisons pour lesquelles les gens votent FN
- Les autres figures du FN et leur influence sur le parti

**6 b** Avec votre partenaire discutez maintenant de l'idée suivante :

« Ceux qui votent FN sont racistes. »

**6 c** Écrivez un paragraphe pour résumer votre opinion. Êtes-vous plus en faveur ou contre l'affirmation ? Pourquoi ?

## 9.2 La montée du Front National

### On s'échauffe

**1 a** Un petit remue-méninges. Faites une liste de mots qui se rapportent au Front National. Organisez-les selon leur fonction grammaticale.

**1 b** Faites une liste des raisons pour lesquelles certaines personnes décident de voter pour le FN.

**1 c** Maintenant comparez vos idées à celles de votre partenaire et présentez-les à votre groupe.

# La montée du Front National

**Le FN n'a jamais semblé aussi fort dans l'opinion. Comment expliquer une telle montée ?**

L'électorat frontiste est sensible aux thèmes de prédilection du FN tels que l'immigration, l'insécurité, le chômage et la baisse du pouvoir d'achat. L'autre facteur d'explication du vote tient à sa dimension contestataire. Le vote FN a longtemps été interprété comme une manière de signifier un « ras-le-bol », les élites étant perçues à la fois comme incapables et responsables du déclin français.

Les enquêtes soulignent aussi que le cœur de l'électorat FN est issu des franges les plus socialement vulnérables de la population. De plus, après les émeutes de 2005 dans certaines banlieues françaises, le FN a gagné davantage de votes à cause de l'insécurité grandissante dans les banlieues et leur ghettoïsation.

Pour comprendre les raisons pour lesquelles les électeurs sont sensibles aux arguments du FN, il est nécessaire de s'interroger sur les mutations du pays. Certaines régions se sont développées tandis que d'autres pas autant. Suite au déclin très rapide de l'industrie lourde – métallurgie, mines de charbon – au profit de l'industrie de pointe, comme l'aéronautique, le territoire a été redessiné, créant une fracture entre une France des oubliés, à laquelle s'adresse le FN, et une France dynamique, urbaine, ouverte sur la mondialisation. Dans l'Est et le Nord de la France par exemple, qui pendant longtemps étaient organisés autour des mines de charbon et du textile, la désindustrialisation et le chômage sont tels qu'une part croissante de la population

a été emparée d'un sentiment d'abandon, ce qui a favorisé l'implantation du FN. Le FN s'adresse en priorité à ces populations qui ont été laissées en marge de la modernisation et de la mondialisation.

D'ailleurs, le but pour le FN est aussi de montrer que la France est en situation d'« insécurité culturelle ». Le franc a déjà été détruit par l'euro. Marine Le Pen prédit maintenant que les clochers et les bistrots vont être remplacés par des mosquées et des fast-foods halal. Pour le FN il ne s'agit plus seulement d'accuser les immigrés de tous les maux, mais il semble que l'identité nationale soit mise en danger par la religion musulmane.

www.scienceshumaines.com

**2 a** Lisez l'article. Trouvez les synonymes des mots ou expressions suivants.

| | |
|---|---|
| **1** rebelle | **5** les minorités |
| **2** ceux qui votent | **6** se poser la question/réfléchir |
| **3** l'argent que les gens possèdent | **7** a été changé |
| **4** le mécontentement | **8** a été prise/envahie |

**2 b** Relisez l'article. Choisissez les *quatre* phrases vraies.

**1** Le FN doit sa popularité à son combat contre ce qui préoccupe les Français.

**2** L'électorat FN est le plus important dans le Nord de la France.

**3** En votant FN, les électeurs veulent montrer leur manque de confiance en les dirigeants.

**4** La majorité des Français accueillent la diversité culturelle à bras ouverts.

**5** Plus la France délaisse ses citoyens, plus ils se sentent attirés par le FN.

**6** L'islam gagne du terrain en France.

**7** Le FN a lutté contre la désindustrialisation.

**8** Le discours du FN envers l'immigration et les immigres n'a pas changé.

---

### Grammaire

Utiliser la voix passive avec d'autres temps que le présent (Use the passive with tenses other than the present)

Study H16 in the grammar section.

1 Read the article on page 180 and find ten examples of the passive voice.

2 Copy the verbs and translate them into English.

3 What are the different tenses used?

4 What do you notice when an adverb is used?

---

**3** Utilisez *on* dans chacune des phrases qui suivent pour exprimer le passif d'une autre façon.

**1** Une certaine fraction de la population a été séduite par ces politiques.

**2** Vers la frontière avec le Rhin, des tombes juives avaient été profanées.

**3** Pendant les émeutes, une manifestante a été tuée par accident.

**4** Le maire de Toulon sera choisi aux prochaines élections.

**Maintenant faites le contraire avec les phrases ci-dessous.**

**5** On m'a accusé de tricher avec les contrats.

**6** Mais on m'exonéra de toute faute professionnelle au tribunal.

**7** On avait applaudi le succès du FN aux élections européennes.

**8** On félicitera l'opposition de confronter l'extrémisme.

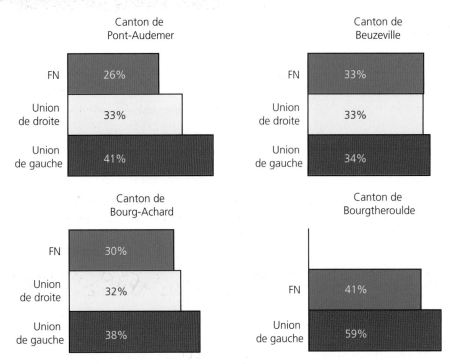

**Résultats au second tour des élections départementales 2015 qui montrent la popularité du vote frontiste dans les campagnes françaises**

**4 a** **La montée du FN dans les campagnes françaises. Les idées suivantes sont exprimées dans l'entretien. Pour chaque personne, choisissez les phrases qui conviennent le mieux à ce qu'ils disent. Répondez Luc (L), Marie (M), Théo (T) ou Dina (D).**

  1 Les jeunes des campagnes ont moins de diplômes que ceux en ville.
  2 Il y a de moins en moins d'emplois.
  3 La France ne fait pas assez pour aider les gens des campagnes.
  4 La mondialisation est la cause de nos problèmes.
  5 Les campagnes se vident.
  6 Les usines quittent les zones rurales.
  7 Les populations rurales sont envahies par un sentiment de peur.
  8 Le FN a su adapter son discours en faveur de l'électorat rural.

**4 b** **Réécoutez l'entretien et répondez aux questions suivantes en français en utilisant vos propres mots.**

  1 Selon Luc, quelle est la raison principale pour laquelle les gens en milieu rural se sentent attirés par le FN ?
  2 Quel est le problème majeur dans les zones rurales selon lui ?
  3 Pourquoi est-ce que Marie se sent concernée par la montée du FN ?
  4 En quoi est-ce que Marie et Luc tiennent les mêmes propos ?
  5 Comment peut-on décrire la situation des jeunes diplômés dans les zones rurales ? [*deux détails*]
  6 Quel avantage ont les jeunes urbains sur les jeunes des zones rurales ?
  7 Quels sont les deux principaux changements qui sont en train de se produire dans les campagnes selon Dina ? [*deux détails*]
  8 Quel est un des facteurs qui accentuent les problèmes dans les campagnes ?

**5** Translate this paragraph into English.

### The National Front Youth

Le FNJ, le Front National Jeunesse est le premier mouvement de jeunesse qui a été créé en 1973 par le FN. Des idées telles que l'immigration, le déclin des valeurs traditionnelles, la mondialisation et l'absence de protectionnisme sont utilisées depuis des années par le FNJ pour attirer les jeunes. Tout comme le FN, le FNJ se bat en effet contre l'affaiblissement de la culture française, la communautarisation, la désindustrialisation et le chômage. Les nouveaux adhérents au FNJ sont surtout des arrivants sur le marché du travail en temps de crise et qui sont préoccupés par leur avenir.

**6 a** Faites des recherches sur Internet pour trouver les derniers résultats du FN en France. Recherchez les résultats pour les grandes villes telles que Lyon, Marseille ou Lille mais aussi pour des régions rurales et moins peuplées comme la Charente.

---

### Stratégie

**Weigh up opinions and draw conclusions**

- When *reading and listening*, opinions are not always conveyed clearly and directly so you need to look for all the evidence before drawing your conclusions.
- Make a list of all the verbs, adjectives, adverbs and negatives that are used and work out whether a positive or negative message is conveyed.
- Be careful when picking out words from a passage. Consider the full sentence, as sometimes a negative word can become positive if used with another negative.

- When *speaking* about a subject, it is important that you show both sides of an argument.
- Present both sides with concrete examples and then come to a conclusion.

Apply some of the suggestions above when carrying out exercises 6b and c.

---

**6 b** Lisez l'affirmation suivante. Qu'en pensez-vous ?

« L'électorat frontiste est principalement urbain. »

- Faites une liste des raisons pour lesquelles le FN est plus populaire dans les villes et attribuez-leur des exemples concrets.
- Ensuite faites une liste des raisons pour lesquelles les gens en campagne votent pour le FN et choisissez des exemples concrets.
- Maintenant faites un petit débat avec un(e) ou plusieurs partenaires.
- Apres avoir écouté votre ou vos partenaire(s), utilisez la case stratégie pour pouvoir en tirer des conclusions. Vos partenaires sont-ils plus en faveur ou contre cette affirmation ?

**6 c** Rédigez un paragraphe dans lequel vous présenterez les deux côtés de la question. Afin de tirer des conclusions, utilisez la case stratégie et n'oubliez pas la grammaire.

# 9.3 Les objectifs des chefs de file du FN

- En savoir davantage sur les objectifs des chefs de file du FN
- Utiliser les adjectifs et pronoms indéfinis
- Utiliser une langue plus variée

## On s'échauffe

Voici un slogan du FN des années mille neuf cent quatre-vingt dix.

*À cette époque Jean-Marie Le Pen affirmait qu'il disait « tout haut ce que les autres pensent tout bas ».*

**1 a** Traduisez le slogan en anglais.

**1 b** Expliquez maintenant avec vos propres mots ce que le slogan signifie et dites pourquoi le FN avait choisi ce slogan. Pensez-vous que ce soit un slogan efficace ?

# Marine Le Pen et la dédiabolisation du FN

**Marine Le Pen, nouvelle figure du FN**

Avec la dédiabolisation du Front National, Marine Le Pen tente d'éloigner le FN des idées d'extrême droite dont il est originaire. On peut donc interpréter la dédiabolisation comme une façon de moderniser le parti, son contenu, son image et ses connotations. Marine veut se débarrasser de certains symboles de l'ancienne extrême droite pour mieux conserver les valeurs fondamentales du parti. Elle désire en effet perpétuer les principes de préférence nationale et du rejet de l'Union européenne. Elle incrimine aussi l'immigration et le mondialisme pour avoir accrû les maux de société, tels que le chômage et l'insécurité. De plus, afin de démontrer son désir de changer son parti, Marine Le Pen, avait, fin 2013, menacé de poursuivre en justice quiconque qui qualifierait le FN de parti « d'extrême droite ».

Qui plus est, après avoir pendant longtemps soutenu son père à maintes reprises et minimisé, voire ignoré ses propos provocateurs, souvent perçus comme fascistes et racistes, Marine Le Pen l'a finalement évincé du parti et on peut voir dans cette sortie forcée du fondateur du parti un autre témoignage de cette stratégie de conquête du pouvoir. En se débarrassant de son père, Marine Le Pen veut en effet écarter toutes les mauvaises images de l'extrême droite qui rebutent l'immense majorité des Français, c'est-à-dire en essayant de tenir à distance certains traits de comportements de Jean-Marie Le Pen qui ont pendant plusieurs décennies fait du tort à l'image et à la popularité du parti.

Nul ne nierait que le Front National tente tant bien que mal de gagner en respectabilité depuis des années, l'élection à sa tête de Marine Le Pen ayant constitué selon certains un accélérateur. Dans son désir de modernisation, la présidente du FN désirerait même changer le nom du parti, changement auquel son père s'est toujours si fortement opposé.

## 2 a Lisez l'article. Trouvez les antonymes des mots suivants.

1 se rapprocher
2 acquérir
3 peu
4 favoriser

5 réunir/rassembler
6 attirer
7 être bénéfique
8 tout le monde

## 2 b Maintenant traduisez les phrases suivantes en français en manipulant le vocabulaire de l'article.

1 Marine Le Pen has been attempting to modernise the party by getting rid of far-right ideas.
2 According to Marine Le Pen's party, the problems in our society have increased because of immigration.
3 Marine Le Pen doesn't want her party to be described as far-right.
4 Marine Le Pen's father's ideas were often perceived as provocative.
5 Jean-Marie Le Pen was finally ousted from the party by his daughter.
6 Marine thought that her father's ideas rebuted French people.
7 For years now Marine has been trying to change the party's image.
8 Marine would like to modernise the party by changing its name.

## Grammaire

### Les adjectifs et les pronoms indéfinis (Indefinite adjectives and pronouns)

Study B7 and C7 in the grammar section.
1 Look again at the article on page 184 and find:
   - five examples of indefinite adjectives
   - three examples of indefinite pronouns
2 Copy the phrases containing the indefinite adjectives and pronouns and translate them into English. Can you group them? Consider gender for instance.
3 From the examples you found in the text, explain what the main differences are between an indefinite adjective and an indefinite pronoun.

## 3 Choisissez dans la case le bon adjectif ou pronom indéfini pour compléter chaque phrase.

| chacun | même | autre | plusieurs |
|--------|------|-------|-----------|
| quelques | tout | quelqu'un | chaque |

1 Marine Le Pen a construit une .......... politique plus positive.
2 Si le parti est raciste, c'est à .......... de décider pour soi.
3 .......... m'a volé mon sac à main dans les vestiaires.
4 Nous avons .......... idées au sujet de l'extrémisme.
5 Elle s'est entraînée .......... jour pour les championnats de judo.
6 .......... de ses amis avaient adhéré à ce parti.
7 .......... ses adversaires apprécient le fait que le FN ait modéré ses idées là-dessus.
8 .......... ce que vous dites à ce sujet est ridicule !

Partisans du FN

**4 a** Le FN dans le 93 (un département de la région parisienne) et les banlieues. Écoutez ce reportage qui nous parle de la popularité et de l'évolution du FN dans les banlieues françaises. Remettez les idées ci-dessous dans l'ordre du reportage.

1 Environ un tiers de l'électorat a voté FN.

2 En 2015 deux villes en région parisienne sont frontistes.

3 Les banlieues ont perdu leur électorat frontiste.

4 Cette tendance n'est pas seulement visible qu'en banlieue parisienne.

5 Le FN s'attaquait aux problèmes majeurs des banlieues.

6 Le FN attire un grand électorat.

7 Le FN aborde davantage de thèmes.

**4 b** Réécoutez le reportage et choisissez la bonne option pour chaque phrase.

1 Le FN est représenté dans…
   a …plus de six cents villes en France.
   b …environ six cents villes en France.
   c …toutes les banlieues françaises.
   d …toute la banlieue parisienne.

2 Les banlieues…
   a …ne comptent plus d'électeurs FN.
   b …comptent un nombre constant d'électeurs FN.
   c …comptent davantage d'électeurs FN.
   d …comptent moins d'électeurs FN.

3 Cette tendance est visible depuis…
   a …une trentaine d'années.
   b …une vingtaine d'années.
   c …une quinzaine d'années.
   d …les années quatre-vingts.

4 À cette époque, le FN…
   a …était très présent dans le 93.
   b …était peu présent dans le 93.
   c …n'était pas présent dans le 93.
   d …essayait de gagner du terrain dans le 93.

5 Maintenant, l'électorat FN des banlieues de l'époque, réside…
   a …en ville.
   b …aux abords des grandes villes.
   c …en province.
   d …toujours en banlieue.

6 Au début des années quatre-vingts, le FN…
   a …savait ce qui préoccupait les habitants des banlieues.
   b …s'attaquait à de nombreux problèmes.
   c …ne s'attaquait seulement qu'aux problèmes d'immigration.
   d …s'attaquait principalement à la délinquance.

7 Les idées du FN…
   a …ne sont plus aussi pertinentes pour les banlieusards.
   b …sont toujours aussi pertinentes pour les banlieusards.
   c …sont plus pertinentes pour les banlieusards.
   d …sont très pertinentes pour les banlieusards.

8 Selon cet entretien, l'évolution du vote frontiste dans les banlieues s'explique…
   a …par plusieurs raisons.
   b …par deux principales explications.
   c …principalement par l'influence de Marine Le Pen.
   d …principalement par un changement de population des banlieues.

**5 a**  Que pensez-vous de la dédiabolisation du FN entreprise par Marine Le Pen ? Pensez-vous que la dédiabolisation du parti puisse marcher ?

Pour répondre à cette question il est important de savoir exactement ce que la dédiabolisation représente. Relisez l'article page 184 pour mieux comprendre ou faites des recherches sur Internet.

Maintenant expliquez la dédiabolisation avec vos propres mots à votre partenaire.

**5 b** Maintenant :

- Faites une liste des idées qui nous montrent en quoi la dédiabolisation a déjà porté ses fruits et ce qu'elle a déjà apporté au FN.
- Faites une liste d'arguments qui pourraient contredire les idées ci-dessus. Les questions suivantes peuvent vous aider : pourquoi est-ce que la dédiabolisation ne pourrait pas marcher ? Quels sont les obstacles ? Est-ce vraiment une dédiabolisation ou un simple « jeu » politique ? Le FN peut-il vraiment changer ?

Regardez la case stratégie pour améliorer vos phrases. Quels aspects allez-vous utiliser ?

**Stratégie**

**Adding variety to your French by using idioms, synonyms and higher register language**
- In order to extend both your speaking and writing skills, it is important that you use a wide range of language.
- Use idiomatic phrases such as *mettre sous les yeux* (to expose), *être en tête* (to be the first one/ leader), *faire la une* (to be the main item on the news).
- Use synomyms and paraphrases to help you avoid repetitions.
- Use high-register language. For instance, try to replace the following words by their higher register synonyms (*avoir = posséder/être en possession de, utiliser = avoir recours à/recourir à…*).
- You will find good vocabulary in your reading and listening tasks, so make you sure that you build up a list as you go along.
- Regular exposure to authentic materials will also help you acquire a varied language.

Refer to the above suggestions when completing 5b, c and d.

**5 c** Maintenant avec votre/vos partenaire(s) :
- À tour de rôle présentez une idée de la liste de l'activité 5b, soit négative ou positive (avec un exemple concret à chaque fois).
- Réagissez à ce qui vient d'être dit en étant d'accord ou pas avec l'argument.
- Continuez en avançant une autre idée, soit complémentaire ou contradictoire (avec un exemple concret).
- Et ainsi de suite jusqu'à ce que vous n'ayez plus d'idées !

**5 d** Maintenant rédigez un paragraphe pour résumer votre avis sur la question. Présentez les deux côtés de l'argument.

Avec un(e) partenaire évaluez si vous avez bien utilisé la case stratégie.

# 9.4 L'opinion publique

- S'informer sur ce que pense le public du FN
- Utiliser le subjonctif passé
- Utiliser une variété de structures grammaticales complexes

## On s'échauffe

**1 a** Avec votre partenaire, faites une liste des raisons pour lesquelles certaines personnes votent pour le FN.

**1 b** Maintenant, à tour de rôle, trouvez des contre-arguments à ces raisons.

# Les Français et le FN

**Franck**, 35 ans, autoentrepreneur dans le bâtiment

Bien que je n'aie jamais voté de ma vie, **si le FN passait dans ma ville**, cela ne me poserait aucun problème. Ce ne serait pas pire qu'un autre parti. Ils sont les seuls à proposer de fermer les frontières et ils ont raison. Je travaille dans le bâtiment et **je subis de plein fouet** la concurrence des pays de l'Est. »

**Catherine**, 61 ans, retraitée

« Quoique je ne me sois jamais considérée raciste auparavant, **je le deviens** de nos jours. Dans la cité où je réside, dès qu'un appartement se libère, on y loge des Africains. En dix ans, le quartier a changé, je ne m'y sens plus en sécurité. J'ai toujours voté à gauche, mais cette fois-ci, je pense que je vais suivre le FN. »

**René**, 42 ans, chômeur

« On sent que le vote FN **gagne du terrain** dans ma région. C'est la faute de la crise économique et de **l'absence de perspectives**. Les gens en ont marre, et ils peuvent se laisser convaincre, en s'imaginant que le FN pourrait leur proposer des solutions, mais **c'est un mirage**. Moi, de toute manière, je ne vote pas, les politiques n'ont pas les clés... »

« Dans mon taxi, **les langues se délient**, ça parle avec le cœur. Et les gens disent qu'ils souffrent. Ils n'ont plus confiance en personne, ni en la droite ni en la gauche. Personne **n'est à la hauteur** de ce qu'ils disent. Ils se plaignent de salaires bas, de loyers hauts, que le coût de la vie ait augmenté, **que la délinquance se soit accrue** et que prendre le métro soit devenu dangereux. Souvent j'entends mes clients me dire que quoiqu'il n'aient jamais été FN, cette fois ils vont essayer les extrêmes. Ils ont essayé la droite, ont essayé la gauche, ont tout essayé ! »

**Richard**, 44 ans,
chauffeur de taxi

« J'ai toujours voté à gauche, mais la gauche qui n'a de gauche que le nom, ça suffit ! Aux municipales, je voterai extrême gauche, et j'ai des collègues qui vont voter extrême droite. Je ne comprends pas qu'ils votent ça, mais **je comprends leur dégoût.** »

www.leparisien.fr

**Philippe**, 53 ans,
employé de la
Redoute

**2 a** Lisez le forum. En utilisant vos propres mots expliquez les expressions en caractères gras.

**2 b** Relisez le forum. Répondez aux questions suivantes en français en utilisant vos propres mots.

1 Quelle est l'attitude de Frank par rapport au FN ?

2 Que reproche Frank aux autres partis politiques ? [*deux détails*]

3 Comment peut-on expliquer l'attitude de Catherine face au FN ?

4 Que pense René du FN ?

5 Qu'est-ce que les gens osent faire dans le taxi de Richard ?

6 À quoi s'attendent les clients de Richard en votant FN ? [*deux détails*]

7 Que reproche Philippe à la gauche ?

8 Quelle est l'attitude de Philippe envers le FN ?

## Le passé du subjonctif (Perfect subjunctive)

Study H15 in the grammar section.

1 Look again at the forum on pages 188–89 and find six examples of the perfect subjunctive.
2 Copy out the phrases containing the subjunctives and translate them into English.
3 How can the verbs be grouped? Consider the auxiliaries for instance.
4 Identify why the subjunctive has been used. What is the trigger?

**3** **Choisissez la bonne forme du verbe pour chaque phrase.**

1 J'attends jusqu'à ce que le député du Front National *a/ais/ait* fini.

2 Est-ce que vous vous étonnez que je *soit/sois/suis* venue à votre réunion ?

3 Ils sont fâchés que l'opposition se *soit/sois/soient* tue.

4 Maintenant, vous avez regretté que vous nous *ayons/ayez/aies* interviewées, n'est-ce pas ?

5 Nous avons enlevé les affiches avant qu'il ne les *aies/ayez/ait* vues.

6 Je préfère qu'ils *sont/soient/soyez* partis à la hâte !

7 Bien que je me *sois/suis/soit* exprimé comme ça, je ne le regrette pas !

8 Nous l'avions dit, pour que tu *as/aies/ayez* compris la gravité de la situation.

**4 a** **Le FN un jour au pouvoir ? Écoutez la première partie de l'entretien et répondez en français aux questions suivantes.**

1 Qu'est-ce qui montre que le FN est de plus en plus populaire ?
2 Qu'est-ce que le FN a réussi à faire récemment ?
3 Qu'est-ce que l'opinion publique regrette ?
4 En quoi est-ce que l'opinion face au FN a changé récemment ?

**4 b** **Écoutez la seconde partie de l'entretien et répondez en français aux questions suivantes.**

1 Résumez pourquoi Marine Le Pen plaît aux électeurs frontistes. [*deux détails*]
2 Résumez la situation socio-politique en Europe. [*deux détails*]

RÉPUBLIQUE FRANÇAISE

**4 c** Maintenant, écoutez l'entretien en entier et mettez dans l'ordre les faits mis en avant.

1 Le parti a perdu son extrémisme.

2 Plus la conjoncture économique et politique est inquiétante, plus les partis extrémistes attirent les populations.

3 La tendance de la montée du FN ne se voit pas qu'en France.

4 Les scrutins n'ont jamais été aussi favorables.

5 Marine Le Pen désapprouvait l'attitude de son père.

6 Marine a tout de suite eu un effet positif sur l'image du parti.

**5** Traduisez ce paragraphe en français.

On parle de l'opinion des adhérents au FN

FN voters want to regain control of their own country and want their own laws to be given priority over those of the European Union. The French have understood that the EU does not live up to what they were expecting. FN voters are disappointed with their economic situation and with the other political parties. When FN voters are asked if they think that the FN will make it to the second round of the presidential elections, many say that it is possible. Some even believe that the FN will come to power within the next ten or so years.

**Stratégie**

**Employing a variety of complex grammatical structures**

- Make a list of a range of grammatical structures you have covered recently in the lessons.
- Look at the grammar structures covered in this unit.
- Ensure you understand how they work — do not compare them with English structures.

- Once you have selected the structures you want to use, think how you could formulate your answers with these structures.
- Do not think in English when working out complex grammatical structures — use your understanding of how they work in French.

Use the strategy when completing 6a and b.

**6 a** Un débat avec votre partenaire…

« Pensez-vous qu'un jour la France puisse avoir un(e) président(e) FN ? »

**Choisissez qui est pour et qui est contre. Il est important que vous réagissiez à ce que l'autre dit avant d'exprimer votre avis. Utilisez des expressions telles que ce que vous dites est faux/il y a une part de vérité dans ce que vous dites/vous avez complètement tort/vous n'avez pas tout à fait tort.**

**6 b** Rédigez un paragraphe dans lequel vous présenterez les deux côtés de la question.

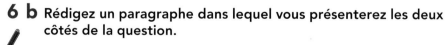

**Une fois écrit, échangez votre travail avec un(e) partenaire et vérifiez si la grammaire et la case stratégie ont bien été utilisées.**

# Vocabulaire

## 9.1 Le Front National

**accéder au pouvoir**  to come to power
**adhérer à**  to join
une **campagne politique**  political campaign
un(e) **candidat(e)**  candidate
un **chef de file**  party leader
**défendre**  to be in favour of
un **discours**  speech
la **droite**  political right
un(e) **électeur (-trice)**  voter
une **élection municipale**  council election
une **élection présidentielle**  presidential election
l' **électorat** (*m*)  voters
**élire**  to elect
**être élu(e)**  to be elected
le **Front National (FN)**  extreme-right nationalist party, National Front
un **frontiste**  National Front supporter
**gagner du terrain**  to gain ground, expand
**être à la tête de**  to be in charge
une **figure**  famous person
**lutter contre**  to fight against
un **mal (maux)**  problem
une **menace**  threat
**menacer**  to threaten
la **montée**  rise
un **mouvement politique**  political movement
un **partisan**  supporter
un **scrutin**  ballot
**séduire**  to attract
le **suffrage**  vote
une **voix**  vote
un **vote**  vote
**voter pour…**  to vote for…

## 9.2 La montée du Front National

**attirer**  to attract
un **arrondissement**  district (in a large city, e.g. Paris)
les **banlieues** (*f*)  suburbs
la **campagne**  countryside
un **canton**  subdivision within a county (*département*)
une **cité**  council estate
une **commune**  small town
la **conjoncture**  situation
**décevoir**  to disappoint
**deçu(e)**  disappointed
la **délinquance**  crime
un **désaccord**  disagreement
un **département**  county
**frapper**  to strike, affect
une **frange**  minority, fringe
**incriminer**  to incriminate
l' **insécurité** (*f*)  insecurity
s' **inquiéter de**  to worry about
se **méfier de**  to be suspicious, distrust

**mettre à l'écart**  to put aside
**mettre en danger**  to threaten
le **milieu rural**  rural area
le **milieu urbain**  urban area
la **mondialisation**  globalisation
se **plaindre de**  to complain about
la **province**  the whole of France outside Paris
se **sentir en sécurité**  to feel safe

## 9.3 Les objectifs des chefs de file du FN

la **couverture médiatique**  media coverage
se **débarrasser**  to get rid of
un **désaccord**  disagreement
le **déclin**  the fall, decline
la **délinquance**  crime
un **député**  member of parliament
**élu(e) au deuxième tour**  to be elected in the second round of voting
**être au pouvoir**  to be in charge, power
**évincer**  to oust
**faire du tort**  to harm
**former un gouvernement**  to form a government
**frapper**  to strike, affect
l' **insécurité** (*f*)  insecurity
un(e) **maire**  mayor
**obtenir la majorité des voix**  to get the majority of votes
un **partisan**  supporter
le **pouvoir**  power
**reprocher qch à qqn**  to blame someone for something
**reconnaissant(e)**  grateful
une **tactique**  tactic
les **valeurs traditionnelles**  traditional values
les **valeurs républicaines**  republican values

## 9.4 L'opinion publique

**avoir confiance en**  to trust
**en avoir marre**  to have had enough
**en avoir ras-le-bol**  to have had enough
**banaliser**  to trivialise
la **conjoncture économique**  economic situation, climate
la **droite patriote**  patriotic right-wing party
**être à la hauteur**  to be capable
**être entré(e) dans les mœurs**  to be accepted
**faire confiance à**  to trust
**oser**  to dare
un **parti xénophobe**  xenophobic party
se **radicaliser**  to radicalise
**subir**  to put up with, deal with
**suffir**  to be sufficient
**ça suffit**  that is enough
**suivre le FN**  to follow
**voter à gauche**  to vote for the left

# Recherches personnelles et présentation

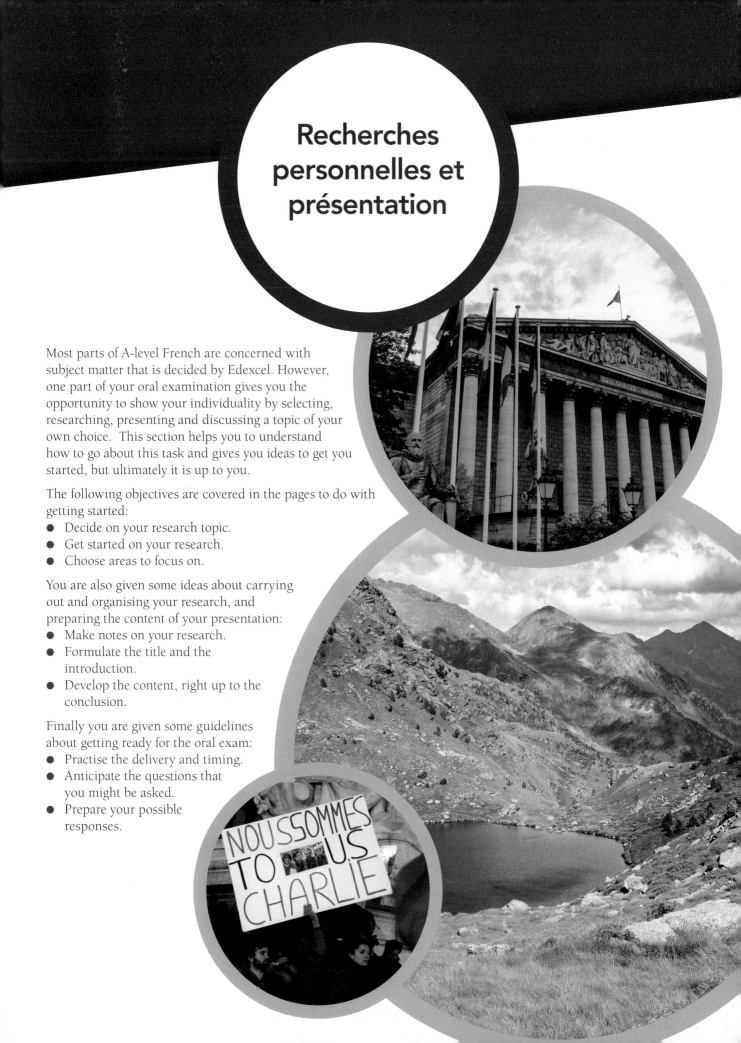

Most parts of A-level French are concerned with subject matter that is decided by Edexcel. However, one part of your oral examination gives you the opportunity to show your individuality by selecting, researching, presenting and discussing a topic of your own choice. This section helps you to understand how to go about this task and gives you ideas to get you started, but ultimately it is up to you.

The following objectives are covered in the pages to do with getting started:
- Decide on your research topic.
- Get started on your research.
- Choose areas to focus on.

You are also given some ideas about carrying out and organising your research, and preparing the content of your presentation:
- Make notes on your research.
- Formulate the title and the introduction.
- Develop the content, right up to the conclusion.

Finally you are given some guidelines about getting ready for the oral exam:
- Practise the delivery and timing.
- Anticipate the questions that you might be asked.
- Prepare your possible responses.

# 1 Décidons-nous !

- Décider de son sujet de recherche
- Commencer sa recherche
- Choisir ce sur quoi se focaliser

**1 a** Des sujets de recherche. Écoutez la conversation entre Arthur, Camille, Lina et Jamal qui nous parlent de leur choix de sujet pour leurs recherches personnelles. Choisissez le sujet de recherche de chacun (1 à 8). Attention ! il y a quatre sujets de trop.

1 le centre Pompidou
2 la prise de la Bastille
3 François Hollande
4 Amadou et Mariam

5 Andorre
6 la coupe du monde de football
7 la gastronomie en France et en Grande-Bretagne
8 la mode en France

**1 b** Regardez les deux photos ci-dessous. Elles se rapportent au sujet de recherche de qui ?

Photo 1

Photo 2

**1 c** Étudiez cette liste de types de sujets de recherche (1 à 8). À quel type appartient chacun des sujets de recherche d'Arthur, de Camille, de Lina et de Jamal ? À quel type appartiennent les autres sujets de recherche mentionnés dans l'exercice 1a ?

1 un événement ou un monument historique
2 un personnage important
3 un artiste
4 un problème

5 un phénomène
6 un intérêt personnel
7 un sujet de comparaison entre la France et la Grande-Bretagne
8 un projet de construction monumentale

**1 d** Translate into English the different types of research topic listed in exercise 1c.

**1 e** Translate into English the following list of research topics and say which type of topic they are, using the list from exercise 1c.

1 les tramways à Paris
2 la Révolution française
3 la musique des années soixante
4 le Général de Gaulle

5 l'immigration qui a suivi la guerre d'Algérie
6 les moyens de transport en France et en Grande-Bretagne
7 Omar Sy
8 la musique rap des années 90

**2 a** Travail de groupe. Référez-vous à la liste de types de sujets de recherche (exercice 1c). Donnez un autre exemple pour chaque catégorie de sujets.

**2 b** Référez-vous à la liste de sujets (exercice 1e) et à celle que vous avez écrite en groupe (exercice 2a). Choisissez votre titre préféré et celui que vous aimez le moins et expliquez les raisons de vos deux choix au reste de votre groupe en anglais. Écoutez bien les raisons données par les autres membres de votre groupe.

**3** Types de recherche. Écoutez la conversation entre Arthur, Camille, Lina et Jamal qui nous parlent des recherches qu'ils ont dû faire. Comment ont-ils obtenu les renseignements qu'ils cherchaient ? Choisissez deux réponses pour chacun (1 à 8).

**1** en utilisant Internet

**2** en lisant un livre ou un article

**3** en demandant à quelqu'un

**4** en consultant des dépliants

**5** en regardant la télé

**6** en se servant de questionnaires

**7** en écoutant la radio

**8** en visitant l'endroit concerné

**4 a** Imaginez que vous êtes supporteur de l'équipe nationale de foot de la France. Vous avez choisi comme sujet de recherche « La coupe du monde ». Étudiez ce diagramme qui illustre la manière dont on peut faire l'exploration initiale d'un sujet de recherche.

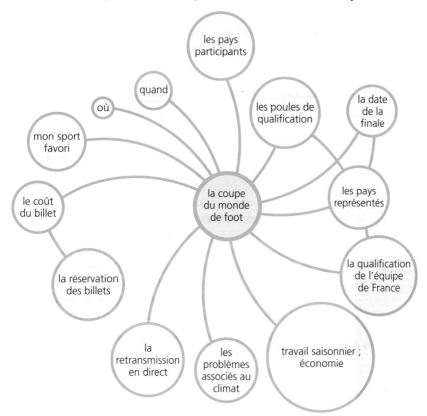

**4 b** Faites un diagramme similaire à celui de 4a pour le sujet que vous avez choisi. Discutez de votre diagramme avec les membres de votre groupe. N'hésitez pas à partager vos idées.

# 10.3 La vie sous l'occupation et les représailles d'après-guerre

- Découvrir la vie sous l'Occupation et les représailles d'après-guerre
- Apprendre à utiliser les formes moins communes du subjonctif au présent et au passé
- Se préparer pour l'épreuve orale

## On s'échauffe

**1 a** Les années noires de l'Occupation. Cherchez la définition de ces mots et expressions dans un dictionnaire.

1. la sauvette
2. les privations
3. priver
4. le troc
5. troquer
6. le couvre-feu
7. tondre
8. la tonte
9. l'épuration

**1 b** Placez les mots et expressions ci-dessus correctement dans les phrases qui suivent. Faites attention au temps des verbes.

1. Il y avait un manque de nourriture, on était .......... de tout.
2. On ne pouvait pas sortir tard la nuit car il y avait le .......... .
3. Il fallait acheter des choses au marché noir et aller les chercher à .......... .
4. Parfois au lieu d'utiliser les cartes ou les tickets de rationnement on faisait du .......... entre nous, on échangeait de la nourriture pour un service rendu.
5. Les .......... étaient générales, tout nous manquait.
6. Je m'en souviens, ma mère était couturière et elle a .......... une de ses machines à coudre contre du charbon pour le poêle.
7. Après la guerre il y a eu une .......... , c'était comme si les gens voulaient se débarrasser des éléments qu'ils voyaient comme malsains ou impurs.
8. Mais la pratique de la .......... était quand même haineuse, de voir ces pauvres femmes, sans cheveux, traînées dans la rue, ça faisait mal au cœur.

**2 a** Lisez attentivement l'article et trouvez les expressions qui sont synonymes des expressions ci-dessous.

1. est ressenti comme quelque chose de moins grave que prévu
2. on se débrouillait assez bien
3. l'heure en France à l'époque
4. un temps hivernal très sévère
5. pas inhabituel
6. on ne peut pas sortir le soir
7. illégal

**2 b** Relisez l'article et répondez aux questions suivantes en français en utilisant vos propres mots.

1. Où fallait-il vivre pour que l'on fût mieux nourri ?
2. Détaillez trois choses qui ont grandement modifié l'ambiance dans les villes françaises occupées par les Allemands.
3. Pourquoi était-il difficile d'écouter la radio anglaise ?
4. Pourquoi la Milice a-t-elle été créée ? [*deux détails*]
5. Quelles étaient les émotions ressenties par les Français envers les Allemands au début de l'occupation ? [*deux détails*]
6. Quelles circonstances contribuaient à la mauvaise santé des gens qui vivaient en ville ? [*trois détails*]
7. Pourquoi les gens sortaient-ils rarement le soir ?
8. Les gens, pour obtenir plus de nourriture, que faisaient-ils qui était hors la loi ?

# Bilan de l'Occupation – une rétrospective

Au début la présence des Allemands est vécue comme plus légère qu'attendue, mais petit à petit son omniprésence et les difficultés quotidiennes provoquent une hostilité croissante.

« On ne pouvait pas avoir des sentiments normaux, généreux vis-à-vis d'eux parce qu'ils étaient quand même les ennemis. »

Les villes souffrent de la faim tandis que les campagnes ont accès à une alimentation suffisante et variée. Les gens de la ville tombent plus facilement malades et le nombre de morts dues à la tuberculose double.

« Nous vivions près d'Orléans et par rapport à ce que vivaient mes cousins à Paris on s'en sortait pas trop mal. Il y avait des fermes autour de chez nous et on pouvait se procurer de la bonne nourriture. On apportait quelque chose à la famille quand on montait à Paris, afin qu'ils puissent mieux se nourrir. »

La présence des Allemands modifie l'ambiance des villes qui se couvrent de panneaux en allemand et de drapeaux nazis ; en plus l'horaire des Français est aligné sur le méridien qui passe à Berlin. Le couvre-feu restreint les sorties du soir. Les hivers sont rudes et l'obsession commune des Français devient la faim et le froid.

« Il faut que je vous dise que les gens parfois avaient recours au marché noir, mais il a fallu que l'on paye très cher. Bien qu'il y eût des tickets d'alimentation, il était très difficile de trouver suffisamment à manger. La falsification des tickets, quoique cela fût hors la loi, n'était pas hors du commun. »

Vichy devient un régime autoritaire, corporatiste, antisémite et anticommuniste. En janvier 1943 une organisation politique et paramilitaire est créée pour lutter contre la Résistance et maintenir l'ordre du régime de Vichy.

« La Milice, c'était terrible. Il faut que je vous avoue que ma famille a beaucoup souffert à cause de cette organisation. Mon père était complètement contre, mais mon frère est devenu milicien. Mon père ne lui a jamais pardonné. »

Comme les nazis, les miliciens emploient de la délation, de la torture et des exécutions sommaires. La Milice compte au maximum 35 000 membres.

« J'ai connu une famille où le fils était résistant, il a été dénoncé par son voisin qui était milicien. Nous, on écoutait de Gaulle à la BBC, mais il fallait que l'on le fasse en secret de peur que l'on ne nous dénonce. »

## Grammaire

**Les formes du subjonctif au présent et à l'imparfait) (Subjunctive in the present and imperfect)**

Refer to H15 in the grammar section.
1 Find in the article above and in the questions for exercise 2b nine examples of phrases containing a form of the subjunctive.
2 Label five of them as examples of the present subjunctive form.
3 Label four of them as examples of the imperfect subjunctive form.
4 Translate all nine examples into English.
5 Make a list of the different structures that precede the subjunctive.
6 What do you notice about the subjunctive when it is preceded by *de peur que*?

**3 Remplissez les blancs en utilisant les bons verbes dans la case.**

1 On ne pourrait pas dire que la vie sous l'Occupation .......... normale.

2 Bien qu'il y .......... des moments d'espoir, l'Occupation avait mené à une dépression générale parmi la population.

3 Pour que vous .......... comment c'était, les miliciens avaient souvent été aussi cruels que les militaires allemands.

4 Qui s'étonne que Pétain .......... à faire une version française de la jeunesse hitlérienne ?

5 Sans que les anciens résistants n'.......... des centaines de collaborateurs, est-ce qu'on aurait pu passer l'éponge sur les événements de l'occupation ?

6 Pour que les collaboratrices .......... conscientes de leurs actions, le public avait réclamé qu'elles .......... humiliées en public.

7 Aux procès de Nuremberg, les leaders nazis n'avaient même pas regretté qu'ils .......... fait des choses tellement déplorables.

8 Supposons que les nazis de Nuremberg .......... demandé pardon pour leurs crimes odieux, leurs sentences auraient-elles été différentes ?

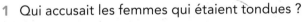

| | | |
|---|---|---|
| **eussent** | **fût** | **eussent** |
| **aient tué** | **se soit décidé** | **soient** |
| **sachiez** | **ait eu** | **fussent** |

**4 a Les femmes tondues. Écoutez la première partie et répondez aux questions suivantes en français en utilisant vos propres mots.**

1 Qui accusait les femmes qui étaient tondues ?

2 Quel était leur délit aux yeux des autres ?

3 Pourquoi y avait-il une telle éruption de violence suite à la Libération ? [*trois détails*]

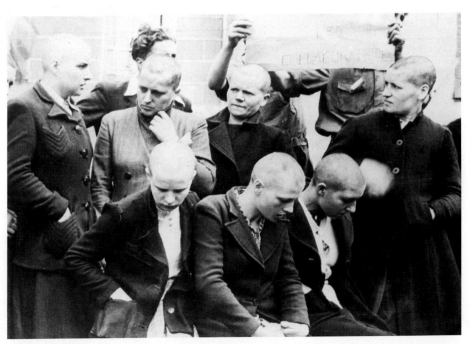

**4 b** Les femmes tondues. Écoutez la seconde partie et répondez aux questions suivantes en français en utilisant vos propres mots.

    **1** Résumez comment et pourquoi Laure est devenue une femme tondue.

    **2** Résumez les circonstances de sa punition et les émotions qu'elle avait éprouvées.

**5** Traduisez ce texte en français.

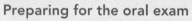

**France under the Occupation and immediately after the war**

At first the Vichy government was regarded as a return to stability, but the constant presence of the German occupiers led to growing hostility. Everyday life was very difficult and it wasn't easy to find enough food. People in the country had more to eat and helped their families in the towns. A French paramilitary organisation was set up to support the Vichy regime. This organisation used the same methods as the Nazis. There were some people who didn't listen to the BBC for fear of being denounced.

**6 a** Les femmes n'étaient pas les seules à souffrir des représailles dans la période d'après-guerre. Partagez la tâche avec vos partenaires et faites des recherches sur l'épuration en France après la guerre. Pour vous aider à commencer, il faut savoir que l'on parle de l'épuration extrajudiciaire et de l'épuration légale ou judiciaire. Quelle était la différence ? Plusieurs secteurs étaient touchés – lesquels, comment et pourquoi ?

### Stratégie

**Preparing for the oral exam**

- Re-read thoroughly, several times, all the notes you have written about the topics covered in the exam board's specification.
- Make a list of about ten things you could say about each one.
- Be sure to include some of your own opinions in the list.
- Make sure you can express your opinion on a given topic.

- Practise phrases associated with expressing opinions, e.g. *à mon avis*, *mais par contre* and *d'ailleurs*.
- Learn about ten such phrases.
- Practise giving a talk on several of the topics that really interest you.
- Record your efforts and, if possible, get them checked by a native French speaker.
- However, *do not ignore* the topics you are less interested in. You do not know what will come up in the exam and you must be prepared.

**6 b** Discutez de vos recherches et donnez vos avis sur ce qui s'est passé dans le pays pendant la guerre et tout de suite après la libération. Que pensez-vous des gens qui ont collaboré avec les Allemands ouvertement ou clandestinement ? Les règlements de comptes qui ont eu lieu après la guerre étaient-ils justifiables ?

**6 c** Rédigez un paragraphe pour exprimer votre avis sur la collaboration et ce qui s'est passé dans la France d'après-guerre.

# Vocabulaire

## 10.1 La France sous l'Occupation et la collaboration

une **arrestation**  arrest
**collaborer**  to collaborate
un(e) **collaborateur (-trice)** collaborator
un(e) **collabo**  collaborator (perjorative)
un **commissaire de police**  chief of police
un **délit**  offence
**dénoncer**  to denounce
**emmener qqn**  to take someone
**entasser**  to pile up
une **étoile**  star
une **fuite**  escape, flight
**fusiller**  to shoot
un **Juif**  Jewish boy, man
une **Juive**  Jewish girl, woman
un **justificatif**  proof
**menacer**  to threaten
une **milice**  militia
un(e) **milicien(ne)**  militia member
une **prime**  reward; allowance
une **rafle**  round-up, raid
**rafler**  to round up
se **sauver**  to escape, run away
**sentir**  to feel
**survivre**  to survive

## 10.2 L'antisémitisme et l'Occupation

l' **antisémite** (*m*)  anti-Semite
l' **antisémitisme** (*m*)  anti-Semitism
un(e) **anthropologue**  anthropologist
le **conseil des ministres**  Council of Ministers
**distraire**  to entertain, amuse
une **emprise**  hold, grip; influence
une **exposition**  exhibition
un(e) **fonctionnaire**  civil, public servant

l' **incitation** (*f*) à la haine  incitement to hatred
une **menace**  threat
le **moulage**  moulds, models
le **nettoyage ethnique**  ethnic cleansing
une **ordonnance**  decree, ruling
**promouvoir**  to promote, encourage
**profondément**  deeply
la **propagande**  propaganda
**reconnaître**  to recognise
**répandu(e)**  wide spread
la **salubrité**  hygiene, healthy state
**vénéré(e)**  revered, admired
la **vitrine**  show, display case

## 10.3 La vie sous l'Occupation et les représailles d'après-guerre

**clandestinement**  clandestinely, in secret
**croissant(e)**  growing
**croître**  to grow, increase
se **débarrasser de**  to get rid of
un **défilé**  parade, procession
**dénoncer**  to denounce
un **drapeau**  flag
une **épuration**  purge
**épurer**  to purge
**faire mal au cœur**  to upset, pain
un **fuseau horaire**  time zone
la **haine**  hatred
l' **hostilité** (*f*)  hostility, enmity, animosity
se **livrer à**  to indulge in
une **machine à coudre**  sewing machine
**malsain(e)**  unhealthy, unwholesome
un **panneau**  sign
s' **en prendre à qqn**  to take it out on someone
**spontané(e)**  spontaneous
**traîner**  to drag
la **tuberculose**  tuberculosis

# UNITÉ 11

## Le régime de Vichy

11.1 **Le maréchal Pétain et le régime de Vichy**

11.2 **La Révolution nationale**

11.3 **La politique de Vichy et ses conséquences**

## Theme objectives

This unit looks at the Vichy regime, focusing on:
- Marshal Pétain and what life was like for the French under the Vichy regime
- the National Revolution and the role propaganda played in it
- the impact of the policies of Vichy and the fate of Marshal Pétain

**The content in this unit is assessed at A-level only.**

## Grammar objectives

You will study and practise the following grammar points:
- avoiding the use of adverbs
- recognising the past historic form of irregular verbs
- understanding how to use dependent and perfect infinitives

## Strategy objectives

You will develop the following strategies:
- acquiring techniques for holding the audience's attention while giving an oral presentation
- adapting your register according to the task
- recognising and using similes and metaphors

REVOLUTION NATIONALE

ÉDITION DES SERVICES D'INFORMATION, VICE-PRÉSIDENCE DU CONSEIL

# 11.1 Le maréchal Pétain et le régime de Vichy

- Découvrir le maréchal Pétain et comment vivaient les Français sous le régime Vichy
- Éviter l'utilisation des adverbes
- Apprendre des techniques pour maintenir l'attention du public lors d'un exposé à l'oral

## On s'échauffe

**1 a** Regardez la carte ci-dessous et complétez les phrases.

1 L'Allemagne occupait la moitié ......... de la France.
2 Une partie de l'est de la France était occupée par les ......... .
3 Le gouvernement du maréchal Pétain était basé à ......... qui se trouve au ..........
de la France.
4 La France était divisée par une ......... .
5 En 1942 les Allemands ......... la zone libre.
6 Les Allemands avaient accès à la côte ......... et à la côte de la ......... .

**1 b** Associez les mots ou termes suivants au sujet de la guerre avec les définitions en anglais.

| | | | |
|---|---|---|---|
| 1 | le marché noir | a | lack of petrol |
| 2 | une carte de rationnement | b | to plunder, loot |
| 3 | le travail forcé | c | summons |
| 4 | piller | d | forced labour |
| 5 | le manque de carburant | e | ration book |
| 6 | une convocation | f | black market |

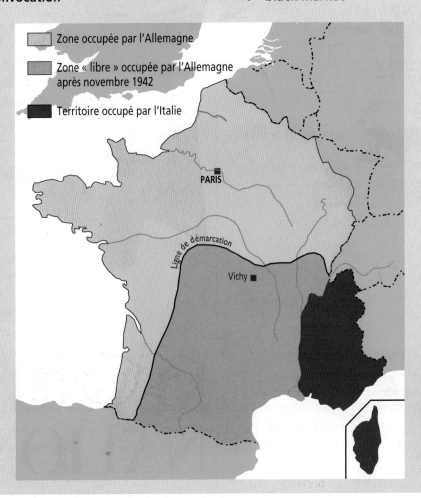

Zone occupée par l'Allemagne

Zone « libre » occupée par l'Allemagne après novembre 1942

Territoire occupé par l'Italie

PARIS

Ligne de démarcation

Vichy

# Discours radiodiffusé de Pétain le 20 octobre 1940

« Français, j'ai rencontré, jeudi dernier, le chancelier du Reich… Cette première rencontre entre le vainqueur et le vaincu, marque le premier redressement de notre pays. C'est librement que je me suis rendu à l'invitation du Führer (chef, en allemand). Je n'ai subi de sa part aucun Diktat (ordre, en allemand), aucune pression. Une collaboration a été envisagée entre nos deux pays. J'en ai accepté le principe. C'est dans l'honneur et pour maintenir l'unité française que j'entre aujourd'hui dans la voie de la collaboration. »

## La vie quotidienne en France sous le gouvernement de Vichy

Les problèmes de ravitaillement touchent tout le monde et les magasins manquent de tout. Le gouvernement de Vichy, confronté à ces difficultés, décide d'introduire des cartes de rationnement. Avec ces cartes on peut se procurer des produits de premières nécessités. Mais comment repartir la pénurie de façon égale ? Chaque Français est donc classé avec soin par catégorie en fonction de son âge, son sexe et son activité professionnelle.

Les troupes d'occupation pillent de manière régulière ce que la France produit et la production industrielle et agricole est faible. Dans les fermes, où le tracteur ne peut plus fonctionner, faute de carburant, où les hommes prisonniers manquent, ce sont les femmes qui font l'essentiel du travail avec assiduité.

Donc l'Allemagne nazie impose sans compromis au gouvernement de Vichy la mise en place du STO (Service du Travail Obligatoire) pour compenser le manque de main-d'œuvre.

**2 a** **Lisez l'extrait d'un manuel scolaire français. Choisissez les bonnes fins de phrases.**

1 Le maréchal Pétain a décidé de…
  a …ne pas rencontrer le chancelier.
  b …collaborer.
  c …continuer la lutte.
  d …ne pas accepter le principe.

2 Il a décidé de faire cela pour maintenir…
  a …la stabilité.
  b …l'amitié entre les deux pays.
  c …le redressement.
  d …l'unité de son propre pays.

3 Pour résoudre les problèmes de ravitaillement, le gouvernement de Vichy…
  a …force les femmes à travailler.
  b …décide de se procurer des produits d'Allemagne.
  c …introduit un système d'allocation des produits.
  d …augmente la production industrielle.

4 Pour faire face à un manque de main-d'œuvre…
  a …le gouvernement de Vichy accepte une imposition des nazis.
  b …fait travailler les prisonniers.
  c …fait travailler les troupes d'occupation.
  d …fait venir des travailleurs de l'étranger.

5 Les jeunes qui ne se rendent pas à la mairie…
  a …seront fusillés.
  b …devront passer une visite médicale.
  c …seront emprisonnés.
  d …recevront une somme d'argent.

6 Les troupes d'occupation…
  a …prennent tout ce que la France produit.
  b …importent de la nourriture d'Allemagne.
  c …importent du carburant.
  d …forcent les femmes à travailler.

7 Pour pouvoir recevoir une carte de rationnement, chaque Français…
  a …a dû se rendre à la mairie.
  b …a dû être classé selon certains critères.
  c …a dû travailler à la ferme.
  d …a dû souffrir de la pénurie.

8 Avec ces cartes on pouvait…
  a …se provisionner en produits de base.
  b …acheter ce que l'on voulait.
  c …acheter autant que nécessaire.
  d …ne se procurer que du carburant.

## 2 b En vous appuyant sur le texte dans l'extrait page 217, traduisez les phrases suivantes en français. Faites bien attention aux temps des verbes.

1  Marshal Pétain went of his own accord to meet Hitler and decided to collaborate.
2  Marshal Pétain saw collaboration between the two countries as a way of maintaining French unity.
3  Nazi Germany made the Vichy government introduce compulsory labour.
4  Women in France did most of the work because there was a lack of manpower.
5  Ration cards were introduced because shops had very few goods.
6  German troops plundered everything France produced.
7  Tractors no longer worked because there wasn't enough fuel.
8  All young men born in 1922 had to go to the town hall to have a medical examination.

---

### Grammaire

**Éviter l'utilisation des adverbes (Avoiding the use of adverbs)**

Study D7 in the grammar section.
1  In the extract on page 217 find examples of the way in which cumbersome adverbs have been avoided. Identify the following:
  ● four examples using a preposition and a noun

  ● two examples using a noun and an adjective.
2  Copy out the phrases containing the examples and translate them into English in a literal way.
3  For each example, give the adverb(s) that would normally be used in English.

---

## 3 Vous êtes prof de français. Vous devez rendre plus français le travail de votre élève, qui a écrit des phrases qui sonnent mal à cause de l'utilisation à l'anglaise des adverbes. Réécrivez la partie italique de chaque phrase, en utilisant *avec…, d'une…, d'une manière…,* ou *d'une façon….*

1  Les soldats allemands ont traité leurs alliés italiens *totalement condescendamment*.
2  À la conférence de Yalta, Staline s'est conduit *agressivement impatiemment*.
3  Quand Churchill a vu l'attitude de Staline, il a dit *clairement intelligemment*, « Nous avons tué le mauvais cochon ! ».
4  Le procès de Nuremberg a été conduit *totalement honorablement*.
5  Pendant l'après-guerre, les habitants des villes bombardées ont souffert *impossiblement sévèrement*.
6  Les films sur la période minimisent *complètement négligemment* les réalités de leur vie.
7  Rainer Fassbinder est le régisseur qui documente *perceptiblement écrasamment* leur souffrance.
8  Les collaborateurs de Vichy ont été traités *compréhensiblement violemment*.

---

## 4 a Pourquoi Pétain ? Écoutez l'interview et mettez les mots ou phrases (1 à 6) ci-dessous dans l'ordre dans lequel vous les entendez dans l'interview. Ensuite associez-les aux définitions (a à f).

1  traquer réfractaires et juifs
2  son parcours
3  une politique xénophobe
4  fait don de sa personne
5  un bouclier
6  un vieillard

a  quelqu'un de grand âge
b  arme pour se protéger
c  être à la recherche de certaines catégories de gens
d  progression professionnelle
e  prendre des mesures contre les gens de nationalité étrangère
f  s'investir totalement

## 4 b Réécoutez l'interview et répondez aux questions suivantes en français.

1 Quel âge avait-il quand il est devenu Chef d'État ?

2 Quel choix de carrière a-t-il fait quand il était jeune ?

3 De quel milieu était-il issu ?

4 Résumez, et expliquez dans vos propres mots pourquoi les Français lui faisaient confiance. [quatre détails]

5 Comment sait-on que l'État français est devenu une dictature personnelle de Pétain ?

6 Quel genre de politique mène-t-il avec l'Allemagne ?

7 Quel genre d'idéologie impose-t-il au peuple français ?

8 Détaillez ce qui se passe à partir de l'hiver 1941. [quatre détails]

## 5 Translate the following passage into English.

### La Milice française

La Milice française, souvent appelée simplement Milice, fut une organisation politique et paramilitaire française créée le 30 janvier 1943 par le gouvernement de Vichy pour lutter contre la résistance. Reliés à la Gestapo et aux autres forces allemandes, les miliciens participèrent aussi à la traque des Juifs, des réfractaires au STO et de tous les déviants dénoncés par le régime. C'était aussi la police politique et une force de maintien de l'ordre du régime de Vichy. Le chef officiel de la Milice était Pierre Laval. Comme les nazis, les miliciens usaient couramment de la délation, de la torture, des rafles, des exécutions sommaires et arbitraires, voire des massacres.

---

### Stratégie

**Techniques for holding the audience's attention in oral presentation**

- Be thoroughly organised and know your material really well.
- Practise your presentation several times and make sure you keep to the required time limit.
- Practise in front of a small audience of family or friends.
- Ask for their constructive feedback.
- Do not make the presentation too long and rambling. Make it informative and concise.
- Try to be relaxed with your audience and get them to participate if appropriate.

- Above all, talk about something that has really captured your interest.
- Try to interest your audience by using techniques such as asking rhetorical questions, so as to introduce an element of surprise.
- Do not speak so fast that the listener does not have time to take in the information.

Use these guidelines to help you with task 6b.

---

## 6 a Faites des recherches à deux pour découvrir quels étaient les moyens employés par Pétain et son régime afin de renforcer le culte de sa personnalité.

## 6 b Combinez et partagez vos découvertes et présentez vos recherches à la classe. Que pensez-vous de la motivation de Pétain ? Pensez-vous que sa politique était dans le meilleur intérêt de la France ?

## 6 c Rédigez un paragraphe pour détailler les moyens qui ont été employés pour créer le culte de la personnalité de Pétain. Dans quelle mesure ont-ils été efficaces ?

# 11.2 La Révolution nationale

Découvrir la Révolution nationale et le rôle qu'y jouait la propagande
● Apprendre à reconnaître les formes du passé simple des verbes irréguliers
● Apprendre comment adapter le registre selon l'activité

## On s'échauffe

**1 a** Regardez l'affiche. Choisissez un mot pour compléter chaque phrase ci-dessous.

1 La maison jaune sur la droite représente une France (*prospère/communiste*).
2 Au-dessus de la maison à gauche on voit une étoile (*rouge/de David*).
3 La maison jaune est (*solidement/légèrement*) bâtie.
4 Elle repose sur des piliers qui représentent des valeurs (*révolutionnaires/ traditionnelles*).

5 Le drapeau rouge au-dessus de la maison effondrée symbolise (*le nationalisme/le communisme*).
6 Le drapeau tricolore au-dessus de la maison en bon état symbolise (*le patriotisme/le républicanisme*).

**1 b** Associez les mots ou les phrases dans les deux listes ci-dessous.

1 épargner
2 artisanat
3 patrie
4 paresse
5 ordre
6 pastis

a métier traditionnel
b boisson alcoolisée
c goût pour l'oisiveté
d pays
e mettre de l'argent à côté
f ranger

**2 a** Lisez l'extrait d'un manuel d'histoire et choisissez les *quatre* phrases qui sont correctes.

1 Après l'occupation par les Allemands le gouvernement s'installa à Paris.
2 La devise « Liberté, Egalité, Fraternité » remplaça la devise « Travail, Famille, Patrie ».
3 L'armistice fut demandé par le maréchal Pétain.
4 Le nouveau régime voulait redresser le pays moralement et intellectuellement.
5 Les jeunes du pays furent obligés d'aller vivre en groupe pendant huit mois.
6 Le divorce et l'avortement ne furent pas interdits.
7 On pouvait voter librement car le suffrage universel existait toujours.
8 Le débat au Parlement n'existait plus.

220 Thème 4 L'Occupation et la Résistance

# Le maréchal Pétain et la Révolution nationale

Le 16 juin 1940 vit la nomination du maréchal Pétain en tant que président du Conseil. L'armistice fut demandé par ce dernier, et signé le 22 juin 1940. Le gouvernement, après l'occupation de Paris par les Allemands, s'installa à Vichy, en zone libre.

Le 10 juillet 1940 les députés et les sénateurs votèrent en faveur d'une loi qui mit fin à la IIIème République.

**Le régime de Vichy voulut opérer une « Révolution Nationale ». Il y eut une nouvelle devise : « Travail, Famille, Patrie ». Elle remplaça « Liberté, Égalité, Fraternité ». Vichy devint un régime autoritaire, corporatiste, antisémite et anticommuniste.**

**Le nouveau régime voulut réaliser un redressement intellectuel et moral. Il prôna le travail, la discipline, le nationalisme, l'ordre, l'autorité, le culte du chef et le corporatisme économique. Le suffrage universel fut aboli. La Chambre des Députés et le Sénat ne furent plus réunis.**

Travail : Les professions furent organisées par la Charte du Travail. Elle permit à l'État de contrôler les corporations et d'encourager la mise en place de grandes entreprises contrôlées également par l'État. Pour lutter contre tout désordre, la Charte du Travail abolit les syndicats et interdit la grève. Enfin, la Charte du Travail privilégia la corporation agricole.

Famille : L'État français honora les familles nombreuses, et de manière plus générale la femme au foyer (instauration de la fête des mères). Pour protéger la famille, les gens n'eurent plus le droit de divorcer et l'avortement fut sévèrement condamné.

Patrie : La jeunesse fut élevée dans le culte de la patrie et du maréchal, ceci au sein de l'école (chanson « Maréchal, nous voilà ! »), mais aussi dans le cadre des « Chantiers de jeunesse » (huit mois de vie en groupe). Des effigies, des bustes et des chansons célébrèrent la Patrie et la défense de celle-ci par Pétain.

**2 b** Translate into English the two paragraphs in bold in the extract.

## Grammaire

### Les formes du passé simple des verbes irréguliers (Past historic form of irregular verbs)

Study H10 in the grammar section.
1 Find in the history book extract above examples of the following:
  - third person singular of the past historic form of *être* (×5)
  - third person plural of the past historic form of *être* (×2)
  - third person singular of the past historic form of *vouloir* (×2)
  - third person singular of the past historic form of *avoir*
  - third person plural of the past historic form of *avoir*
  - third person singular of the past historic form of *voir*
  - third person singular of the past historic form of *mettre*
  - third person singular of the past historic form of *devenir*
  - third person singular of the past historic form of *permettre*

2 Write down the phrases containing the examples and translate them into English.

**3** Remplacez les verbes en italique par leur équivalent au passé composé.

1 Les propositions des Alliés *ne firent pas* de différence pour Staline.

2 On *vit* un changement d'attitude parmi les jeunes de la génération suivante.

3 La Seconde Guerre mondiale *ne mit pas* fin au nazisme.

4 Il y *eut* une grande amélioration dans la société allemande.

5 Les peuples d'Europe *ne voulurent pas* combattre une troisième fois.

6 Klaus Barbie, « le boucher de Lyon », *vendit* son âme au diable.

7 Nous *aperçûmes* une modernisation incroyable au Japon.

8 Les deux oncles de mon prof *moururent* au champ de bataille.

Le Service du Travail Obligatoire

**4 a**  Histoire d'un homme sous l'Occupation. Voici quelques phrases de l'interview. Mettez-les dans le bon ordre selon ce que vous entendez de l'interview. Ensuite traduisez les phrases en anglais.

1 obtenir des faux papiers

2 s'en évader une fois de plus

3 son service militaire

4 il a dû se cacher en travaillant pour un entrepreneur en bâtiment

5 réquisitionné pour le service du travail obligatoire

6 s'évader

**4 b**  Réécoutez l'interview. Répondez aux questions suivantes en français.

1 Où est-ce que son père a fait son service militaire ?

2 Lui et ses camarades ont été capturés. Quand est-ce qu'ils ont réussi à s'évader ?

3 Quelle idée avaient-ils en tête quand ils se sont évadés ?

4 Pourquoi son père était-il envoyé en Allemagne ?

5 Quel était le but de la propagande qui circulait au sujet du Service du Travail Obligatoire et quelle en était la réalité ? [*trois détails*]

6 Comment est-ce qu'il a réussi à rester en France après son retour d'Allemagne ?

7 Pourquoi était-il interné une deuxième fois ?

8 Pourquoi était-il maltraité par la Gestapo ?

## 5 Traduisez ce texte en français.

### The role played by propaganda in the Vichy regime

Just like advertising, propaganda aims to influence or condition opinion by using all sorts of means including lies. It's a question of spreading a certain vision of the world or a political or religious ideology in order to make it seem legitimate. The Vichy regime used propaganda as follows: to sustain the personality cult of Pétain and to present him as the saviour of France, to justify an authoritarian and nationalist regime, to present collaboration with Germany as a way of fighting against Jews and communists and to support the construction of Hitler's vision of a new Europe.

### Stratégie

**Adapt your register according to the task**

- Think about what you are being asked to do. Is it about something serious or light-hearted, does it involve written or oral work?
- If a task involves speaking to a friend, your language can be much more informal. Read French magazines or websites for young people and note down the types of expressions used.
- If you are asked to make factual notes in preparation for a speaking exercise, you need to adapt your language so that it is objective and formal.
- If you are asked to produce a written or oral analysis, you can include opinion phrases.
- Debates call for persuasive language in addition to opinion phrases.
- When writing, always remember to read through your final work and check the grammar.
- If you are asked to write in a literary style about the past, the past historic would be suitable but not compulsory.

Keep this in mind when carrying out exercise 6.

## 6 a Faites des recherches pour découvrir les différents moyens employés par le régime de Vichy pour promouvoir l'idéologie du régime.

## 6 b Discutez de vos recherches en groupe et ensuite faites un jeu de rôle avec un(e) partenaire. Prenez chacun(e) à votre tour le rôle de l'examinateur et du candidat à l'oral. Posez et répondez aux questions formellement. Essayez de découvrir :

- les différents moyens employés pour distribuer la propagande
- l'avis de votre partenaire sur l'utilisation de la propagande
- si les moyens utilisés par le régime de Vichy connaîtraient un succès au 21ème siècle

## 6 c Rédigez un paragraphe pour résumer vos conversations.

# 11.3 La politique de Vichy et ses conséquences

- Découvrir l'impact de la politique de Vichy et le sort du maréchal Pétain
- Comprendre comment se servir des infinitifs dépendants et passés
- Reconnaître et employer des comparaisons et des métaphores

## On s'échauffe

**1** Regardez ce texte et remplissez les blancs en utilisant les mots dans la case ci-dessous. Attention ! il y a trois mots de trop.

11 OCTOBRE 1940 – Interdiction d'embauche de femmes 1.......... dans les services de l'État, les collectivités locales ou territoriales. Obligation pour les femmes de plus de 50 ans de prendre leur 2.......... .

15 FÉVRIER 1941 – Augmentation du taux des allocations 3.......... qui passent de 20 à 30 pourcent du salaire départemental à partir du 3ème enfant.

29 MARS 1941 – L'allocation de mère au foyer est transformée en allocation de salaire unique et étendue aux femmes 4.......... .

15 FÉVRIER 1942 – Loi faisant de 5.......... « un crime contre la sûreté de l'État ».

2 AVRIL 1941 – Loi interdisant de 6.......... avant un délai minimum de trois ans de mariage. Restriction des causes de divorces.

23 JUILLET 1942 – L'abandon de 7.......... n'est plus une faute civile mais une faute pénale.

| | | |
|---|---|---|
| jolies | l'avortement | des hommes politiques |
| familiales | retraite | mariées |
| d'artisans et d'agriculteurs | temps | |
| foyer | divorcer | |

**2 a** Lisez l'interview et écrivez des définitions ou des synonymes pour les mots et les expressions soulignés.

**2 b** Relisez l'interview et répondez aux questions suivantes en français en utilisant vos propres mots.

1 Quelle fête a été décrétée une fête nationale par Pétain ?

2 Pourquoi le travail des femmes n'était-il pas rémunéré ?

3 Citez deux choses interdites par le gouvernement de Vichy. [*deux détails*]

4 Utilisez vos propres mots pour décrire le rôle des femmes tel qu'il était envisagé par le gouvernement de Vichy.

5 Quels effets avaient les nouvelles lois sur la liberté des femmes ? [*trois détails*]

6 Quel est devenu un énorme marché pour la France ? Pourquoi ?

7 Ce marché a-t-il enrichi la France ? Expliquez votre réponse.

8 En vous appuyant sur votre réponse à la question 7, décrivez ce que vous imaginez être la situation économique de la France à cette époque.

# La politique de Vichy et la société à l'époque

## Iris Leclerc interroge le professeur Martin Dupont

**IL** Pourriez-vous nous faire comprendre exactement comment la société évolue sous le régime de Vichy ? Y avait-il des effets cachés de la politique menée par le gouvernement de Pétain ?

**MD** Certes, par exemple c'était souvent la femme qui était (**1**) la cible de la législation.

**IL** Pourquoi la femme ? On nous laisse entendre que le rôle des femmes était très important aux yeux du régime de Vichy.

**MD** Vous avez raison. Je vais vous faire voir un extrait d'un discours d'un responsable du gouvernement. Voici ce qu'il dit : « si chacun balayait devant sa porte, la rue serait vite propre comme un sou neuf. Appliquons cela à la société et disons : si chaque femme soignait, purifiait, refaisait sa maison, comme la patrie deviendrait belle » !  C'est à cette image de la femme que le maréchal Pétain prétend rendre hommage en faisant de la fête des mères une fête nationale. Le 25 mai 1941, dans un de (**2**) ses innombrables discours, il célèbre la famille « cellule initiale de la société » et le « foyer » dont la mère est la « maîtresse ».

**IL** Il prétend rendre hommage à la femme mais cela nous laisse penser que sa vie en réalité était toute autre chose…

**MD** En effet. Ainsi la femme est renvoyée à la maison, dévouée à ses enfants, réduite aux tâches domestiques et son travail ne doit pas être salarié pour ne pas menacer celui (**3**) des démobilisés. En fait les nouvelles lois sont (**4**) une atteinte à sa liberté de travailleuse, de mère et d'épouse. (**5**) L'embauche des femmes et l'avortement sont interdits, le divorce est rendu plus difficile, voire impossible. Les pères seuls, sont reconnus comme chefs de famille.

**IL** Y avait-il (**6**) des effets néfastes sur d'autres secteurs de la société ?

**MD** Oui, bien sûr. Les industriels et les banquiers, après avoir rencontrés les autorités allemandes et par une sorte de loi naturelle, celle du maintien d'une activité économique, vont trouver dans l'Allemagne en guerre un gigantesque marché. Je voudrais vous faire connaître quelques statistiques hallucinantes. Les voici : 80 pourcent des constructions automobiles et 100 pourcent des constructions aéronautiques étaient destinées à l'effort de guerre allemand. En plus la France enverra en Allemagne pendant cette période la moitié de (**7**) sa production sidérurgique, les trois quarts de (**8**) son minerai de fer et une grande partie de sa production agricole. La France était en train d'être saignée à blanc.

**Les infinitifs dépendants et passés**
**(Dependent and past infinitives)**

Study H5 and H17 in the grammar section.
1 Read the interview on page 225 again. Find:
   ● six examples of dependent infinitives
   ● one example of a past infinitive
2 Write down the phrases containing the examples and translate them into English.
3 Give a literal translation and a more natural-sounding English phrase where necessary.

**3** **Remplissez les blancs en utilisant la forme correcte d'un verbe dans la case.**

1 J'ai mieux compris ce qui s'est passé après .......... le musée d'Auschwitz.

2 On a fait .......... les dégradations du mémorial après la libération.

3 Les noms sur le mémorial me font .......... à la souffrance des habitants.

4 La mairie a décidé de faire .......... un petit musée près de l'office de tourisme.

5 Nous voudrions vous faire .......... comment nous avons souffert pendant la guerre.

6 Après .......... dans le pays, elle a compris la situation.

7 L'attitude de quelques jeunes me laisse .......... qu'ils n'apprécient pas bien l'importance des mémoriaux.

8 Mon voisin s'est fait .......... dans le musée après la guerre.

| | | | |
|---|---|---|---|
| réparer | croire | s'installer | construire |
| visiter | embaucher | comprendre | penser |

**4 a** **Le régime de Vichy et sa fin. Écoutez la première partie de l'interview et répondez aux questions suivantes en français.**

1 Où sont allés beaucoup d'écrivains ? [*deux détails*]

2 Comment ces écrivains ont-ils pu continuer à être lus ?

3 Quel était le sort du cinéma français ? [*deux détails*]

4 Quels genres de chansons étaient diffusés par Radio Londres ?

**La France occupée**

**4 b** Écoutez la seconde partie de l'interview et répondez aux questions suivantes en français.

1 Résumez pourquoi l'influence du maréchal Pétain a reculé à partir de la fin de 1942 et décrivez ce qui se passait politiquement en France entre 1942 et 1944. [*deux détails*]

2 Résumez ce qui est arrivé au maréchal suite à la libération de la France. [*trois détails*]

## Stratégie

### Recognise and use similes and metaphors

The appropriate use of metaphors and similes indicates a superior grasp of the target language. However, they need to be used with caution and not too frequently.

A metaphor implies one thing is another and a simile compares one thing to another. Metaphors and similes often appear in poetry.

● Use them only to create an appropriate and desired effect.
● English metaphors cannot often be translated literally into French: e.g. 'It's raining cats and dogs' translates as *Il tombe des cordes* and not *il pleut des chats et des chiens*.
● In order to familiarise yourself with metaphors and similes, make a list of some common ones that you come across in your reading.
● Make sure you can distinguish between a simile and a metaphor.
● There is a simile in the magazine interview on page 225 and a metaphor in the second part of the recorded interview. What are they?

**5 a** Faites des recherches pour découvrir ce qui s'est passé pendant le procès du maréchal Pétain. Quel était son sort après le procès ? Recherchez aussi le personnage de Pierre Laval. Quel était son sort ?

**5 b** Discutez de vos recherches. Pensez-vous que le sort de Pétain était celui qu'il méritait ? Justifiez votre opinion en vous appuyant sur vos connaissances de ce qui s'est passé dans les différents secteurs de la société française entre 1940 et 1944. Êtes-vous d'accord avec vos camarades de classe ?

**5 c** Résumez à l'écrit ce que vous avez appris sur le régime de Vichy. Pensez à inclure :

● les conditions de vie au quotidien
● la répression et la législation
● comment les gens ont réagi

# 12.1 La Résistance française

## On s'échauffe

**1 a** Regardez la liste de verbes ci-dessous. Trouvez les noms qui sont formés à partir de ces verbes.

| | | | | |
|---|---|---|---|---|
| résister | occuper | surveiller | exécuter | rédiger |
| désobéir | unifier | saboter | organiser | créer |

**1 b** Rajoutez quatre autres verbes et leurs noms que vous connaissez qui pourraient être employés en parlant de la Résistance en France.

# La Résistance vue de près

VIVE LES F.F.I. DE LA REGION DE TOULOUSE (R4)

### Qu'est-ce que l'on peut entendre par « résister » dans ce contexte ?

Résister voulait dire s'opposer à un régime dictatorial. Les résistants se battaient aussi bien contre les nazis que contre le régime de Vichy.

### Qu'est-ce qu'ils ont choisi de faire ?

Ils ont choisi la désobéissance, l'action, le refus et l'insoumission. Ils ont choisi de dire « NON, être CONTRE ». Les risques étaient pourtant nombreux et la clandestinité s'imposait pour protéger son entourage. Beaucoup de résistants ont sacrifié leur confort personnel et leur vie quotidienne dans cette lutte.

### Quelle était leur motivation ?

Il y avait ceux qui ne supportaient pas la défaite de la France et l'occupation allemande. D'autres étaient contre l'idéologie du régime de Vichy. Certains voulaient défendre les valeurs de la République et d'autres voulaient défendre leurs propres intérêts, leur famille, leur liberté, leur pays.

### Est-ce que la Résistance était bien organisée et structurée dès le début ?

Non. Les initiatives étaient peu nombreuses, individuelles et dispersées. Pour beaucoup, résister jusqu'en 1942, voulait dire agir seul. Les premiers actes n'étaient pas concertés et n'avaient pas de lien entre eux. Ce n'était qu'en 1943 que les différents groupes se sont organisés en réseaux et en mouvements. C'est à partir de ce moment que la Résistance est devenue plus efficace. Elle est devenue réellement visible aux yeux de la population. Enfin, en février 1944, les Forces françaises de l'intérieur sont créées pour unifier les formations militaires des divers mouvements de la Résistance.

### Comment les résistants travaillaient-ils et communiquaient-ils ensemble ?

Pour faciliter la communication ils ont mis en place des agents de liaison. Ces agents déposaient des informations dans des « boîtes aux lettres », peut être des lieux publics ou privés ou de vraies boîtes aux lettres dans certains immeubles. Si jamais l'endroit était repéré ou surveillé par la police, on l'appelait « une boîte aux lettres brûlée » et il fallait prévenir les autres résistants et changer de lieu.

**2 a**  Lisez l'article et répondez aux questions suivantes en utilisant vos propres mots.

**1** Pour quelles raisons les gens ont-ils choisi de résister ? [*quatre détails*]

**2** Contre qui résistaient-ils ? [*deux détails*]

**3** La Résistance n'était pas très efficace au début. Pourquoi ? [*trois détails*]

**4** Comment s'appelait l'aile militaire de la Résistance qui a été créée en février 1944 ?

**5** Qu'est-ce que l'on peut entendre par « une boîte aux lettres brulée » ?

**6** Qu'est-ce qui s'est passé en 1943 ?

**7** Comment ont-ils amélioré le système de communication ?

**8** Où se trouvaient « les boîtes aux lettres » ?

**2 b**  Relisez l'article et traduisez les phrases suivantes en français en vous appuyant sur le texte.

**1** People in the resistance movement were opposed to the Nazis and to the Vichy government so they fought against both.

**2** There were many risks and people had to act in secret to protect their family and friends.

**3** The resistance movement wasn't very well organised at the start.

**4** It became more efficient when the different groups were organised into movements and a network.

**5** At first, communication between the different groups wasn't very efficient.

**6** Communication improved when liaison officers were introduced.

**7** These special agents left information or packages in special places called 'letter boxes'.

**8** If one of these special places was noticed or surveyed, the other members of the resistance had to be informed.

---

**Stratégie**

**Note key facts from a listening passage**

- Listen to the passage several times and make sure you understand as much as possible.
- Listen several times more to parts of the extract that you find particularly difficult.
- Be clear about the sort of information you wish to note and understand from the passage.
- If you know that there will be a lot of numbers or statistics involved, revise numbers thoroughly before you listen.

- If it is a story of events, try to note key events chronologically.
- Make your notes clear and concise, do not try to note everything you hear.
- Try to pick up and note key words in the question.
- These key words are likely to help you focus on the correct part of the listening text.

---

**3**  Look at the strategy box and apply it to the testimonials that you are about to listen to, *Les anciens résistants témoignent.* What sort of things do you expect you will hear in the passage? Make a list. Compare your list with your partner's.

## 4 a Les anciens résistants témoignent. Écoutez les témoignages et trouvez le mot ou la phrase qui correspond le mieux à ces définitions.

1 Ce qui se passe dans le monde au jour le jour
2 Un autre mot pour jeune homme
3 Des informations
4 Faire quelque chose sans trop penser aux conséquences
5 Tremblant de peur
6 Quelqu'un qui ne dit pas la vérité
7 La police secrète allemande
8 Agent secret chargé de la communication

## 4 b Réécoutez les témoignages des anciens résistants et choisissez la bonne fin pour chaque phrases.

1 Au cinéma, la veille, Joseph…
   a …n'avait parlé à personne.
   b …avait rencontré sa copine.
   c …avait parlé à la personne à côté de lui.
   d …n'avait pas vu le film.

2 Dix jours plus tard…
   a …Joseph relevait les numéros des camions allemands.
   b …Joseph habitait près d'un terrain d'aviation.
   c …Joseph donnait les renseignements à son camarade.
   d …Joseph criait et sifflait « Menteurs ! ».

3 Une fois quelqu'un a demandé à Solange…
   a …de lui donner un revolver.
   b …de cacher un revolver.
   c …de porter un revolver à quelqu'un.
   d …de lui donner un sac.

4 Le lendemain elle…
   a …a mis un pullover.
   b …a pris le train.
   c …s'est sauvée.
   d …s'est cachée.

5 Depuis l'incident elle…
   a …ne prend jamais le train.
   b …a toujours de la chance.
   c …a constamment peur des forces de l'ordre.
   d …a peur des gares.

6 Joseph entre en résistance…
   a …en 1945.
   b …après sa libération.
   c …quand il a 17 ans.
   d …après sa déportation.

7 Solange devient…
   a …une camarade de Joseph.
   b …un agent de liaison.
   c …un agent de police.
   d …un agent de la SNCF.

8 Solange a été contrôlée…
   a …à la gare.
   b …au cinéma.
   c …près d'un terrain d'aviation.
   d …au centre commercial.

## 5 Translate the following text into English.

### Young people and the resistance movement

Je n'avais que 18 ans quand je me suis décidée de résister. La veille j'avais vu les Allemands entrer dans mon village et prendre des otages. Pour chaque attentat, ils prenaient une vingtaine de personnes. Je savais que le lendemain ils allaient les fusiller. J'étais folle de rage donc deux jours plus tard j'ai pris contact avec un copain qui était déjà résistant et je suis devenue membre du même réseau. Tous les jours je partais à vélo récupérer des messages et des colis cachés. J'ai fait ça pendant quatre ans et chaque jour j'avais une peur bleue.

Utiliser les diverses formes du temps passé avec des expressions de durée dans le temps
(Use different past tenses with expressions of time)

Refer to H22 in the grammar section.

1 Find in the listening exercise statements (exercise 4b) and the translation passage (exercise 5) on page 232:
- two expressions of time combined with the pluperfect
- four expressions of time combined with the imperfect
- four expressions of time combined with the perfect
- one expression of time combined with the present tense

2 Write down the phrases containing the expressions and translate them into English.

3 Which expression of time is used with the present tense? What is the difference between the way this expression is used in French and in English?

## 6 Choisissez la bonne forme verbale pour chaque phrase.

1 Pendant que Klaus Barbie et ses aides *faisaient/ont fait/avaient fait* des choses indescriptibles à Lyon, des résistants *feront/ont fait/font* exploser plusieurs trains de munitions.

2 Avant de se retirer de la zone occupée, les nazis *raseront/rasent/ont rasé* plusieurs villages.

3 Cependant, les troupes alliées *arriveront/ arrivent/étaient arrivées* peu à peu et *se mettra/se mettaient/se met* à libérer les gens emprisonnés par les envahisseurs.

4 Plus tard, les résistants *commenceront/ commençaient/commencent* à faire des représailles contre ceux qui *avaient/ eussent/avait* collaboré.

5 Avant que les résistants n'*ont eu/auront eu/aient eu* le temps de regrouper les Allemands qui *s'évaderont/s'évadaient/ s'évadent*, bon nombre d'entre eux *ont/ avait/avaient* déjà disparu.

6 Au début de la Libération, le nombre connu de résistants actifs le plus fiable *sont/seront/aura été* à peu près 40 000.

7 Mais, après *avoir fait/a fait/aura fait* la liste à la cessation d'hostilités, le nombre de soi-disant « résistants » *est gravi/avait gravi/gravissait* jusqu'à presque 80 000 !

8 Après *avoir rétabli/s'être rétabli/se rétabliront* un peu après les hostilités, les Français ordinaires *ont vengé/se sont vengés/vengeront* sur les collaboratrices, réelles ou imaginaires.

## 7 a
Les représailles des Allemands étaient parfois terribles. Il y a eu un incident qui était particulièrement meurtrier. Il s'agit d'un village qui s'appelle Oradour-sur-Glane. Avec un(e) partenaire faites des recherches sur l'histoire de ce village. Essayez de trouver :
- où se situe le village
- ce qui s'est passé
- s'il y avait une raison pour les représailles
- ce qu'est devenu le village après la guerre

## 7 b
Résumez à l'oral ce que vous avez appris sur la Résistance. Pensez à mentionner les points suivants :
- pourquoi les gens ont commencé à résister
- comment le mouvement a évolué
- quel rôle jouaient les jeunes

## 7 c
Rédigez un paragraphe pour résumer ce que vous avez dit à l'oral.
Que pensez-vous du rôle joué par les jeunes ?

# 12.2 L'importance de Jean Moulin et des femmes dans la Résistance

- Découvrir le rôle que Jean Moulin, ainsi que les femmes, ont joué dans la Résistance française
- Apprendre à utiliser les prépositions
- Planifier et faire des révisions

## On s'échauffe

**1** Associez les mots ou les phrases suivants à leurs définitions ou synonymes. Attention ! il y a trois définitions ou synonymes de trop.

**1** la figure phare
**2** clandestin
**3** la clandestinité
**4** trahir
**5** la lutte
**6** les réseaux
**7** combattre
**8** la trahison
**9** l'arrestation
**10** saboter

**a** dénoncer
**b** détériorer ou détruire quelque chose
**c** secret
**d** le résistant
**e** l'agent secret
**f** lutter contre
**g** en secret

**h** une personne clé
**i** la dénonciation
**j** le combat
**k** les liens entre organisations
**l** mettre en prison
**m** un code

**2 a** Lisez l'extrait d'un manuel d'histoire. Mettez les phrases dans le bon ordre chronologique pour résumer la vie de Jean Moulin.

**1** Malgré la torture et sa souffrance il n'a jamais parlé ou révélé les noms de ses camarades.

**2** Il est mort lors de son transfert en Allemagne.

**3** Il aimait le dessin et durant toute son adolescence il dessinait beaucoup.

**4** Jean Moulin s'intéressait à la politique dès son plus jeune âge.

**5** Il a été dénoncé et arrêté lors d'une réunion près de Lyon.

**6** Il est allé en Angleterre pour rencontrer le général de Gaulle.

**2 b** Relisez l'extrait et choisissez les *quatre* phrases qui sont correctes.

**1** Il a été révoqué par le gouvernement de Vichy parce qu'il avait collaboré avec les Allemands.

**2** Il n'était pas heureux quand il grandissait.

**3** Pour dissimuler sa vraie identité il a pris l'identité d'un agriculteur.

**4** Le général de Gaulle lui a donné les moyens de renforcer la Résistance en France.

**5** Il était issu d'un milieu ouvrier.

**6** Il a réussi à unir tous les mouvements divers de la résistance.

**7** Il est devenu le plus jeune préfet de France.

**8** Il a été emprisonné une première fois pour son refus d'obéir aux ordres des occupants.

# L'histoire de Jean Moulin

Jean Moulin est né en 1899, à Béziers, au sein d'une famille d'intellectuels. Il grandit dans l'insouciance de l'enfance, durant laquelle il montre de fortes aptitudes de dessinateur. Très jeune, Jean Moulin est passionné par la politique. Particulièrement impliqué dans l'organisation de son pays, Jean Moulin devient, dès 1925, le plus jeune sous-préfet de France.

## Son entrée dans la Résistance

En 1939, Jean Moulin est nommé préfet, peu de temps avant l'invasion du pays par les Allemands. Dès le début de la guerre, il demande à combattre pour la France en tant que sergent de réserve. La France est envahie en 1940 et il refuse de collaborer avec les Allemands. Ayant osé tenir tête à l'occupant, il est battu puis emprisonné. Son refus de collaborer l'amène à être révoqué par le gouvernement de Vichy. C'est à cet instant qu'il fait concrètement ses premiers pas dans la Résistance.

## Sa mission

Convaincu de son devoir de lutte contre l'occupant, il se rend à Londres pour rencontrer le général de Gaulle. Les deux hommes s'entendent et Jean Moulin se voit confier la lourde tâche d'unifier la Résistance dans le Sud de la France. Assuré d'un soutien matériel essentiel, il rejoint le pays en 1942. Il prend différentes identités, dont celles d'un agriculteur et d'un directeur de galerie d'art. Il fait de gros efforts pour rallier les différents mouvements de résistance entre eux et sous l'autorité du général. Après un bref retour à Londres, où il rend son rapport au général de Gaulle, il est ensuite chargé de mettre en place le Conseil National de la Résistance (CNR). Il s'agit en fait de réunir toutes les organisations (mouvements, partis politiques et syndicats) sous une même entité politique. C'est Jean Moulin lui-même qui en prend la présidence.

## Trahison, arrestation, torture...

Lors d'une réunion à Caluire, la Gestapo arrive et arrête tous les participants. La trahison, ou dénonciation, semble évidente. Jean Moulin est emprisonné à Lyon et torturé pendant plusieurs jours. Malgré les souffrances abominables qu'il endure, jamais il ne donnera aucune information. Il meurt lors de son transfert en Allemagne en 1943.

## Grammaire

### Apprendre à utiliser les prépositions (Learn to use prepositions)

Refer to F in the grammar section.

1 Find in the above extract:
- eight different prepositions (some are used more than once) in paragraph 1
- three prepositions in paragraph 2 that have not been used in paragraph 1
- four prepositions in paragraph 3 which have not been used in the preceding paragraphs
- three prepositions in paragraph 4 which have not been used in the preceding paragraphs
2 Use a reliable bilingual dictionary to look up the meaning and usage of these prepositions.
3 Copy out all the phrases containing the prepositions and translate them into English.

**3** Insérez toutes les prépositions qui manquent dans les phrases ci-dessous.

1 Il est presque impossible ......... surestimer l'influence de Jean Moulin ......... la Résistance.

2 ......... un certain point, il avait été, tout comme de Gaulle, le symbole et le point de ralliement ......... la Résistance et la France.

3 ......... tant que préfet d'Eure-et-Loir, il a refusé ......... accepter les demandes des Allemands quand ils commençaient ......... occuper Chartres.

4 ......... conséquent, il avait trouvé nécessaire ......... gagner Londres, ......... il est devenu président du Conseil national de la Résistance.

5 Jean Moulin est devenu chef de la Résistance ......... son courage, ses talents d'organisation et son rapport proche ......... de Gaulle.

6 L'ennemi a failli l'attraper plusieurs fois, mais grâce ......... un réseau de sympathisants, la Gestapo avait trouvé impossible ......... l'appréhender.

7 Après être rentré en France et suite ......... un acte de trahison, Jean Moulin a été torturé ......... la Gestapo et il est mort ......... cours de son extradition ......... Allemagne.

8 ......... l'attraper finalement, la Gestapo a dû avoir recours ......... l'extrême torture d'autres résistants et des menaces ......... leurs familles.

**4 a** Les femmes dans la Résistance, une force vive. Complétez les phrases ci-dessous avec les mots et les phrases dans la liste. Attention ! il y en a trois de trop. Ensuite écoutez l'émission pour vérifier vos réponses.

1 Cacher, héberger, nourrir, approvisionner : telles étaient ......... des femmes.

2 Il n'y avait qu'un faible pourcentage de femmes ......... après la guerre.

3 Le rôle qu'elles ont joué a été reconnu ......... .

4 À la Libération, leur engagement a été ......... .

5 Elles étaient obligées d'exercer leurs missions dans ......... .

6 Elles étaient aussi héroïques que leurs ......... .

7 Certaines d'entre elles avaient rejoint les unités de ......... .

8 ......... sur le sujet de leur rôle ont aidé à les dévoiler.

| a | la clandestinité | g | homologues masculins |
|---|---|---|---|
| b | tardivement | h | les idées reçues |
| c | la France Libre | i | Médaillées de la Résistance |
| d | peu valorisé | j | les missions |
| e | la communauté scientifique | k | les travaux universitaires |
| f | un colloque | | |

**4 b** Réécoutez la première partie et répondez en français, en utilisant vos propres mots, aux questions suivantes.

> **1** Quelles sont les trois emplois exercés par les femmes au sein des réseaux de la Résistance mentionnés dans l'émission ?
>
> **2** Comment le rôle important des femmes dans la Résistance a-t-il réellement émergé ?
>
> **3** Que faisaient les femmes qui avaient rejoint les unités des Français Libres ?
>
> **4** Quel pourcentage des Médaillés de la Résistance d'après-guerre était des femmes ?

**4 c** Réécoutez la seconde partie, la femme qui parle dans l'émission, et répondez aux questions suivantes en français en utilisant vos propres mots.

> **1** Résumez pourquoi et comment à partir de 1975 le rôle des femmes dans la Résistance a été mieux évalué. [*trois détails*]
>
> **2** Résumez pourquoi les historiens hésitaient à dévoiler le rôle joué par les femmes dans la résistance.

**4 d** Les femmes dans la Résistance. Une force vive. Traduisez en anglais les phrases 1-8 de l'exercice 4a.

## Stratégie

### Plan and carry out revision

One of the most effective ways of learning a language is by constantly using it:
- Write clear notes and keep them organised.
- Read the notes you make in French on each sub-unit regularly.
- Make a habit of going over the notes you made on earlier units so that you don't forget the facts, grammar content or vocabulary.

- Learn vocabulary on regularly, in short lists.
- Test yourself and a partner.
- Never leave your revision to the very last minute.
- Make yourself a revision timetable and begin to revise in an organised way before you sit an exam.

**5 a** Les femmes de la Résistance. Elles étaient étudiantes, ouvrières, mères de famille, enseignantes, religieuses, agricultrices. Pour la plupart, rien ne prédestinait ces citoyennes de deuxième catégorie, sans droit de vote, soumises légalement à leurs pères ou époux, à s'engager pour leur pays. En France, elles s'appelaient Bertie Albrecht, Germaine Tillion, Lucie Aubrac, Marie Hackin, Danielle Casanova, entre autres.

Choisissez une de ces femmes (ou une autre) et recherchez leur rôle dans la Résistance.

**5 b** Partagez et discutez de vos recherches avec vos camarades pour essayer d'établir une idée plus précise de la nature de la Résistance en France, et surtout les rôles joués par les femmes et Jean Moulin dans ce mouvement.

**5 c** Rédigez un court paragraphe pour résumer l'importance du rôle joué par Jean Moulin dans la Résistance. Rédigez un deuxième paragraphe pour expliquer comment les femmes se sont investies dans la Résistance. Ont-elles joué un rôle important ? Qu'en pensez-vous ?

# 12.3 Les Français libres et le général de Gaulle

- Découvrir qui étaient les Français libres et comment ils soutenaient le général de Gaulle
- Apprendre à utiliser les adjectifs et pronoms interrogatifs
- Traduire de l'anglais en français authentique

## On s'échauffe

**1 a** Voici quelques catégories de gens. Choisissez la bonne définition.

| | |
|---|---|
| 1 militaire | a celui-ci fait partie de l'armée de la terre |
| 2 civil | b celui-ci rend service sans rémunération |
| 3 intellectuel | c celui-ci consacre sa vie à étudier |
| 4 scientifique | d celui-ci ne fait pas partie d'un organisme militaire |
| 5 marin | e celui-ci fait des expériences |
| 6 étudiant | f celui-ci se trouve à bord d'un navire |
| 7 volontaire | g celui-ci n'a pas encore terminé ses études |

**1 b** Rédigez vous-mêmes les définitions pour ces catégories de gens en suivant le modèle utilisé ci-dessus.

| | | | |
|---|---|---|---|
| pilote | ouvrier | policier | bénévole |
| ingénieur | officier | agriculteur | |

# Appel aux Français

« À tous les Français… La France a perdu une bataille ! Mais la France n'a pas perdu la guerre ! Voilà pourquoi je convie tous les Français, où qu'ils se trouvent, à s'unir à moi dans l'action, dans le sacrifice et dans l'espérance. Notre patrie est en péril de mort. Luttons tous pour la sauver. VIVE LA FRANCE ! »

« Moi, général de Gaulle, actuellement à Londres, j'invite les officiers et les soldats français qui se trouvent en territoire britannique ou qui viendraient à s'y trouver, avec leurs armes ou sans leurs armes, j'invite les ingénieurs et les ouvriers spécialistes des industries d'armement qui se trouvent en territoire britannique ou qui viendraient à s'y trouver, à se mettre en rapport avec moi.

Quoi qu'il arrive, la flamme de la résistance française ne doit pas s'éteindre et ne s'éteindra pas.

Demain, comme aujourd'hui, je parlerai à la radio de Londres. »

Voici des extraits du message livré par le général de Gaulle aux Français depuis Londres. Il est arrivé à Londres en juin 1940 déterminé à poursuivre le combat. Il a pu s'installer provisoirement dans un appartement prêté par un Français près de Hyde Park, au centre de Londres. C'est dans cet appartement qu'il rédige le texte qui sera diffusé par la BBC, avec l'accord de Winston Churchill.

Il y avait des émissions régulières destinées à la France occupée et on entendait souvent ce refrain, « Radio Paris ment, Radio Paris est allemand ! ». Le message émis par la BBC aux Français porte ses fruits et de plus en plus de Français répondent à l'appel du général. Ils deviennent les Français libres de Londres. Qui sont-ils ? Ils sont militaires, civils, intellectuels, scientifiques, marins, étudiants. Qu'ont-ils tous en commun ? Ils sont volontaires. Quelle était leur mission ? Ils voulaient se rallier au général de Gaulle à Londres entre juin 1940 et décembre 1943. Quel était leur but ? Poursuivre la lutte aux côtés des Alliés. Quelle vie menaient-ils ? Pendant quatre ans ils vivaient au rythme de l'Angleterre, loin de leurs familles, coupés de leur patrie, dans un exil qu'ils avaient choisi.

A TOUS LES FRANÇAIS

La France a perdu une bataille !
Mais la France n'a pas perdu la guerre !

Des gouvernants de rencontre ont pu capituler, cédant à la panique, oubliant l'honneur, livrant le pays à la servitude. Cependant, rien n'est perdu !

Rien n'est perdu, parce que cette guerre est une guerre mondiale. Dans l'univers libre, des forces immenses n'ont pas encore donné. Un jour, ces forces écraseront l'ennemi. Il faut que la France, ce jour-là, soit présente à la victoire. Alors, elle retrouvera sa liberté et sa grandeur. Tel est mon but, mon seul but !

Voilà pourquoi je convie tous les Français, où qu'ils se trouvent, à s'unir à moi dans l'action, dans le sacrifice et dans l'espérance.

Notre patrie est en péril de mort.
Luttons tous pour la sauver !

VIVE LA FRANCE !

GÉNÉRAL DE GAULLE

QUARTIER-GÉNÉRAL,
4, CARLTON GARDENS,
LONDON, S.W.1.

**2 a** Lisez l'article et trouvez un autre mot ou expression pour les mots ou expressions dans la liste ci-dessous.

1 invite
2 maintenant
3 prendre contact avec
4 continuer à se battre
5 momentanément
6 mots ou phrases répétés
7 avoir du succès
8 se regrouper autour de

Le général de Gaulle à Londres

**2 b** Relisez l'article et choisissez la bonne fin pour les phrases suivantes.

1 Radio Paris…
   a …était fiable comme station de radio.
   b …diffusait toujours la vérité.
   c …était le porte-parole des Allemands.
   d …était diffusée en Angleterre.

2 Le général de Gaulle…
   a …était hébergé dans un appartement prêté par Winston Churchill.
   b …ne vivait pas au centre de Londres.
   c …vivait dans un appartement qu'un Français lui avait prêté.
   d …habitait chez Winston Churchill.

3 Les Français libres sont arrivés en Angleterre dans l'espoir de…
   a …combattre avec les Alliés.
   b …vivre en exil.
   c …ne plus jamais voir leurs familles.
   d …rester dans ce nouveau pays.

4 Ce qui liait ces gens c'était…
   a …qu'ils étaient tous marins.
   b …qu'ils étaient tous des spécialistes.
   c …qu'ils étaient tous armés.
   d …qu'ils étaient tous volontaires.

5 Le général de Gaulle ne voulait rassembler…
   a …que des ouvriers spécialistes.
   b …que des ingénieurs et des soldats.
   c …que des militaires, des ingénieurs et des ouvriers spécialistes.
   d …que des marins.

6 Le but du général de Gaulle était de…
   a …continuer à lutter contre l'ennemi.
   b …rencontrer Winston Churchill.
   c …rédiger des textes pour la BBC.
   d …voir Hyde Park et Londres.

7 Le général de Gaulle a promis…
   a …qu'il éteindrait la flamme de la résistance.
   b …qu'il parlerait le lendemain à la radio.
   c …qu'il allumerait la flamme de la résistance.
   d …qu'il ne parlerait plus à la radio de Londres.

8 Le message aux Français émis par la BBC…
   a …a parlé des fruits.
   b …n'a pas connu un grand succès.
   c …n'a pas été entendu par beaucoup de Français.
   d …a encouragé beaucoup de gens à répondre à l'appel du général.

**3 a** Les Français libres se souviennent. Écoutez les témoignages et notez deux adjectifs utilisés pour décrire la réaction des personnes au discours de Pétain. Notez quatre adjectifs utilisés pour décrire le paysage anglais. Trouvez un synonyme pour chaque adjectif.

**3 b** Réécoutez les témoignages. Répondez aux questions suivantes en français en utilisant vos propres mots le plus possible.

1 Quelle était la date du discours du maréchal Pétain ?

2 Quel événement fêtait la première personne le 18 juin 1940 ?

3 Quels sentiments ont-ils exprimés quand ils ont vu le paysage anglais pour la première fois ? [*trois détails*]

4 Qui a encouragé une des personnes à partir en Angleterre et quelle était la raison pour son encouragement ? [*trois détails*]

5 Lequel des deux hommes avait fait huit ans d'anglais et quel en était le résultat ?

6 Qu'est-ce qui est arrivé à un des deux hommes quand il s'est trouvé à Londres pour la première fois ?

7 Lequel des deux hommes avait l'impression que l'Angleterre n'était pas en guerre ?

8 Laquelle des deux personnes était émerveillée par la fraîcheur du paysage ?

---

## Grammaire

Apprendre à utiliser les adjectifs et pronoms interrogatifs (Learn to use interrogative adjectives and pronouns)

Refer to B4 and C6 in the grammar section.

1 In the article on page 238 find:
- two examples of interrogative pronouns
- two examples of the feminine singular form of the interrogative adjective
- one example of the masculine singular form of the interrogative adjective

2 In the listening questions in 3b, find:
- one example of the masculine plural form of the interrogative adjective

- two further examples of the masculine singular form of the interrogative adjective
- two further examples of interrogative pronouns
- two different forms of the interrogative adjective, one masculine singular, one feminine singular

3 Note down the phrases containing the examples and translate them into English.

---

**4** Remplissez les blancs avec un adjectif ou un pronom interrogatif de la case.

1 .......... de Gaulle a-t-il déménagé à Londres ?

2 .......... faisait-il pour remonter le moral des Français libres ?

3 .......... de Gaulle avait demandé aux Français libres concernant les actes de sabotage ?

4 .......... de Français libres ont été tués par la machine infernale allemande ?

5 .......... les Français libres ont-ils résisté si âprement aux occupants ?

6 .......... avait dénoncé Jean Moulin ?

7 .......... ont été les réactions des Français libres aux émissions de radio du Général ?

8 .......... des leaders des Français libres ont rendu la vie difficile à l'armée allemande ?

| Pourquoi | Combien | Lesquels | Quelles |
|----------|---------|----------|---------|
| Que | Qui est-ce qui | Comment | Qu'est-ce que |

## Stratégie

**Translate from English into authentic French**

- Word order in French and English may be similar but clause order is not.
- When the French write about history, the present tense (historical present) is often used to describe past events. In English, the past tense is normally used.
- Written French often uses several clauses in one sentence, while written English tends to have shorter sentences.
- To help you become familiar with authentic French, read as many different styles of French as possible, e.g. extracts from magazines, newspapers, specialist journals, novels.

- Look at short French and English passages side by side and try to pinpoint the structural differences.
- Try to learn some common idiomatic phrases that mean the same thing in both languages but that use different analogies, e.g. *avoir une peur bleue* – to be scared stiff.
- Check in bilingual and monolingual dictionaries to make sure you are using the correct word in the context. Beware of '*faux amis*'.

Refer to the above points when carrying out exercise 5. Pay particular attention to the first and second bullet points as you translate.

La croix de Lorraine – monument aux Français libres

**5** **En vous appuyant sur les consignes dans la case stratégie, traduisez ce texte en français.**

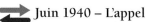

### Juin 1940 – L'appel

In June 1940 the French government signed the armistice with Hitler. A large part of France was occupied by the Germans. However, a little known officer, General de Gaulle, refused to accept the politics of collaboration and on 18 June 1940 made an appeal for resistance from his base in London. His task was difficult but more and more French people joined him as the months went by. After the Normandy landings on 6 June 1944, Paris was liberated on 25 August and de Gaulle was acclaimed on the Champs-Élysées. After the Liberation, as president of a provisional government he restored the Republic and laid the foundations of a new France.

**6 a** **Imaginez que vous êtes un jeune homme ou une jeune femme qui a répondu à l'appel du général de Gaulle. Avec un(e) partenaire, rédigez une liste de huit choses qui vous ont frappées dès votre arrivée en Angleterre et à Londres. Si nécessaire faites des recherches sur la vie en Angleterre à cette époque au tout début de la guerre. Ensuite partagez vos idées avec la classe.**

**6 b** **À tour de rôle avec un(e) partenaire répondez oralement aux questions suivantes :**
- Pourquoi les jeunes Français(e)s ont-ils/elles souhaité se rendre en Angleterre ?
- Dans quelle mesure leurs actions ont-elles été efficaces ?
- Comment est-ce qu'ils ont pu contribuer à la victoire des Alliés ?

**6 c** **En vous appuyant sur les réponses que vous avez données aux questions ci-dessus, rédigez un paragraphe pour résumer le rôle joué par le général de Gaulle et les Français libres dans la continuation du combat contre les Allemands.**

# Vocabulaire

## 12.1 La Résistance française

une **aile** wing
un **attentat** terrorist attack, bombing
un(e) **concierge** caretaker
**courir un risque** to run a risk
**dispersé(e)** scattered
**faire exploser** to blow up
une **filière d'évasion** escape route
un **journal clandestin** underground newspaper
l' **idéologie** (f) ideology
un **immeuble** block of flats
un(e) **menteur (-euse)** liar
**mentir** to tell a lie
s' **opposer à** to object to, oppose
**parcourir** to travel across an area
**primordial(e)** paramount
un **réseau** network
les **renseignements** (m) information, intelligence
une **tentative** attempt
un **tract** leaflet, pamphlet, tract

## 12.2 L'importance de Jean Moulin et des femmes dans la Résistance

un **agent de liaison** go-between
**approvisionner** to provide, supply
**cacher** to hide
**clandestin(e)** clandestine, secret
la **clandestinité** secrecy
**commémorer** to commemorate
une **couverture** cover
**entourer** to surround
**impliquer** to involve, implicate
**nommé(e)** appointed
**oser** to dare

un **préfet** prefect, administrative officer
la **présidence** presidency
**rallier** to gather together
un **refus** refusal
**révoquer** to be dismissed, removed from office
la **souffrance** suffering
**souffrir** to suffer
un **sous-préfet** sub-prefect
le **soutien** support
une **tâche** task

## 12.3 Les Français libres et le général de Gaulle

**acclamer** to cheer, acclaim
un **but** aim
**capituler** to surrender, capitulate
**convier** to invite
un **débarquement** landing
**débarquer** to land
**diffuser** to broadcast
un **discours** speech
**écraser** to crush
une **émission** programme
l' **espérance** (f) hope
**exprimer** to express
l' **industrie** (f) **d'armement** arms industry
**lutter** to fight, struggle
la **pratique** practice
**sauver** to save, rescue
la **servitude** servitude
se **trouver** to find oneself
s' **unir** to unite, join forces

# UNITÉ 13

## Approfondissement

## Theme objectives

This unit revisits topics covered in Themes 1 and 2, focusing on:
- what France is doing to care for the most vulnerable
- volunteers in the workplace and in charities
- studying abroad
- the role of the internet in crime and crime prevention

**The content in this unit is assessed at AS and A-level.**

## Grammar objectives

You will study and practise the following grammar points:
- using alternatives to the passive
- using tenses such as the future perfect and the conditional perfect
- using mixed tenses
- knowing how to use different time frames

## Strategy objectives

You will develop the following strategies:
- responding to different styles of spoken language
- taking the lead in a conversation
- managing your time in an exam
- using more sophisticated sentences in written work

# 13.1 Une société compatissante

- Apprendre ce que fait la France pour aider les plus vulnérables
- Utiliser des alternatives à la voix passive
- Répondre à plusieurs styles de langue orale

## On s'échauffe

**1 a** Avec votre partenaire, faites une liste des difficultés auxquelles les personnes âgées et/ou les handicapés doivent faire face dans notre société actuelle ? Groupez-les selon leur nature (financières, sociales...).

**1 b** Pour chaque difficulté, dites quelle(s) solution(s) votre pays propose ou devrait proposer. Connaissez-vous des organismes ou associations caritatives qui aident les personnes âgées et/ou les handicapés dans votre pays ?

## LA FONDATION DE FRANCE : L'AIDE AUX PERSONNES VULNÉRABLES

Le monde change, mais les besoins humains de s'exprimer, de travailler, de se soigner, de vivre avec les autres se recherchent toujours autant alors que la société se clive davantage.

### On permet aux plus vulnérables de s'en sortir

Face aux écarts qui s'observent davantage de nos jours, la Fondation de France s'efforce de soutenir, grâce principalement à la générosité de donateurs, des initiatives attentives aux besoins fondamentaux lorsque les réponses adaptées, publiques ou privées sont insuffisantes.

Face à la pénurie persistante de logements, aux coûts de l'immobilier qui explosent, face au chômage de masse et à la précarité croissante des emplois, un nombre de plus en plus important de personnes fragilisées se retrouvent dans des situations difficiles qu'elles ont beaucoup de mal à surmonter. La Fondation de France s'attache à aider chacun à redevenir acteur de sa propre vie.
En 2010, on comptait 5 millions de personnes qui étaient âgées de plus de 75 ans. Enjeu économique, social et sociétal à la fois, le vieillissement est l'une des grandes questions de société des années à venir. L'espoir de chacun n'est pas seulement de vivre plus longtemps, il est surtout de vivre mieux.
On permet aux personnes handicapées de vivre comme les autres, parmi les autres à travers des projets qui sont soutenus par la Fondation de France. La loi de 2005

favorise l'intégration des personnes handicapées. Malgré ce contexte favorable, il leur est encore difficile de choisir et décider, de s'engager dans la communauté avec des responsabilités associatives ou politiques.

### La solitude se combat

La lutte contre la solitude est pour la Fondation de France un engagement fort.

Grâce aux *Réveillons de la Solidarité*, entre autres, on offre un moment de partage chaleureux et festif à 17 000 personnes fragilisées dans leur quotidien partout en France.

Avec la création d'un service itinérant à domicile de nuit pour les personnes âgées, malades ou handicapées qu'on a appelé les *Visiteurs du Soir*, les sourires se lisent de nouveau non seulement sur le visage de ceux qui y ont souscrit mais aussi sur celui des membres de leur famille.

## 2 a Lisez la brochure. Trouvez les antonymes des mots suivants.

1 s'unifie
2 rencontrer des problèmes
3 se négliger
4 renoncer

5 s'éloigner/se séparer
6 l'abondance
7 se désintéresse
8 à l'extérieur

## 2 b Relisez la brochure et choisissez les *quatre* phrases correctes.

1 Selon le texte, les hommes ont de nouveaux besoins à cause de cette société en évolution.
2 Quelles que soient les époques, les hommes et les femmes ont toujours eu les mêmes besoins fondamentaux.
3 La Fondation de France n'est pas le seul organisme à subvenir aux besoins des personnes dans le besoin.
4 L'aide de la Fondation de France ne fournit qu'une aide matérielle.
5 La Fondation de France ne pourrait pas fonctionner sans l'aide extérieure.
6 L'allongement de la vie est la préoccupation principale des personnes âgées.
7 Il est plus facile de nos jours pour les personnes handicapées de jouer un rôle dans la société.
8 *Les Visiteurs du Soir* ne manquent pas à leur objectif.

## Grammaire

**Utiliser des alternatives à la voix passive (Use alternatives to the passive)**

Study C1.2, H2.3 and H16 in the grammar section.
1 In the brochure on page 244, find:
   ● one example of the passive
   ● four examples where the passive is avoided using *on*
   ● four examples where the passive is avoided using a reflexive verb.
2 Copy the phrases containing the above examples and translate them into English.
3 Which of the alternatives to the passive do French people tend to use if the subject of the verb is not clear?

## 3 Utilisez *on* pour communiquer le passif différemment dans les phrases 1 à 4.

1 Les enfants sont accueillis plus tôt à la maternelle en France qu'en Angleterre.
2 Les entreprises caritatives sont épaulées par des milliers d'aides bénévoles.
3 Les SDF et les autres démunis sont hébergés dans des foyers municipaux.
4 Ceux avec des maladies génétiques sont traités avec plus de succès maintenant.

**Faites le contraire pour 5 et 6.**

5 On traite aussi les jeunes personnes brutalisées par leurs proches.
6 On a aidé beaucoup de gens à améliorer leur qualité de vie.

**Maintenant, utilisez des verbes pronominaux pour écrire une variation sur le passif dans les deux phrases suivantes.**

7 On boit le coca frais.
8 On a vendu ce jean trop cher !

Respond to different styles of spoken language

- Before you listen to a passage of spoken French, read the instructions and any helpful information about it carefully. Is it an interview? A discussion? A report? A chat between friends?
- Anticipate the type of language. What would you be likely to hear in a debate? A report? A chat?
- Think of fillers and language routine (e.g. in a debate you would have a range of opinion phrases). Identify the context — what vocabulary is likely to be used?

- Is it going to be formal or informal? What is going to be the impact on the language used?
- Flow of language — is the flow of language going to be different in a report than in a debate?

Think about the above suggestions as you carry out exercises 4a and b.

**4 a**  **Le handicap au quotidien. Écoutez les témoignages sur la vie quotidienne des personnes vulnérables. Les idées suivantes sont exprimées – à vous de les associer à chaque personne. Est-ce ceux de Ginette (G), Marc (M) ou de Françoise (F) ?**

1 Je me sens coupable.
2 Je suis reconnaissant(e).
3 Je me suis senti(e) obligé(e).
4 Ça m'a rendu triste.
5 Je suis fier/fière de moi.
6 J'ai besoin de contacts humains.
7 J'étais déterminé(e).
8 La situation était stressante.

**4 b Réécoutez les témoignages et choisissez la bonne option pour chaque phrase.**

1 La plupart du temps, Ginette…
   a …a recours à l'aide de quelqu'un.
   b …peine à se débrouiller.
   c …se sent seule.
   d …reçoit l'aide quotidienne d'un organisme local.

2 Il est hors de question que Ginette…
   a …quitte son domicile.
   b …fasse les tâches ménagères.
   c …sorte de chez elle.
   d …fasse du bénévolat.

3 Marc a un handicap…
   a …depuis toujours.
   b …moteur.
   c …mental.
   d …congénital.

4 Le handicap de Marc l'oblige…
   a …à avoir recours à une aide médicale 24 heures sur 24.
   b …à dépendre d'un membre de sa famille.
   c …à rester alité.
   d …à voyager accompagné.

5 Françoise doit aider ses parents financièrement car…
   a …ses parents n'ont pas assez d'économies.
   b …les frais médicaux sont trop élevés.
   c …la retraite de ses parents n'est pas suffisante.
   d …pour qu'ils aient les meilleurs soins.

6 Françoise…
   a …est contre les maisons de retraite.
   b …a été surprise par la qualité des soins dans la maison de retraite.
   c …se plaint de la maison de retraite de ses parents.
   d …voudrait un autre organisme pour s'occuper de ses parents.

**5 Translate this passage into English.**

### First Alzheimer village in France

Un village dédié aux personnes atteintes de la maladie d'Alzheimer devrait ouvrir très prochainement en France. Le village ressemblerait à un village normal avec une épicerie, un gymnase, un restaurant… mais tous les emplois seraient occupés par des professionnels médicaux. Grâce à ce village, les malades apprendraient à renouer avec tous les gestes de la vie quotidienne et leur qualité de vie se verrait de ce fait améliorer. En France la hausse du nombre de personnes touchées par cette maladie s'observe d'année en année et le manque de soutien spécialisé se lit régulièrement dans les médias.

**6 a Faites une liste des raisons pour et contre cette affirmation.**

« L'aide aux personnes les plus vulnérables représente un fardeau trop lourd pour les familles. L'aide devrait alors être prise en charge par la société. »

**Maintenant discutez de cette question avec votre groupe. Choisissez qui est pour et qui est contre.**
- Employez des expressions variées pour exprimer vos opinions.
- Utilisez des exemples précis pour soutenir vos idées, introduits par des expressions telles que *compte tenu de/vu que/en considérant…* .
- N'oubliez pas de réagir à ce que vos partenaires disent avant d'exprimer votre avis.

**6 b Écrivez un paragraphe pour résumer votre avis. Présentez les deux côtés.**

## 13.2　Employés et étudiants bénévoles

- Rencontrer des bénévoles qui s'engagent sur les lieux de travail et dans les associations caritatives
- Utiliser des temps tels que le futur antérieur et le conditionnel passé
- Prendre l'initiative dans une conversation

### On s'échauffe

**1 a** Voici quelques œuvres caritatives françaises.

> Les Restos du Cœur　　L'Armée du Salut　　Action contre la Faim　　Enfance et Partage

**En vous aidant de leurs noms, essayez de trouver ce qu'elles défendent. Formez des phrases avec les tronçons de phrases suivants.**

1 ......... lutte contre l'exclusion.
2 ......... apportait à l'origine de l'assistance aux plus démunis, notamment dans le domaine alimentaire par l'accès à des repas gratuits.
3 ......... a pour but d'aider les enfants maltraités.
4 ......... se bat contre la famine et la malnutrition.

**1 b** Connaissez-vous d'autres associations caritatives françaises ou de votre pays et leurs actions ?
**1 c** Maintenant faites une liste de ce qui pousse les gens à se porter volontaires.

# France volontaire – Le congé de solidarité

### Alors qu'est-ce que c'est le congé de solidarité ?

Le congé de solidarité permet à des salariés de participer à une mission d'entraide à l'étranger à la place de leurs congés annuels qu'ils auraient sans doute passés comme tout le monde, chez eux ou en vacances. Dès que le salarié aura négocié ce volontariat avec son entreprise, il pourra s'investir dans nos missions. Le congé de solidarité est une expérience individuelle mais une fois que tous les candidats auront posé leur candidature et les besoins des pays auront été identifiés, certaines missions pourront s'effectuer en binôme selon un principe de complémentarité des compétences.

### Pourquoi ces missions ?

Le principe de ces missions est d'aider au développement et au renforcement des compétences du personnel local, en mobilisant les compétences des volontaires.

### Et leur durée ?

C'est un minimum de quinze jours et un maximum de trois semaines. Les missions passent vite et une fois rentrés, les volontaires nous disent pratiquement tous qu'ils seraient bien restés plus longtemps !

### Quels sont les intérêts pour le partenaire d'accueil ?

Ils bénéficient d'un appui ou d'un renforcement de compétences et découvrent ou redécouvrent des techniques et pratiques professionnelles différentes. De plus, ils abordent l'interculturalité sous une dimension professionnelle.

## Et pour le volontaire?

Les volontaires qui conduisent ces missions confrontent leurs pratiques de travail à une culture différente. Une fois la mission terminée, le volontaire aura développé et acquis de nouvelles compétences. Tout d'abord il se sera initié aux modes de vie et de travail des autres pays et aura mobilisé et adapté ses compétences à un nouveau cadre professionnel. Et l'expérience unique de participer à une œuvre d'intérêt général ! Nombreux sont les volontaires qui nous confient à leur retour que s'ils avaient été au courant plus tôt ils y auraient songé et se seraient investis bien avant.

## Et combien ça coûte ?

Le volontaire partira en 'congé' dans le cadre d'une mission financée, tout ou en partie, par son employeur qui aura signé une convention de partenariat avec l'organisme d'envoi. Lorsque la mission ne sera pas financée dans sa totalité par l'employeur, le volontaire devra payer le complément.

**2 a** Lisez cet entretien sur le congé de solidarité. Trouvez les synonymes des mots suivants. Une fois que vous aurez trouvé les mots du texte, essayez, pour certains d'eux, de trouver à quelle famille de mots ils appartiennent (par exemple, *volontaires fait partie de la famille de vouloir/volonté*).

1 l'assistance
2 exprimer son intérêt
3 se dérouler
4 le soutien

5 faire l'expérience
6 mener
7 l'environnement
8 dire

9 savoir
10 l'association

**2 b** Relisez l'entretien et choisissez la bonne option pour chaque phrase.

1 Le volontaire qui partira en mission devra le faire…
 a …en négociant des jours supplémentaires de vacances.
 b …pendant son temps de travail.
 c …pendant ses vacances.
 d …dans leur pays.

2 Il se peut que le volontaire parte…
 a …avec une équipe de professionnels.
 b …en groupe.
 c …avec quelqu'un d'autre.
 d …seul.

3 Pour mener à bien sa mission, le volontaire devra…
 a …acquérir de nouvelles compétences.
 b …se servir de son savoir-faire.
 c …se soumettre aux exigences du pays d'accueil.
 d …apprendre les techniques locales.

4 Selon le texte, après leur mission les volontaires se sentent…
 a …fatigués de leur expérience.
 b …satisfaits de leur expérience.
 c …fiers de leur expérience.
 d …plus ouverts aux autres.

5 En parlant du congé de solidarité, un grand nombre de volontaires disent…
 a …regretter d'avoir attendu si longtemps avant d'y participer.
 b …vouloir renouveler l'expérience.
 c …qu'ils auraient dû en savoir davantage avant de partir.
 d …que c'est une expérience inoubliable.

6 L'organisme qui organise ces missions…
 a …contribue partiellement aux frais de la mission.
 b …finance le séjour du volontaire.
 c …ne participe pas aux frais du volontaire.
 d …indemnise l'employeur.

**Utiliser des temps tels que le futur antérieur et le conditionnel passé (Use tenses such as the future perfect and conditional perfect)**

Refer to H9 and H12 in the grammar section.

1 Read the article on pages 248–49 and find:
- seven examples of the future perfect
- four examples of the conditional perfect

2 Copy out the verbs with their subjects and translate them into English.

3 Look again at the English translation of the following example of the future perfect, *aura négocié*, in the second sentence in the first paragraph. Can you explain it?

4 What can you say about this example of the future perfect *auront été identifiés*?

**3** Remplissez les blancs par les bonnes phrases dans la case.

1 Peu d'entreprises caritatives .......... sans le bénévolat.

2 Sans l'aide des œuvres caritatives, nos fils .......... aussi rapidement.

3 Nous .......... de bénévoles pour les matches de foot sans les changements dans la loi.

4 Selon la presse, le service des livres enregistrés .......... par l'État.

5 À partir du mois prochain, les visiteurs de personnes seules .......... par la police.

6 Apparemment le système .......... même plus strictement au Royaume-Uni.

7 En général, nos théâtres publics .......... sans leur main-d'œuvre bénévole.

8 Antérieurement, des difficultés .......... par un manque de bénévoles.

| | | |
|---|---|---|
| n'aura pas été organisé | ne nous serions pas servis | n'auraient pas pu survivre |
| devront être accrédités | auront été causées par | ne se seraient pas rétablis |
| sera surveillé | survivraient | |

**4 a Ma vie de bénévole. Écoutez ces trois bénévoles qui nous font part de leur expérience de volontaire. Ces idées sont exprimées dans les témoignages. Remettez-les dans l'ordre dans lequel vous les entendez dans l'extrait.**

1 J'aide les gens pauvres.

2 J'apporte de l'aide à des victimes et des blessés.

3 J'offre du soutien aux gens vulnérables.

4 Le bénévolat apporte beaucoup.

5 La vie de volontaire n'est pas ingérable.

6 Le volontariat c'est un échange mutuel.

**4 b Réécoutez les témoignages et répondez aux questions suivantes en français. Utilisez vos propres mots autant que possible.**

1 Qu'est-ce qui pousse Francine à s'engager ? [*deux détails*]

2 Quel est le but de l'association de Francine ?

3 Quel est le regret de Francine ? [*deux détails*]

4 Qu'est-ce que Hammoudi ne comprend pas ?

5 Quelle perception du volontariat est exprimée dans le témoignage de Francine et Hammoudi ?

6 Donnez deux raisons qui ont incité Céline à s'investir dans le volontariat. [*deux détails*]

7 En quoi l'association de Hammoudi est-elle similaire à celle de Céline ?

8 Qu'est-ce que Céline n'aurait pas pu faire sans le bénévolat ?

## 5 a Remplissez les phrases avec les mots donnés dans l'encadré. Il va falloir les modifier.

Les pompiers volontaires sont des hommes et femmes qui en marge de leur activité **1**.......... ou de leurs études **2**.......... porter secours.

Une fois que les conditions **3**.......... d'âge et de condition physique **4**.......... , les volontaires commenceront leur formation initiale qui **5**.......... une année. Par la suite, les pompiers **6**.......... se formeront de façon permanente pour maintenir leurs compétences. La formation est telle que les volontaires **7**.......... le même niveau qu'un sapeur-pompier professionnel.

Les volontaires **8**.......... pour cinq ans mais la période pourra être **9**.......... , une fois que les volontaires **10**.......... que les conditions d'âge et d'aptitude sont toujours remplies.

Par opposition aux pompiers professionnels, les sapeurs-pompiers volontaires ne sont pas **11**.......... mais seulement **12**.......... .

| | | | |
|---|---|---|---|
| requis | s'engager | atteindre | volontaire |
| durer | démontrer | vérifier | indemnisé |
| rémunéré | renouvelé | professionnel | souhaiter |

## 5 b Now translate the text from exercise 5a into English.

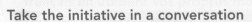

### Stratégie

**Take the initiative in a conversation**

There are different ways you can take the initiative in a conversation:
- Ask questions.
- Answer a question and move the discussion on by introducing a new idea.
- Challenge what has just been said.
- Contradict what has just been said or react to what others say. What do you think of what has just been said?

- Use examples to introduce a new idea.
- Don't go round in circles — move the discussion on.
- Be confident — have a range of ideas that you want to express.

Now use the strategy when discussing the points given in activity 6a with your group.

## 6 a Voici deux affirmations :

*Certaines personnes disent que le service civique ou le volontariat devrait être obligatoire pour tout étudiant.*

*Certaines personnes affirment que des gens agissent d'une façon égoïste en s'engageant dans le bénévolat.*

**Avec votre partenaire ou avec votre groupe, exprimez vos idées à tour de rôle. N'oubliez pas de donner votre avis et de le justifier. Utilisez la case stratégie pour vous assurer que vous prenez l'initiative.**

## 6 b Maintenant écrivez un paragraphe dans lequel vous résumez vos opinions sur les affirmations de 6a en les justifiant avec des exemples.

Utiliser une variété de temps (Use mixed tenses)

1 There are five sentences that are underlined in the forum on pages 252–53. Copy them and translate them into English.

2 For each one identify the tenses used. Explain why each one has been chosen.

## 3 Pour chaque début de phrase, choisissez la bonne fin de phrase.

1 J'avais postulé pour un stage où…

2 Nous aurions voulu faire quelque chose de similaire,…

3 Autant que je sache, on…

4 Notre université aura établi un lien avec une faculté africaine,…

5 J'étais très triste jusqu'au moment où j'ai appris que…

6 Avec un peu de chance, j'aurai une bourse…

7 Il y aura la possibilité d'une bourse Erasmus,…

8 Étant plus sportif qu'académique,…

a …mais finalement nous avons choisi l'option au pair.

b …qui me permettrait un peu d'indépendance.

c …je ferais mieux d'essayer les campus américains.

d …avec laquelle j'aurais probablement l'opportunité d'étudier en France.

e …apprendra beaucoup pendant cette année sabbatique.

f …je recevrais cette offre !

g …il y aurait (eu) davantage d'opportunités.

h …où l'on nous trouverait probablement du travail.

## 4 a Ma vie étudiante en France. Écoutez la première partie des témoignages et répondez en français aux questions suivantes. Écoutez les premières réactions d'Ayo, Malicia and Jao.

1 Qu'est-ce qu'Ayo a découvert à travers ses études en France ? [*deux détails*]

2 En quoi est-ce que l'expérience de Malicia est similaire à celle d'Ayo ?

3 Comment est-ce que Malicia se sentait avant son départ ?

## 4 b Maintenant écoutez la deuxième partie des témoignages. Répondez aux questions suivantes en français.

● Résumez les défis d'étudier à l'étranger. [*deux détails*]

● Résumez les conseils pour bien étudier en France. [*deux détails*]

## 4 c Écoutez encore les témoignages. Trouvez des expressions qui sont synonymes des mots ou expressions suivantes.

1 j'ai appris beaucoup plus de choses

2 j'ai été moins timide

3 je m'en suis sortie/j'ai réussi à m'en sortir

4 je suis fier d'avoir continué

5 tout ne va pas être facile

6 m'accoutumer

7 il est important de s'attendre à faire face à des situations très difficiles

8 il faut être courageux

## Stratégie

### Managing your time during an exam

- It is important to have practised exam questions in exam conditions on several occasions at home.
- Before starting your exam, have a look at the whole paper and make sure you know your time allocation and the number of questions you need to complete.
- Divide your time between your tasks – some tasks may have an indication of how long you should spend on them.
- Start with something that you are very confident with.
- When you start a task, write down your start and end time for each task.
- Give yourself time for planning or working out.
- Allow yourself time at the end to check and answer questions you may have left out.

**5** Translate this text about being a 'demi-pair' abroad into French. Use the strategy box to complete the exercise. Try to complete the task in 20 minutes, as if in an exam.

### Being a 'demi-pair'

Are you a student looking to improve your language skills ? Do you like being with children and enjoy family life? Have you ever thought of being a 'demi-pair' student? The demi-pair programme is a very popular programme which has been designed for students who want to combine studying with the experience of living abroad with a family. There are different options depending on the country but whatever the option chosen, you will attend language lessons in a language school. Once you have started your stay, you will think that you should have thought of it before!

**6 a** Un petit débat avec un(e) partenaire. Voici des opinions sur les études à l'étranger.

1 « *Moi, à mon avis, quel soit notre choix de matières, nous devrions tous partir à l'étranger pendant nos études universitaires.* »

2 « *Étudier à l'étranger ne serait bénéfique qu'à ceux ou celles qui apprennent une langue.* »

3 « *Une année supplémentaire en tant qu'étudiant à l'étranger, quelle aubaine !* »

4 «*Une année à l'étranger à peiner financièrement, non merci ! Moi je préférerais m'insérer dans la vie active le plus tôt possible !* »

**Avant de commencer, faites une liste de mots et d'exemples que vous allez utiliser.**

**Avec votre partenaire, décidez qui va être d'accord avec ces affirmations et qui va s'y opposer. Exprimez vos opinions sur chaque affirmation et utilisez des exemples concrets pour les soutenir.**

**Votre partenaire va réfuter vos arguments. N'oubliez pas de réagir à ce que l'autre dit avant d'exprimer vos idées.**

**Maintenant changez de position et utilisez d'autres arguments.**

**6 b** Écrivez un paragraphe dans lequel vous présentez votre avis sur les études à l'étranger. Il faut inclure des idées en faveur et contre avec des exemples.

# 13.4   Les deux côtés d'Internet

- Découvrir le rôle que joue Internet dans le crime et la prévention de la criminalité
- Savoir comment utiliser les temps différents
- Apprendre comment se servir de phrases plus sophistiquées quand vous écrivez

## On s'échauffe

**1 a** Travaillez avec un(e) partenaire. Pensez aux endroits où vous êtes surveillé(e)s. Dans les magasins, par exemple, où se trouve la caméra de vidéosurveillance ? Faites-en une liste. Est-ce que cela vous dérange ? Pourquoi (pas) ?

**1 b** Faites une liste des avantages et des inconvénients de surveiller des gens.

# La surveillance en ligne : mesure nécessaire ou intrusion dans la vie privée des internautes ?

La liberté, l'anonymat, sont-ils des concepts d'antan ? Habitants d'un monde devenu de plus en plus numérique, nous sommes tous, que nous en soyons conscients ou non, constamment surveillés. Et une loi, approuvée par 25 députés à l'Assemblée nationale, va désormais renforcer la surveillance en ligne grâce aux « boîtes noires » que vont placer les services de renseignement chez les fournisseurs d'accès internet et les hébergeurs de sites web pour repérer des comportements suspects en ligne. Mesure nécessaire pour lutter contre le terrorisme et la criminalité ou intrusion dans la vie privée des internautes français ?

Ce qui est sûr c'est que cette notion de surveillance en ligne est relativement nouvelle et que la surveillance d'aujourd'hui ne ressemble nullement à ce qu'elle était autrefois quand tout était plus simple, moins sophistiqué. C'est vrai que les mises sur écoutes téléphoniques rendaient plus facile le travail des services de renseignement, mais sans Internet, qui a tant changé notre façon de vivre et qui entraîne avec lui autant d'inconvénients que d'avantages, on n'avait aucun besoin de « boîtes noires ».

Cependant, maintenant tout a changé, plus qu'on aurait pu imaginer, Internet se présentant comme une plate-forme idéale pour les voix dissidentes. Ne vaut-il donc pas mieux s'en servir pour identifier des comportements suspects ? Selon le gouvernement, les Français honnêtes n'ont pas de quoi s'en inquiéter. C'est uniquement dans le cas où quelqu'un répond aux critères définis comme suspects que le Groupement interministériel de contrôle sera prévenu et pourra donc demander au fournisseur l'accès à l'identité de l'internaute. S'il n'avait pas pris cette mesure, n'aurait-on pas accusé le gouvernement de ne pas prendre au sérieux ce problème ?

Ils sont tout de même nombreux à dénoncer ce dispositif, étant d'avis que sous aucun prétexte les données qui vont aider à identifier les terroristes et qui contiennent, d'ailleurs, des informations sur la vie privée des Français, peuvent être anonymes. Ils se demandent comment tout cela finira. Vivra-t-on dans un monde où le citoyen libre n'existe plus, où l'État surveille tous nos faits et gestes ? Faudra-t-il qu'on se comporte tous de la même façon, qu'on ne fasse rien qui sort de l'ordinaire de peur d'être pris pour un criminel ? Quelles seront les conséquences pour les entreprises françaises du numérique, dont les clients n'auront peut-être plus confiance ? Seront-elles poussées à quitter la France pour ne pas perdre leurs clients ?

Le gouvernement nous assure que non, qu'il prend cette mesure pour protéger et non pas pour punir ceux qui sont respectueux des lois. La question se pose cependant, ces « boîtes noires », seront-elles efficaces ? L'avenir le dira.

**2 a** Lisez l'article. Ensuite lisez les expressions ci-dessous et trouvez leurs équivalents dans le texte.

 1 état de quelqu'un qui n'est pas connu
 2 retrouver
 3 mécanisme
 4 dispositif qui permet de surveiller des communications téléphoniques
 5 les non-conformistes
 6 se méfieront de
 7 fait ce qu'on en attend
 8 on saura plus tard

**2 b** Relisez l'article. Répondez en français aux questions suivantes en utilisant le plus possible vos propres mots.

 1 Pourquoi est-il quasi impossible de rester anonyme de nos jours ?
 2 Qui a jugé nécessaire une nouvelle loi ?
 3 Pourquoi les « boîtes noires » auraient-elles été inutiles il y a vingt ans ?
 4 Dans quelle mesure Internet est-il victime de son succès ?
 5 Pourquoi ceux qui sont pour cette loi, ne sont-ils pas inquiets ? [*deux détails*]
 6 Selon certains, quelles pourraient être les conséquences d'une telle loi ?
 7 Pourquoi les entreprises françaises du numérique envisagent-elles de quitter la France ?
 8 Que sait-on de l'efficacité des « boîtes noires » ?

## Grammaire

### Les temps différents (Different time frames)

Study H22 in the grammar section.
1 Look again at the newspaper article on page 256. Find and write down:
 ● one sentence that contains the present and imperfect
 ● one sentence that contains the imperfect, perfect and present
 ● one sentence that contains the perfect and conditional perfect
 ● two sentences that contain the present and future
 ● one sentence that contains the pluperfect and conditional perfect
2 Translate the expressions into English.

**3 Complétez chaque phrase en traduisant en français les mots anglais en italique.**

1 Le Net a été inventé pendant une période où la société (*was more honest*).

2 Il y a eu portes-ouvertes pour le cyber crime, (*which one could not have anticipated*).

3 Le crime dans la rue, qui avait été très prévalant dans le temps, (*has been greatly decreased by the arrival of the security caméras*).

4 Le service de dépistage ADN a aidé grandement à attraper les criminels, (*who would otherwise have still been at liberty*).

5 La sécurité routière n'a aucune ressemblance (*to what it was fifteen years ago*).

6 Avec tant de sites pédophiles, ces personnes qui étaient moins actives auparavant, (*seem now to infest society*).

7 Par contraste, les caméras qu'on a pu intégrer dans les mobiles (*have allowed the public to film crimes to help the police*).

8 Certains sites sociaux ont permis aux gens négatifs d'humilier publiquement des individus, (*who will have suffered incredibly from it*).

---

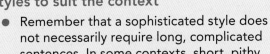

### Stratégie

**Developing a range of sophisticated writing styles to suit the context**

- Try to read a wide variety of reading material in French and make a note of any useful phrases or structures that you come across.
- Compare the expressions used in different types of French reading material — magazines, newspapers and novels, for example.
- Try to use the structures that you have noted down in your written work, making sure that they suit the context.
- Try to include words such as *voire* and *en effet*. These can make a big different to the overall quality of your writing.

- Remember that a sophisticated style does not necessarily require long, complicated sentences. In some contexts, short, pithy sentences are more appropriate.
- Finally, make sure that you learn and revise your grammar. This is the basis of good writing.

Keep all of this in mind when completing exercise 4c.

---

**4 a La propagande sur Internet. Écoutez la première partie du reportage. Répondez en français aux questions suivantes, en utilisant le plus possible vos propres mots.**

1 Pourquoi les terroristes, ont-ils tendance à se tourner vers Internet ? [*deux détails*]

2 Qui risque d'être ciblé par la propagande terroriste ?

3 Que font exactement les terroristes pour atteindre autant d'internautes que possible ?

4 Pourquoi certains gens rejoignent-ils les terroristes ?

**4 b Écoutez la seconde partie du reportage. Répondez en français aux questions suivantes. Lisez d'abord la case stratégie.**

1 Résumez les moyens dont se servent les terroristes pour recruter des jeunes. [*trois détails*]

2 Résumez ce que fait le gouvernement français pour faire face à ce problème. [*deux détails*]

**4 c** Écoutez maintenant le reportage en entier. Quelles phrases sont correctes ? Choisissez les *quatre* phrases vraies. Ensuite, corrigez les phrases qui sont fausses.

1 La propagande sur Internet est un problème qui touche beaucoup de pays européens.
2 Les terroristes veulent surtout recruter de jeunes français.
3 Les terroristes prétendent regretter leurs actions.
4 Ils sont arrivés à recruter des gens de l'ouest.
5 Ceux qui partent pour rejoindre les terroristes sont bien traités.
6 Ce n'est qu'en arrivant dans un pays en guerre que les gens découvrent la réalité derrière la propagande.
7 De ceux qui sont partis de France, plus de cent sont décédés.
8 Sachant que les gouvernements des pays de l'ouest sont conscients de ce qu'ils font, les terroristes ont fermé plusieurs de leurs sites web.

**5** Traduisez ce paragraphe en français.

Pris au piège

Online terrorist propaganda is becoming increasingly widespread, indeed dangerous, and represents a serious problem in France. Aware that by using the internet, they can reach a large number of people very quickly, terrorists exploit it in every way possible, posting messages on social networks, contributing to forums and making videos, for example. Yes indeed, too many young intelligent people, from France and other European countries have fallen into their trap, unaware of the reality behind the propaganda until it is too late. While it is extremely difficult to police the internet, the French government is doing its best to tackle this problem.

**6** Cherchez sur Internet ce que fait le gouvernement d'un autre pays francophone en ce qui concerne la surveillance. Répondez aux questions suivantes :

- Surveille-t-il les internautes ?
- La plupart des citoyens, sont-ils pour ou contre la surveillance ? Pourquoi ?
- A-t-il été touché par le terrorisme ou la radicalisation ?
- Est-ce que c'est un pays riche ou sous-développé ?

**7 a** Discutez-en avec un(e) partenaire. Quelles seraient les conséquences d'interdire la surveillance en ligne ? Servez-vous de l'article, du reportage et des informations que vous avez trouvées. Considérez les points suivants :

- le terrorisme
- la liberté d'expression
- l'intrusion dans la vie privée
- la radicalisation
- le coût

**7 b** Écrivez un paragraphe pour résumer ce dont vous avez discuté. Faites attention à l'orthographe et à la grammaire.

# Vocabulaire

## 13.1 Une société compatissante

**alité(e)** bedridden
se **cliver** to split
**compatir** to care, sympathise
la **culpabilité** guilt
se **débrouiller** to manage
**dépendre de** to depend on
la **générosité** generosity
un **fardeau** burden
une **maison de retraite** old people's home
s' **occuper de** to look after
une **pénurie** shortage
les **proches** (m) relatives
un(e) **retraité(e)** pensioner
**ressentir** to feel
se **sentir coupable** to feel guilty
se **sentir seul(e)** to feel lonely
les **soins** (m) care
la **solitude** loneliness
s'en **sortir** to manage
**surmonter** to overcome
**vieillir** to grow old
le **vieillissement** aging

## 13.2 Employés et étudiants bénévoles

l' **altruisme** (m) selflessness
**aider autrui** to help other people
**apporter du soutien à** to support
une **association caritative** charity
se **battre contre** to fight against
les **démunis** the poor
**défendre qqn** to defend, stand up for someone
s' **engager** to enrol
**enrichissant(e)** rewarding
les **(plus) défavorisés** the less fortunate
**gérer** to manage
**gratifiant(e)** rewarding
les **handicappés** disabled people
s' **investir** to commit one's self
**lutter** to combat
**mutuel(le)** mutual
une **œuvre caritative** charity
les **pauvres** poor people
**permettre à qqn de…** to enable someone to…
se **porter volontaire** to volunteer
**poser sa candidature** to apply
le **service civique** community service
**soutenir** to support

**trouver un équilibre** to find a balance
un(e) **volontaire** volunteer
le **volontariat** charity work

## 13.3 Étudier à l'étranger

s' **accoutumer** to get used to
s' **adapter** to adapt oneself
une **année sabbatique** gap year
une **bourse** grant
les **compétences** (f) abilities
le **coût des études** cost of studies
un **cursus** study path
un **échange** exchange
**faire ses études** to study
les **frais** (m) **universitaires** university fees
s' **inscrire à la fac** to sign on for a university course
une **licence** 3-year degree
un **parcours scolaire** study path
**postuler** to apply for
**poursuivre ses études** to continue studying

## 13.4 Les deux côtés d'Internet

l' **anonymat** (m) anonymity
**anonyme** anonymous
**circuler** to circulate
le **comportement** behaviour
**dissident** dissident
**efficace** efficient
l' **embrigadement** (m) recruitment
l' **escroquerie** (f) fraud
un **filet** net
les **fournisseurs d'accès Internet** internet access providers
les **hébergeurs de sites web** website hosts
la **liberté** freedom
une **loi** a law
**mal intentionné(e)** with bad intentions
les **mises sur écoutes téléphoniques** telephone tapping
**numérique** digital
le **piratage** hacking
la **propagande** propaganda
**privilégier** to favour
un **site d'apologie du terrorisme** website vindicating terrorism
la **surveillance** surveillance
**surveillé(e)** watched
un **virus** virus
le **vol d'identité** identity theft

# Grammar

The following grammar summary includes all the grammar points required for the AS and A-level Edexcel French examinations. If more detailed grammatical information is required, *Action Grammaire! New Advanced French Grammar* by Phil Turk and Geneviève García Vandaele (Hodder Education) is a useful reference.

## Grammar section index

# A Nouns and articles

## A1 Gender of nouns

Nouns are the naming words we apply to people and other (living) creatures, things and places. There are two types of articles, **definite** and **indefinite** articles. The French definite articles, *le, la, l'* and *les* correspond to the English *the*. The French indefinite articles *un, une* and *des* are the equivalent of the English *a, an* and *some*.

### A1.1

French has two genders, *masculine* and *feminine*. A person or animal normally takes the gender of the animal or person we are talking about:

*un chien* (m)     *une chienne* (f)

*un conducteur* (m)    *une conductrice* (f)

**Note:** many nouns referring to animals have only one gender:

*un papillon*    *un serpent*

*une souris*    *une tortue*    *une girafe*

### A1.2

With an object or an idea, the gender is simply grammatical:

**une** *souris* but **un** *rat*

**un** *foulard* but **une** *écharpe* (= two sorts of scarf)

**la** *religion* but **le** *christianisme*

### A1.3

Grammar decides which gender a noun is, but you will have some help, since there are certain noun endings that are generally either masculine or feminine.

**Generally masculine endings**
- -(i)er — *fermier, gibier, berger, verger*
- -et — *projet, rejet*
- -isme — *internationalisme, optimisme*
- -t — *chat, bienfait*
- -eur — *acteur, menteur, proviseur*
- -age (more than two syllables) — *courage, marécage*
- -ment (more than two syllables) — *froment, serment*

**Generally feminine endings**
- -e — *ferme, marche*
- -té — *bonté, santé*
- -ée — *chaussée, cheminée*
- -ère — *commère*
- -ière — *filière*
- -erie — *épicerie, camaraderie, rêverie*
- -ette — *fillette*
- -(t)ion — *globalisation, station*

Almost all rules have exceptions. It is worth writing up the exceptions you come across for each ending. The nouns whose gender causes most difficulty are those ending in **-e**, but which are masculine. Here is a list of the most common:

| | | |
|---|---|---|
| *acte* | *genre* | *règne* |
| *adverbe* | *groupe* | *remède* |
| *beurre* | *incendie* | *reste* |
| *caractère* | *kiosque* | *rêve* |
| *casque* | *lycée* | *réverbère* |
| *centre* | *magazine* | *ridicule* |
| *cercle* | *malaise* | *risque* |
| *chèque* | *manque* | *rôle* |
| *chiffre* | *masque* | *royaume* |
| *cimetière* | *massacre* | *sable* |
| *cirque* | *mélange* | *service* |
| *coffre* | *mensonge* | *sexe* |
| *collège* | *meuble* | *siècle* |
| *commerce* | *monde* | *signe* |
| *compte* | *monopole* | *silence* |
| *conte* | *musée* | *squelette* |
| *contrôle* | *nombre* | *stade* |
| *costume* | *organe* | *style* |
| *derrière* | *parapluie* | *symbole* |
| *dialogue* | *pétrole* | *texte* |
| *disque* | *peuple* | *timbre* |
| *divorce* | *pique-nique* | *triomphe* |
| *domaine* | *pôle* | *type* |
| *doute* | *portefeuille* | *ulcère* |
| *drame* | *principe* | *véhicule* |
| *exemple* | *problème* | *verbe* |
| *fleuve* | *proverbe* | *verre* |
| *génie* | *refuge* | |

## A2 Plurals of nouns

Just as in English, the great majority of nouns form their plural with the ending **-s**:

*des députés*    *des rats*    *des remèdes*

*les maisons*    *les circonstances*

## A2.1

Nouns that end in **-s**, **-x** or **-z** in the singular form stay the same in the plural form.

| | |
|---|---|
| *une fois – des fois* | once, sometimes |
| *une croix – des croix* | a cross, crosses |
| *un gaz – des gaz* | a gas, gasses |

Nouns ending in **-(e)au** or **-eu** add an **-x** in the plural form:

| | |
|---|---|
| *un chapeau → des chapeaux* | a hat, hats |
| *un feu → des feux* | a fire, fires |

Exceptions: *bleus* (bruises), *pneus* (tyres).

The plural of nouns ending in **-al** is **-aux**:

| | |
|---|---|
| *un cheval → des chevaux* | a horse, horses |

Exceptions: *carnavals* (carnivals), *récitals* (recitals), *festivals* (festivals).

## A2.2

There are some nouns ending in **-ail** and **-ou** whose plurals are **-aux** and **-oux**:

| | |
|---|---|
| *soupirail → soupiraux* | basement window, windows |
| *travail → travaux* | work, (road)works |
| *vitrail → vitraux* | stained-glass window, windows |
| *bijou → bijoux* | jewel, jewels |
| *caillou → cailloux* | pebble, pebbles |
| *chou → choux* | cabbage, cabbages |
| *genou → genoux* | knee, knees |

## A2.3

There are some common nouns that are only used in the plural form:

| | |
|---|---|
| *ciseaux* | scissors |
| *fiançailles* | engagement |
| *frais* | costs, expenses |
| *lunettes* | glasses, spectacles |
| *mœurs* | customs |
| *vacances* | holidays |

Note: the nouns, *devoir* and *échec* change their meaning, when used in the plural:

| | | | |
|---|---|---|---|
| *un devoir* | a duty | *des devoirs* | homework |
| *un échec* | a failure | *les échecs* | chess/failures |

## A2.4

Names of places can be singular or plural:

*la France*      *les Alpes*      *les États-Unis*

Family names traditionally have no **-s** in the plural:

*les Martin*      *les Cauchi-Martin*      *les Dumas*

## A2.5

Compound nouns form their plurals by adding the plural ending to their base-word:

*une pomme de terre → des pommes de terre*

*un porte-avions → des portes-avions*

*un chou-fleur → des choux-fleurs*

*un coffre-fort → des coffres-forts*

**Note:**

*Monsieur → Messieurs*

*Madame → Mesdames*

*Mademoiselle → Mesdemoiselles*

# A3 Definite articles (*le, la, l', les*)

The definite article (*le, la, l', les*) is used in French in the same way as in English, to remove any possibility of doubt about the noun. You will find that in French, it is often needed where English leaves it out. The list of uses below should help you.

French uses the definite article:

- before the names of regions, countries continents and languages

*L'anglais est devenu la langue universelle de l'informatique.*

English has become the universal language of information technology.

*Le Canada est le pays natal du hockey sur glace.*

Canada is the birthplace of ice hockey.

- after *en* and *de*, we do not use the definite article with the names of feminine places

*Pour changer un peu, on passe dans un hôtel en Suisse.*

For a change, we're going to a hotel in Switzerland.

*Je rentre d'Italie.*

I'm returning from Italy.

- before generalisations and abstract nouns

*L'expérience mène à la sagesse.*

Experience leads to wisdom.

- before parts of the body

*Lève le bras !*

Raise your arm!

*Ça m'a fait mal à la tête.*

That hurt my head.

- before a fraction

*La moitié des participants ne sont pas venus !*

Half those taking part haven't turned up!

- before school subjects, sciences, sports, illnesses and the arts

*On ne pourrait pas devenir médecin sans étudier les sciences.*

You/One couldn't become a doctor without studying the sciences.

*Les arts nourissent l'âme.*

The arts feed the soul.

*Ma tante a peur de la maladie d'Alzheimer.*

My aunt is afraid of getting Alzheimer's.

- before titles

*Le président de la France a ses problèmes.*

The president of France has his problems.

- before the names of meals and drinks

*Je préfère le dîner au déjeuner.*

I prefer dinner to lunch.

## A4 Indefinite articles (*un, une, des*)

The indefinite articles *un* and *une* are used in the same ways as the indefinite articles (a, an) in English.

### A4.1

French uses the indefinite article with an abstract noun + adjective:

| | |
|---|---|
| *avec **un** plaisir immense* | with immense pleasure |
| *une femme d'affaires d'**une** compétence incroyable* | a businesswoman with incredible ability |

Where English uses the indefinite article just to indicate a person's job, nationality, rank or religion, French leaves it out:

| | |
|---|---|
| *Elle est pilote.* | She's a pilot/racing driver. |
| *Il est écossais.* | He's a Scot. |
| *Elle était adjointe.* | She was a deputy mayor. |
| *Ses parents ne sont pas catholiques.* | His parents are not Catholic. |

### A4.2

However, if the job, nationality etc. is accompanied by an adjective, then the indefinite article is used, as in English:

| | |
|---|---|
| *Elle est un/une\* docteur impeccable.* | She's a first-class doctor. |
| *C'était une adjointe expérimentée.* | She was an experienced deputy mayor. |

The article is also left out after verbs like *créer, devenir, élire, mourir, naître, nommer, rester:*

| | |
|---|---|
| *Il est devenu chirurgien.* | He became a surgeon. |
| *François a été élu député.* | François was elected MP. |

\***Note:** French still tends to use the masculine gender for women doing what were originally men-only jobs. We used to end up with ridiculous combinations like *madame le docteur.* Rightly, this is now changing.

## A5 Partitive articles (*du, de la, de l', des*)

These articles are used to indicate a certain (vague) quantity and correspond to the English *some.* They are a combination of *de* and the definite article.

### A5.1

| du (m s) | de la (f s) | de l' (m/f s) before a vowel or silent -h | des (pl) |
|---|---|---|---|
| du lait | de la voile | de l'encre | des textes |
| du sucre | de la farine | de l'ambition | des armes |
| du succès | de la sincérité | de l'honnêteté | des hommes |

| | |
|---|---|
| *Il faut **du** temps pour réfléchir.* | You need (**some**) time to think things over. |
| *Je faisais **de la** gymnastique.* | I used to do (**some**) gymnastics. |
| *Lisez **des** textes scientifiques.* | Read (**some**) scientific texts. |

**Note:** In English, the word *some* is often omitted. The French equivalent always has to be put into the sentence.

### A5.2

The partitive article is just *de* when:
**a** an adjective comes in front of a plural noun:

| | |
|---|---|
| *Il a de grandes épaules.* | He has large shoulders. |
| *Nous sommes de bons amis.* | We are good friends. |

Except when the adjective and the noun are so closely associated as to belong together: *des petits pois, des jeunes gens.*
**b** it is used in a negative phrase:

| | |
|---|---|
| *Je n'ai plus de peurs.* | I've no more fears. |
| *Il n'y a pas de portables ici.* | There aren't any laptops/ mobile phones here. |

Exceptions: statements starting with *ce n'est pas/ce n'était pas/ce ne sera pas* etc.

# B Adjectives

An adjective gives you information about a noun.

| | |
|---|---|
| *un jeu passionnant* | an exciting game |
| *une rencontre amicale* | a friendly meeting |

# B1 Agreement of adjectives

In French, an adjective agrees in ending, gender and number with the noun to which it refers. Normally, the adjective adds the **-e** in the feminine and **-s** in the plural.

*un grand succès positif*     *une occasion importante*

*le film actuel*     *les réactions nécessaires*

# B2 Adjectival endings with their own patterns

## B2.1

The adjectives *beau/nouveau/vieux* end in *-el/-eil* in front of a masculine noun beginning in a vowel or a silent *h*.

| | |
|---|---|
| *un bel ami* | a good-looking friend |
| *le nouvel an* | the New Year |
| *un vieil ennemi* | an old enemy |

These adjectives form their masculine plural with the ending **-x**:

| | |
|---|---|
| *de beaux amis* | good-looking friends |
| *les nouveaux livres* | the new books |
| *de vieux amis* | old friends |

## B2.2

Adjectives ending in **-al** in the masculine singular form their plural with **-aux**:

| | |
|---|---|
| *un devoir familial* | *des devoirs familiaux* |
| a family duty | family duties |
| *un ordre général* | *des ordres généraux* |
| a general order | general orders |

## B2.3

There are some masculine endings which change noticeably in the feminine form.

*beau → belle*

*nouveau → nouvelle*

*fou → folle*

*mou → molle*

*vieux → vieille*

Adjectives ending in **-er** change to **-ère** in the feminine.

*cher → chère*

Adjectives ending in **-f** change to **-ve** in the feminine.

*neuf → neuve*

Adjectives ending in **-s** change to **-se** in the feminine, as you would expect, except for *bas, épais, gras, gros* and *las* which double the **-s** and add **-e**:

*gris → grise*

*gras → grasse*

*bas → basse*

Adjectives ending in **-x** also form their feminine singular with **-se**:

*heureux → heureuse*

Exceptions are:

| | |
|---|---|
| *faux → fausse* | false, wrong |
| *un faux ami* | a false friend |
| *une fausse idée* | a wrong idea |
| *roux → rousse* | auburn, red haired |
| *un Viking roux* | a red-headed Viking |
| *une barbe rousse* | a red beard |
| *doux → douce* | soft, sweet, gentle |
| *un bisou doux* | a gentle kiss |
| *une voix douce* | a soft voice |

# B3 Position of adjectives

## B3.1

In French, some adjectives come in front of the noun, but the majority come after the noun.

| | |
|---|---|
| *l'amour excessif* | excessive love |
| *leurs plats favoris* | their favourite dishes |
| *une explication précise* | a precise explanation |
| *mes origines italiennes* | my Italian roots |

## B3.2

There are a small number of commonly used adjectives that are normally placed in front of the noun. For the most part, these adjectives are (very) short, being of one or two syllables. The most frequent are:

*beau   joli   sot   bon   long   vaste   grand   mauvais   vieux*

*gros   meilleur   vilain   haut   moindre   jeune   petit*

| | |
|---|---|
| *un long séjour* | a long stay |
| *un vaste terrain* | a vast stretch of land |
| *mes meilleurs amis* | my best friends |
| *une jeune employée* | a young employee/clerk |
| *la meilleure solution* | the best solution |
| *les moindres problèmes* | the slightest problems |

# C Pronouns

Pronouns take the place of nouns in a phrase or sentence. Their form depends on whether it is the subject of the sentence or the object (direct or indirect).

## C1.1 Subject and object pronouns

| Subject and object pronouns | | Subject | Direct object | Indirect object |
|---|---|---|---|---|
| **Singular** | **First person** | je | me | me |
| | **Second person** | tu | te | te |
| | **Third person** | il/elle | le/la | lui |
| **Plural** | **First person** | nous | nous | nous |
| | **Second person** | vous | vous | vous |
| | **Third person** | ils/elles | les | leur |

**Note also:** *on   vous   vous*

Examples:

*Je me présente.*      je = subject      me = direct object

May I introduce myself?

*Je les aime tous.*      je = subject      les = direct object

I like all of them.

*Elle t'envoie une photo.*
elle = subject      t' (te) = indirect object

She's sending you a photo.

*Je voudrais leur parler.*
je = subject      leur = indirect object

I'd like to talk to them.

*Elle lui a donné ses coordonnées bancaires.*
elle = subject
lui = indirect object

She gave him/her bank details.

## C1.2 Pronoun *on*

The pronoun *on* is always the subject of the verb and has the following two uses:
**a**   like the English pronoun *one* (= you/someone)

*On* refers to people in general:

*On doit manger et boire pour vivre.*

One must eat and drink to live.

*On y est tranquille.*

One/You can be quiet there.

or to an indefinite person:

*On chante faux !*

Someone's singing off key!

*On vous demande.*

Someone's asking for you.

*On* is also used where English uses the passive:

*Ici on parle espagnol.*

Spanish (is) spoken here.

**b**   as an equivalent of the pronoun *nous*

When *on* is the equivalent of *nous* in casual speech, the verb is in the third person singular, but the adjective or the past participle acts as if it were with nous:

| *On va au match.* | We're going to the match. |
| *On est toujours venus ici.* | We always came here. |
| *On est complices.* | We're in it together. |
| *On a été félicité(e)s.* | We have been congratulated. |

**Note:** When on is the object of the verb, it changes to *vous*:

*Ça vous aide à comprendre.*    That helps you/one/people to understand.

## C1.3 Indirect object pronouns *en* and *y*

The indirect object pronouns *en* and *y* have two uses:
**a**   as adverbial pronouns, the equivalent of the English *from (out of) there/(to) there*

| *J'en suis revenu hier !* | I came back from there yesterday. |
| *Non, elle en est sortie.* | No, she has come out of there. |
| *J'y vais.* | I'm going there. |
| *Je l'y ai rencontrée.* | I met her there. |

**b**   as personal pronouns, representing *de* or *à* + noun

| *Parlons-en!* | Let's talk about it. (parler de) |
| *J'y pense.* | I'm thinking about it. (penser à) |

Note the word order when *en* and *y* are combined with other pronouns:

*Je **vous y** ai vu hier.*

I saw you there yesterday

*Des PV ? Les contractuels **nous en** ont donné deux en une semaine !*

Parking tickets? The traffic wardens have given us two of them in a week!

*Les documents? Elle **me les y** a donnés.*

The documents? She gave them to me there.

## C1.4 Position of object pronouns

If pronouns are used with an imperative, they come after the verb and are used in the following order:

|     | nous |     |     |
| --- | ---- | --- | --- |
| le  | vous |     |     |
| la  | lui  |     |     |
| les | leur | y   | en  |
|     | moi (m') |  |     |
|     | toi (t') |  |     |

*Donne-m'en !*     Give me some !

*Apporte-le-nous ici!*     Bring it to us here!

If the command is a negative one, you use the normal order of pronouns:

*Ne me le dis pas !*     Don't tell me it!

The only exceptions to this rule are positive commands (See H14), where object pronouns follow the verb, with a hyphen between verb and pronoun:

*Appelle-les !*     Call them!

*Allez-y !*     Go!/Go there!

In commands like these, *me* and *te* become *moi* and *toi*, except when they are followed by *y* or *en*:

*Parle-moi !*     Talk to me!

*Lève-toi !*     Get up!

## C1.5 Emphatic pronouns

As their name suggest, emphatic pronouns are used for emphasis. They normally stand at the beginning or the end of a statement.

Emphatic pronouns are used (often standing alone):

**a** after prepositions (in which case they are also sometimes referred to as disjunctive pronouns)

**b** in order to emphasise or draw attention to a person or thing

| Singular | 1st person | moi |
| --- | --- | --- |
|  | 2nd person | toi |
|  | 3rd person | elle/lui |

| Plural | 1st person | nous |
| --- | --- | --- |
|  | 2nd person | vous |
|  | 3rd person | elles/eux |

*Je t'envoie un texto de lui.*

I'm sending you a text from him.

*C'était insupportable pour eux.*

It was unbearable for them.

*Toi, tu es difficile !*

You are difficult!

*Eux, ils étaient toujours les derniers !*

They were always the last ones!

## C2 Relative pronouns *qui, que, où, dont*

Relative pronouns relate (= link) two or more clauses within a sentence.

### C2.1

The relative pronoun *qui* (who/which/that) is the subject of the verb:

*C'est un quatre-pièces qui appartient à mes enfants.*

It's a four-room flat which belongs to my children.

*Ça risque d'être une boum qui s'achèvera très tard.*

It's likely to be a party that will finish very late.

*Écoutez Anne-Sophie qui vous parle.*

Listen to Anne-Sophie, who is talking to you.

### C2.2

The relative pronoun *que* (whom/which/that) is the direct object of the verb. It is shortened to *qu'* before a vowel. *Qui* is never shortened.

*C'est le polar que vous avez adoré.*

It's the thriller that you adored.

*Pourquoi sortir avec un collègue qu'on n'aime pas ?*

Why go out with a colleague whom you don't like?

### C2.3

*Où* (where/in or at which) tells you about place:

*La boum où je l'ai vu.*

The party where/at which I saw him/it.

**Note:** *où* and *que* can also indicate when something happened/may happen:

*Le jour où...*

The day when/on which...

*Le jour où il fera un effort pour me skyper !*

The day when he'll make an effort to skype me!

*Un jour que…*

One day when…

*Un jour que je flânais dans les rues…*

One day when I was wandering around the streets…

## C2.4

*Dont* is a relative pronoun corresponding to the English *of which/of whom/whose.*

**Tip!** To make it easy to work out the word order with *dont*, use the memory jogger:

PROSVO = PROnoun + Subject + Verb + Object

Examples:

*dont le nombre est variable*

of which the number varies

*un ami dont je connaissais déjà la sœur*

a friend of whom I already knew the sister (= whose sister I already knew)

*l'expérience dont parle le livre*

the experience of which the book is talking (= the experience the book is talking about)

*J'ai acheté cinq livres, dont deux sont rares.*

I bought five books, of which two are rare. (= including two rare ones)

## C3 Possessive pronouns

A possessive pronoun takes the place of a noun which has already been mentioned. It changes according to:
- the person of the owner
- the gender and number of the thing/person possessed

The English equivalents are *mine/yours/hers/ours* etc.

The possessive pronouns are as follows:

| Possessor | Object possessed | | | |
|---|---|---|---|---|
| | Singular | | Plural | |
| | m | f | m | f |
| je | le mien | la mienne | les miens | les miennes |
| tu | le tien | la tienne | les tiens | les tiennes |
| il/elle | le sien* | la sienne* | les siens* | les siennes* |
| nous | le nôtre | la nôtre | les nôtres | |
| vous | le vôtre | la vôtre | les vôtres | |
| ils/elles | le leur | la leur | les leurs | |

**le sien* etc = his, hers and its*

*Le chien de Jean est plus beau, mais le mien est plus intelligent.*

John's dog is nicer-looking, but mine is more intelligent.

*Quel appartement – le nôtre ou le sien ?*

Which flat — ours or his/hers*?

*Be careful with *his, hers* and *its.* The French *le sien/la sienne* and *les siens/les siennes* can mean *his/hers/its,* according to the gender of the person, animal or thing possessed, not of the speaker.

## C4 Demonstrative pronouns

### C4.1

Demonstrative pronouns replace nouns which have already been mentioned. The English equivalents are *this one/that one/those/the ones.* In French, they are formed as follows:

| Singular | | Plural | |
|---|---|---|---|
| m | f | m | f |
| celui | celle | ceux | celles |

*Quelle voiture ?* Celle de Claire.

*Which car ?* That of Claire (= Claire's).

*Je préfère ceux (les vins) de la Loire.*

I prefer those from the Loire.

**Note:** *these ones* and *those ones* are common errors in English. Try to remember always to translate *ceux* and *celles* as *these* and *those.*

### C4.2

When they need to be more precise, demonstrative pronouns often add *-ci* and *-là* and are the equivalent of the English *this one (here)/those (there)* etc.

*Quelle robe vas-tu prendre ?*

Which dress are you taking?

*Celle-ci.* This one (here).

*Ceux-là.* Those (over) there.

**Note:** these compound forms very often have a second meaning, corresponding to the English *the latter/the former.*

*On embauche Carmen ou Ghislène ?*

Shall we take on Carmen or Ghislène?

*Celle-ci est plus expérimentée.*

The latter is more experienced.

*J'aime lire Stendhal et Camus.*

I like reading Stendhal and Camus.

*Celui-là est du 19ème siècle.*

The former is from the 19th century.

## C5 Relative pronouns *lequel, laquelle, lesquels, lesquelles* and *au(x)quel(s), à laquelle, auxquelles*

These pronouns are used like the English *which (one)*. They also combine frequently with prepositions. They can be used only when the gender of the person, animal, place or thing is already known.

*Laquelle des vidéos a-t-elle empruntée \*?*

Which (one) of the videos did she borrow?

*Lesquels des quatre cousins te ressemblent le plus ?*

Which of the four cousins look (the) most like you?

*Je peux emprunter le logiciel ? Lequel ?*

May I borrow the software (package)? Which (one)?

*C'est bien le monsieur auquel j'ai passé les clés.*

It is (indeed) the gentleman to whom I handed the keys.

*La société pour laquelle il travaillait n'existe plus.*

The company for which he worked no longer exists.

\* **Note:** the **-e** added to *emprunté* because of a preceding direct object (see H4.9).

## C6 Interrogative pronoun *quoi*

*Quoi* is used as a question word and is similar to the English *what*, when the nature or the gender of a thing is not known.

*De quoi s'agit-il ?*

What's it about?

*Nous discutons de quoi exactement ?*

What exactly are we talking about?

*En quoi est-elle spécialiste ?*

What is she a specialist in?

*Quoi* can also be used as a halfway point between a question and an exclamation of surprise, irritation etc.

*Quoi ! Il t'a raconté cette vieille histoire ?*

What! He told you that old story?

The use of *quoi* in the sense of *pardon/sorry* when you've misheard is not to be recommended. It is still considered by most francophone adults to be both abrupt and rude.

## C7 Indefinite pronouns

Indefinite pronouns take the place of an indefinite number of people, animals or things. The following are the most common of these pronouns:

| | |
|---|---|
| *certain(e)s\** | certain, some |
| *chacun(e)* | each |
| *on* | one |
| *quelqu'un(e), quelques-un(e)s* | someone, somebody, a few |

*La plupart des gens l'acceptent, mais **certains** le trouvent difficile.*

Most people accept it/him, but some find it/him difficult.

***Chacun** de nous y joue un rôle.*

Each of us plays a part (in it).

***On** aime voir de telles choses.*

One likes to see such things.

***Quelques-uns** ont dit oui.*

Some/A few said yes.

\* Note that in the singular, *certain* is an adjective.

---

# D Adverbs

## D1 Types of adverbs

Adverbs give you information about the time/manner/place of the action.

| Time | Manner | Place |
|---|---|---|
| *rarement* | *facilement* | *là* |
| *régulièrement* | *ainsi* | *partout* |

## D2 Forming adverbs

In English, adverbs frequently end in **-ly**. In French, they frequently end in **-ment**, which is normally added to the feminine form of the adjective to form the adverb.

**a** by far the majority of adverbs are formed from the feminine of an adjective + **-ment**:

*heureux → heureuse → heureusement*

**b** With adjectives ending in a vowel, French uses the masculine form to make the adverb: *absolu – absolument*.

**c** There is a large number of adjectives ending in **-ant** or **-ent**, from which the adverb is formed as follows:

*constant → constamment*

*évident → évidemment*

## D3 Position of adverbs

### D3.1

The adverb normally goes after the verb (or the auxiliary verb) that it modifies:

*Elle atteignait graduellement son but.*

She was gradually achieving her aim.

*Elle a parlé honnêtement de sa difficulté.*

She talked honestly about her difficulty.

*Il avait complètement négligé de le faire.*

He had completely omitted to do it.

### D3.2

When an adverb modifies an adjective or another adverb, it is normally placed before this adjective/adverb:

*une décision totalement illogique*   a totally illogical decision

*un ami toujours fidèle*   an ever-faithful friend

### D3.3

There are a small number of adverbs that, when used at the start of a sentence, cause the verb and the subject to change places. The most common of these are *encore*, *rarement* and *ainsi*:

*Encore veut-il reprendre ses études.*

He still wants to resume his studies.

*Rarement lisait-il les journaux.*

He rarely read the papers.

*Ainsi a-t-elle fini son discours.*

This was how she finished her speech.

## D4 Comparative and superlative adverbs

### D4.1

Like adjectives, adverbs may have comparative forms in French. These are formed by placing *plus* or *moins* in front of the adverb:

| | |
|---|---|
| *plus correctement* | more correctly |
| *plus sagement* | more wisely |
| *moins honnêtement* | less honestly |
| *moins gentiment* | less kindly, nicely |

### D4.2

To form the superlative, *le* is placed in front of *plus* or *moins*:

| | |
|---|---|
| *le plus correctement* | most correctly |
| *le moins honnêtement* | least honestly |

Because the adverb is not an adjective, the word *le* in the superlative form never changes for a feminine or plural subject, but always stays the same.

*Elle chantait le plus doucement qui soit.*

She sang as sweetly as could be.

*Ils travaillaient le plus dur possible.*

They worked as hard as possible.

## D5 *Plus que* and *plus de, moins que* and *moins de*

### D5.1

To express the ideas *more than/less than* with either adjectives or adverbs, French simply uses *plus que/moins que*.

*Elle est plus intelligente que son ami.*

She is more intelligent than her friend.

*Fabrice est moins consciencieux que les autres.*

Fabrice is less conscientious than the others.

*Elle se comporte plus honnêtement que moi.*

She behaves more honestly than me.

*J'essaie peut-être moins souvent que les autres.*

I try perhaps less often than the others.

### D5.2

*Plus de* and *moins de* are an oddity. They are a form of the comparative used only with numbers.

*Il y en avait plus que dans l'équipe de Dax.*

There were more than in the Dax team.

**But:**

*Il y avait plus d'une centaine d'élèves.*

There were more than a hundred (or so) pupils.

*Ils ont moins que leurs adversaires.*

They have less than their opponents.

**But:**

*Ils ont moins de quinze joueurs.*

They have fewer than fifteen players.

## D6 Intensifiers

Intensifiers are adverbs, such as *vraiment*, *totalement* or *exceptionnellement*. They are usually used with an adjective as a means of emphasis:

*La situation est vraiment prometteuse.*

The situation is really promising.

*Tu as totalement tort !*

You're totally wrong!

*Elle a été exceptionnellement courageuse !*

She has been exceptionally brave!

Because intensifiers are quite emphatic, they often lead to an exclamation mark in written speech.

## D7 Avoiding the use of adverbs

### D7.1
French often uses a noun or a noun + adjective instead of an adverb.

| Noun | Noun + adjective |
|------|------------------|
| *avec condescendence* condescendingly | *d'un air déçu* disappointedly |
| *sans patience* impatiently | *d'une façon admirable* admirably |

### D7.2
French avoids using strings of adverbs which tend to make the sentence sound heavy. Instead of *incroyablement stupidement* (incredibly stupidly), the natural French would be:

*avec une stupidité incroyable*      with incredible stupidity

# E General interrogatives

### E1
Together with the interrogatives in C2 and B4, the following are the most frequent general interrogatives (question starters):

*Qui ?* and *Que ?* are the most common interrogative pronouns. *Qui* always refers to the subject of the verb and *que* to the object. *Que* is shortened to *qu'* before a vowel.

| | |
|---|---|
| **Qui** *a fait ça ?* | Who did that? |
| **Que** *préférez-vous ?* | What do you prefer? |
| **Qu'***as-tu fait ?* | What have you done? |

Other common interrogatives are:

**Est-ce que** *le deuxième mariage est plus stable ?*

Is the second marriage more stable?

**Qu'est-ce que** *vous faites là-bas ?*

What are you doing over there? (*object*)

**Qu'est-ce qui** *vous amuse ?*

What's amusing you? (*subject*)

Note that *Qu'est-ce qui… ?* acts as the subject of the verb and *qu'est-ce que* as the object.

*Combien de couples pacsés ont des enfants ?*

How many couples in a civil partnership have got children?

*Comment peut-on deviner ça ?*

How can one/we guess that?

*Pourquoi est-il surprenant que ce soit le cas ?*

Why is it surprising that that's the case?

### E2
The interrogative adjectives *quel(s)* and *quelle(s)* agree in gender and number with the noun they describe and are formed as follows:

| | Masculine | Feminine |
|---|---|---|
| **Singular** | *quel* | *quelle* |
| **Plural** | *quels* | *quelles* |

*Quelle a été ta réaction ?*

What was your reaction?

*Quels sont tes ennuis ?*

What are your concerns?

*Quelles opinions a-t-il exprimées ?*

What opinions did he express?

*Quel toupet !*

What a cheek!

# F Prepositions

Prepositions are used to establish the relationship between two nouns, a noun and a verb or between different parts of a sentence.

*Elle est fâchée contre moi.*

She's angry with me.

*C'est grâce à ton influence.*

It's thanks to your influence.

*La maison se trouve près de la forêt.*

The house is near the forest.

*Ceci appartient à qui ?*

This belongs to whom?

# G Conjunctions

A conjunction is a joining word that acts as a link between clauses or ideas. Here are some examples to help you recognise conjunctions:

| | |
|---|---|
| *à cause de* | because of |
| *aussi bien que* | as well as |
| *depuis que* | since (= from the time that) |
| *donc* | so, then (= therefore) |
| *ou bien* | or else |
| *ou…ou* | either…or |

| | pendant que | while (= during the time that) |
|---|---|---|
| | puisque | seeing that, since (= because) |
| | que | replaces *comme, lorsque, quand* to avoid their being repeated in a second clause |
| | tandis que | whereas, whilst (= contrast) |

*Il n'a pas été choisi pour le poste **à cause de** son tempérament agressif.*

He hasn't been chosen for the post because of his agressive temperament.

*Elle est vraiment modeste **tandis que** son frère est très fier de lui.*

She is really modest, whereas her brother is very proud of himself.

*Fais-le comme il faut **ou bien** tu risques de la perdre !*

Do it properly or else you are likely to lose her!

# H Verbs

The verb (the doing word) is the action and it is the hub, without which a statement, question or command, cannot exist. Verbs are normally found in the dictionary in the infinitive form, often called the *to* form:

*aimer* – to love, *finir* – to finish, *vendre* – to sell

## H1 Present tense

### H1.1

The majority of verbs belong to three conjugations. These verbs always use the same endings. The endings used to form the present tense of regular verbs are shown in the table below.

| | aimer (type 1) | finir (type 2) | vendre (type 3) |
|---|---|---|---|
| je/j' | aime | finis | vends |
| tu | aimes | finis | vends |
| il/elle/on | aime | finit | vend |
| nous | aimons | finissons | vendons |
| vous | aimez | finissez | vendez |
| ils/elles | aiment | finissent | vendent |

**Tip!** When you come across a French present tense form, think of the phrase **Three for one!** For example, *je finis* gives you *I finish, I am finishing, I do finish.*

### H1.2

The most common irregular verbs in the French language are *avoir* (to have), *être* (to be) and *faire* (to do/make), so they need to be learned by heart:

| | avoir (to have) | être (to be) | faire (to do, make) |
|---|---|---|---|
| je/j' | ai | suis | fais |
| tu | as | es | fais |
| il/elle/on | a | est | fait |
| nous | avons | sommes | faisons |
| vous | avez | êtes | faites |
| ils/elles | ont | sont | font |

Here is a list of other common regular verbs, all of which are listed in the verb table at the end of this grammar section. Try to make sure you look at the table regularly.

| | | | |
|---|---|---|---|
| *aller* | *boire* | *courir* | *croire* |
| *devoir* | *dire* | *dormir* | *mettre* |
| *ouvrir* | *pouvoir* | *prendre* | *savoir* |
| *sortir* | *tenir* | *venir* | *vouloir* |

## H2 Reflexive verbs

### H2.1

In general, a reflexive verb is one in which the person, animal or thing doing the action does it to him/her/itself.

*Je m'habille avec soin.*

I dress carefully.

*Ils veulent se sentir libres.*

They want to feel free.

### H2.2

The verb is accompanied by a reflexive pronoun belonging to the same person as the subject of the verb.

*Je me prépare*   I prepare/am preparing/do prepare myself.

*tu te prépares*

*il/elle/on se prépare*

*nous nous préparons*

*vous vous préparez*

*ils/elles se préparent*

### H2.3

The action is reflexive:
- when the subject suffers the action him/her/itself:

*Je me rase à sept heures et demie.*

I have a shave at 7.30.
- when the action occurs between two or more subjects:

*Vous vous opposez sans cesse.*

You are always disagreeing with each other.

- as a way of expressing a passive action:

*Ce vin blanc se boit frais.*

This white wine is drunk chilled.

- with certain verbs which need an object pronoun to complete their sense:

*Tu te précipites sur ton flirt !*

You hurl yourself at your girlfriend!

# H3 Present participle

The present participle in French is formed by taking the *nous* form of the present tense verb, removing the *-ons* ending and replacing it by *–ant*:

*donnant* – giving

*finissant* – finishing

*vendant* – selling

It is used most commonly together with en in the sense of in/by/through doing:

*En faisant cette erreur, j'ai perdu un très bon ami.*

Through making this mistake, I lost a very good friend.

*En finissant avec la société, j'ai fait une très bonne chose.*

By finishing with the company, I did a very good thing.

The present participle may often be found at the beginning of a sentence as a way of rendering *because* or *since*.

*Étant fâché contre elle, j'avais complètement malinterprété ce qu'elle voulait dire.*

Being angry with her, I had completely misinterpreted what she meant.

# H4 Perfect tense

## H4.1

The perfect tense is used for expressing completed actions in the past. These actions often follow on from one another.

*J'ai pris un petit café. Puis, je suis allé au travail.*

I had a small coffee. Then, I went to work.

## H4.2

The perfect tense in French is the equivalent of the perfect tense in English. It is formed in a similar way to the English perfect tense, using *avoir* as an auxiliary, where English uses *have*. As with the present tense, English gives three for one:

*Elle a fini.*

She has finished/She finished/She did finish.

*J'ai vendu ma vieille bagnole.*

I have sold/I sold/I did sell my motor.

## H4.3

The perfect tense is usually formed from the present tense of the helper verb *avoir* followed by the past participle of the verb.

|  | *aimer* (type 1) | *finir* (type 2) | *vendre* (type 3) |
|---|---|---|---|
| *j'ai* | aimé | fini | vendu |
| *tu as* | aimé | fini | vendu |
| *il/elle/on a* | aimé | fini | vendu |
| *nous avons* | aimé | fini | vendu |
| *vous avez* | aimé | fini | vendu |
| *ils/elles ont* | aimé | fini | vendu |

## H4.4

Some intransitive verbs (verbs that do not take a direct object) use the auxiliary *être* instead of *avoir* in the perfect tense. They are:

| | | |
|---|---|---|
| *aller* | *arriver* | *descendre* |
| *entrer* | *monter* | *mourir* |
| *naître* | *partir* | *rester* |
| *sortir* | *tomber* | *venir* |

plus their compounds, of which *rentrer* and *revenir* are the most familiar. They can be grouped as six pairs (as above), making them easier to remember.

*Je suis resté(e) dans la salle des ordinateurs.*

I stayed/have stayed/did stay in the computer room.

*Nous sommes parti(e)s pour la plage.*

We left/have left/did leave for the beach.

## H4.5

Reflexive verbs form their perfect tense with *être*.

*Nous nous sommes levés tard ce matin.*

We got up late this morning.

*Elle s'est maquillée avant d'aller au travail.*

She put on her make up before going to work.

**But:**

*Elle s'est séché les cheveux.*

She dried her hair.

Note that no **-e** has been added to the past participle, because **s'** is an indirect object (see 14.5).

## H4.6

The past participle of a normal *être* verb agrees with its subject in gender and number:

| Infinitive | Pronoun | Auxiliary | Past participle |
|------------|---------|-----------|-----------------|
| aller | je | suis | allé(e) |
| venir | tu | es | venu(e) |
| monter | il | est | monté |
| descendre | elle | est | descendue |
| entrer | nous | sommes | entré(e)s |
| sortir | vous | êtes | sorti(e)(s) |
| rester | ils | sont | restés |
| partir | elles | sont | parties |

However, the past participle of a reflexive verb agrees with the reflexive pronoun and only if it is a direct object.

*Elle s'est habillée.*     She got dressed.

*Ils se sont lavés.*     They washed (themselves).

*Elles se sont levées.*     They (f) got up.

However, if the reflexive pronoun is an indirect object, there will be no agreement, and the past participle may look incomplete to you.

**Tip!** There is an easy way to tell whether the object is direct or indirect. If *to/for* is already there with the object or could be added to the sentence and still make sense, then the object is indirect. So, always try the *to/for* test, if you are not sure.

*Elle s'est promis un petit cadeau.*

She promised (to) herself a little present.

*Ils se sont parlé.*

They spoke to each other.

*Elles se sont envoyé des lettres.*

They sent (to) each other letters.

## H4.7

Past participles are often used as adjectives. These participle adjectives must agree with their subject just like any other adjective.

| | |
|---|---|
| *un homme expérimenté* | an experienced man |
| *une présidente respectée* | a respected president/ chairwoman |
| *les pays développés* | the developed countries |
| *deux personnes bien connues* | two well-known people |

## H4.8

Certain past participles are used as nouns. These participle nouns are masculine or feminine, singular or plural, according to the gender and number of the subject.

| | |
|---|---|
| *un(e) employé(e)* | an employee/clerk |
| *un(e) délégué(e)* | a delegate |
| *les nouveaux arrivés* | the new arrivals (m) |
| *les nouvelles arrivées* | the new arrivals (f) |

## H4.9

The past participle of a verb formed with *avoir* **never** agrees with the subject.

*Elles ont été là.*     They were there.

Instead, it agrees in gender and number with a preceding direct object.

*Quant à Sylvie, ses parents l'ont gâtée.*

As for Sylvie, her parents spoiled her.

Here *l'* is the direct object of the verb and precedes the verb.

*Des livres que vous avez empruntés.*

The books that you borrowed.

(*livres* is the direct object of the verb *emprunter* and precedes the verb)

## H5 Perfect infinitives

French uses the perfect infinitive after *après* as the equivalent of the English *after doing* or *after having done something*. Think of the French as *after to have done*, where after or *être* is followed by a past participle.

*Après avoir reçu le mail, j'ai contacté le bureau.*

After getting the e-mail, I contacted the office.

*Après avoir eu la promotion, il a célébré avec sa famille.*

After getting the promotion, he celebrated with his family.

*Après être rentrées, elles ont déballé leurs bagages.*

After getting home, they unpacked their luggage.

## H6 Imperfect tense

### H6.1

The imperfect tense is used in the following situations:

● past description

*Quand j'avais vingt ans.*

When I was twenty.

● interrupted action in the past

*Je me maquillais quand il a téléphoné.*

I was putting on my make up when he called.

- repetition in the past

*Tous les soirs je devais couper du bois.*

I had to chop wood every night.

- past habit

*Je faisais de la gymnastique.*

I used to do gymnastics.

*C'était l'époque où j'adorais sortir.*

That was the period of my life when I loved to go out.

## H6.2

**Tip!** We use the imperfect when we can see neither the beginning nor the end of the action or the series of actions. Compare:

> *Le Président de Gaulle gouvernait pendant la guerre d'Algérie. Il a gouverné plus de dix ans.*

In the first sentence the verb is in the imperfect, since the action of governing was in the process of happening and had not been completed. In the second, we are talking about a completed action; imperfect = incomplete.

## H6.3

The imperfect is easy to form. The imperfect stem of every verb except *être* is the same as the stem of the first person plural of the present tense, e.g. *aimons, finissons, vendons*, as in the table below:

|  | aimer (type 1) | finir (type 2) | vendre (type 3) | avoir |
|---|---|---|---|---|
| je | aimais | finissais | vendais | avais |
| tu | aimais | finissais | vendais | avais |
| il/elle/on | aimait | finissait | vendait | avait |
| nous | aimions | finissions | vendions | avions |
| vous | aimiez | finissiez | vendiez | aviez |
| ils/elles | aimaient | finissaient | vendaient | avaient |

*Être* is the main verb with a notably irregular imperfect tense, and it needs to be learned separately.

| j' | étais |
|---|---|
| tu | étais |
| il/elle/on | était |
| nous | étions |
| vous | étiez |
| ils/elles | étaient |

# H7 Pluperfect tense

## H7.1

The pluperfect tense describes what happened before another past action. In English it contains the word *had*.

*Céline a aperçu l'agent que nous avions rencontré devant le café.*

Céline spotted the policeman, whom we had met in front of the café.

*J'ai compris que tu étais montée là-haut.*

I realised that you had gone up there.

*Ils avaient bénéficié d'un soutien innovant.*

They had benefited from an innovative piece of support.

## H7.2

The pluperfect tense is formed by using the imperfect of the *avoir/être* auxiliary, together with the past participle of the verb.

| Auxiliary = *avoir* | | | |
|---|---|---|---|
| j' | avais | rencontré | I had met etc. |
| tu | avais | rencontré | |
| il/elle/on | avait | rencontré | |
| nous | avions | rencontré | |
| vous | aviez | rencontré | |
| ils/elles | avaient | rencontré | |
| Auxiliary = *être* | | | |
| j' | étais | monté(e) | I had climbed etc. |
| tu | étais | monté(e) | |
| il/elle/on | était | monté(e) | |
| nous | étions | monté(e)s | |
| vous | étiez | monté(e)(s) | |
| ils/elles | étaient | monté(e)s | |

## H7.3

Because the pluperfect tense is used to highlight how one action happened before another in the past, we often find it working together with the imperfect tense in the same statement or question.

*Chaque fois que j'avais consulté avec mon associé, j'étais à même de continuer avec le projet.*

Each time I had consulted my associate, I was able to continue with the project.

*Ma tante, qui avait été assistante sociale, me donnait toujours de bons conseils.*

My aunt, who had been a social worker, always used to give me good advice.

# H8 Expressing the future

## H8.1

The near or immediate future tense is formed in the same way in French as in English, by the use of the present tense of *aller* + an infinitive verb:

*Je vais aller au cinéma avec la clique ce soir.*

I'm going to go to the cinema with the gang this evening.

*Tu ne vas pas lui dire un tel mensonge !*

You're not going to tell him/her such a lie!

If the action is not likely to occur within a short space of time, use the standard future, not the near future.

## H8.2

In French, like in English, in order to communicate the dramatic nature of a past event (especially in a personal conversation or in the press), the present is often used instead of the past, to make the description more dramatic.

*Je me promène dans la rue, je fais un peu de lèche-vitrines, quand il m'aborde, il me demande de l'argent et me menace !*

There I am walking along the street doing a bit of window-shopping, when he comes up to me, demands money and threatens me!

## H8.3

The future tense indicates the time to come. In English, it is sometimes called the *shall/will tense*. In French, this tense is relatively easy to form. With verbs of types 1 and 2, we add the endings of the present tense of *avoir* to the infinitive of the verb.

|  | aimer (type 1) | finir (type 2) |  |
|---|---|---|---|
| je | aimerai | finirai | I shall/will like/finish etc. |
| tu | aimeras | finiras |  |
| il/elle/on | aimera | finira |  |
| nous | aimerons | finirons |  |
| vous | aimerez | finirez |  |
| ils/elles | aimeront | finiront |  |

**Note:** the future is formed in the same way for type 3 verbs. The only difference is that you have to remove the **-e** from the infinitive before adding the *avoir* endings.

|  | vendre (type 3) |  |
|---|---|---|
| je | vendrai | I shall/will sell etc. |
| tu | vendras |  |
| il/elle/on | vendra |  |
| nous | vendrons |  |
| vous | vendrez |  |
| ils/elles | vendront |  |

*S'il est difficile, je contacterai la police.*

If he's difficult, I'll contact the police.

*Il portera le nom de sa partenaire.*

He will take his partner's name.

*L'équipe gagnera le championnat.*

The team will win the championship.

*Ils lui rendront l'argent.*

They will give him/her the money back.

*Les conjoints auront plus de 18 ans.*

(The) Partners will be over 18.

## H8.4

The future endings of irregular verbs are exactly the same as for regular verbs.

**Tip!** It is the stem we have to watch.

Below is a short list of the most commonly used irregular futures.

| | |
|---|---|
| *j'aurai* | I shall/will have |
| *j'enverrai* | I shall/will send |
| *il faudra* | it will be necessary |
| *je ferai* | I shall/will do/make |
| *j'irai* | I shall/will go |
| *il pleuvra* | it will rain |
| *je saurai* | I shall know |
| *je serai* | I shall/will be |
| *je tiendrai* | I shall hold |
| *il vaudra* | it will be worth |
| *je viendrai* | I shall come |
| *je verrai* | I shall see |
| *je voudrai* | I shall want/like |

There are others, of which the most important can be found in the verb table on pages 288–91.

## H8.5

If the adverbs *quand* and *lorsque* have a future sense, they are followed by the future tense:

*…quand l'un ou l'autre paiera*

…when one or the other pays

*Je viendrai lorsque tu décideras.*

I shall come when you decide.

Compare:

*Quand je paie les billets, il me dévisage.*

When(ever) I pay for the tickets, he stares at me.

Here, the verb is in the present, because there is no future sense.

# H9 Future perfect tense

The future perfect shows what shall/will have happened by a specific time in the future or another event. It is called the future perfect in French, because it is formed by a combination of the future of *avoir* or (s') *être* and a past participle.

*Avant la fin de l'année, j'aurai récupéré mon argent.*

Before the end of the year, I shall have got my money back.

*D'ici vingt-quatre heures, elle sera rentrée d'Afrique.*

In the next twenty-four hours, she will have returned from Africa.

*Je te promets, ils se seront rétablis avant mon départ.*

I promise you, they will have recovered before I go.

We have to be careful when the French future perfect is found in tandem with *après que, aussitôt que, dès que, lorsque, quand* and *une fois que*, when the verb in the main clause would just be in the future in English.

*Je le ferai dès que j'aurai fini ici.*

I'll do it as soon as I have finished here.

The future perfect is also used in journalism to imply that the statement has not yet been corroborated.

*La victime aura péri dans la conflagration.*

The victim is thought/likely to have perished in the blaze.

# H10 Past historic

The past historic (*le passé simple*) is the literary equivalent of the perfect tense (the *passé composé*) and is only used in written language. It is sometimes used in journalism, but is more common in novels and short stories. The *tu* and *vous* forms are very seldom used.

For AS and A-level you are required only to recognise the meanings of verbs in the past historic and not to use them actively in either spoken or written language.

## H10.1

There are three types of verb form in the past historic:

|  | aimer (type 1) | finir (type 2) | boire (type 3) |
|---|---|---|---|
| je | aimai | finis | bus |
| tu | aimas | finis | bus |
| il/elle/on | aima | finit | but |
| nous | aimâmes | finîmes | bûmes |
| vous | aimâtes | finîtes | bûtes |
| ils/elles | aimèrent | finirent | burent |
|  | loved | finished | drank etc. |

You will see that the endings of the three regular verb types are very similar and that in nearly all cases only a change of vowel from **-er** verbs to the other two types is needed.

**Note:** **-re** verbs form the past historic either with **-us** or **-is**. Often, if the past participle of the verb ends in **-u**, the past historic of the verb will be of the **-us** type (exception: *vendu*, but *vendis*).*j'ai aperçu*     *j'aperçus*  I noticed/spotted

*j'ai connu*     *je connus*     I knew

For other exceptions, consult the verb table on pages 288–91.

## H10.2

*Avoir* and *être* form their past historic as follows:

|  | avoir | être |
|---|---|---|
| je | eus | fus |
| tu | eus | fus |
| il/elle/on | eut | fut |
| nous | eûmes | fûmes |
| vous | eûtes | fûtes |
| ils/elles | eurent | furent |

## H10.3

*Tenir, venir* and their compounds form the past historic as follows:

|  | tenir | venir |
|---|---|---|
| je | tins | vins |
| tu | tins | vins |
| il/elle/on | tint | vint |
| nous | tînmes | vînmes |
| vous | tîntes | vîntes |
| ils/elles | tinrent | vinrent |

# H11 Conditional

The conditional is the should/would tense and is sometimes called the future in the past.

## H11.1

Compare the two sentences below.

*Si vous continuez à boire, vous serez dans un drôle d'état.*

If you continue drinking, you will be in a real state.

*Si vous continuiez à boire, vous seriez dans un drôle d'état.*

If you were to continue to drink, you would be in a real state.

In the first sentence, the verbs are in the present and future. In the second, they are in the imperfect and the conditional. When such a past event is being described, the future is replaced by the conditional to give the idea of the future in the past.

| | | |
|---|---|---|
| dire de | pardonner de | s'efforcer de |
| empêcher de | parler de | s'empresser de |
| essayer de | permettre de | s'ennuyer de |
| éviter de | persuader de | s'étonner de |
| faire semblant de | prendre garde de | s'excuser de |
| feindre de | prier de | se contenter de |
| féliciter de | promettre de | se dépêcher de |
| finir de | proposer de | se hâter de |
| jurer de | recommander de | se repentir de |
| manquer de | refuser de | se souvenir de |
| menacer de | regretter de | se vanter de |
| mériter de | remercier de | soupçonner de |
| offrir de | reprocher de | supplier de |
| omettre de | résoudre de | tâcher de |
| ordonner de | risquer de | tenter de |
| oublier de | s'arrêter de | |

Additional examples:

*Je me suis accoutumé(e) à faire cela.*

I've become accustomed to doing that.

*Elle m'a aidé à le\* faire.*

She helped me to do it.

*Nous commencions à célébrer.*

We were starting to celebrate.

\*\* The verb *continuer* may take either *à* or *de*.

## H17.2
There is also a group of verbs that link directly to an infinitive:

*Elle va travailler avec nous.*

She's going to work with us.

*L'arbitre a dû décider vite.*

The referee had to decide quickly.

*Je ne voulais pas rester.*

I didn't want to stay.

*Il faut donner autant que l'on a reçu.*

You should give as much as you have received.

Here is a list to help you:

| | | |
|---|---|---|
| aimer | écouter | préférer |
| aimer mieux | entendre | prétendre |
| aller | entrer | regarder |
| avouer | envoyer | retourner |
| compter | espérer | savoir |
| courir | faire\* | sembler |
| croire | falloir | sentir |
| daigner | laisser | valoir mieux |
| déclarer | oser | voir |
| désirer | paraître | vouloir |
| devoir | pouvoir | |

\* *Faire* + infinitive needs special attention. Note the following examples:

*Elle le fait siffler.*

She makes him whistle.

*Elle lui fait siffler la chanson.*

She makes him whistle the song.

If *faire* is linked directly to a simple infinitive, the pronoun object is direct. If the infinitive has a direct object of its own, the pronoun with *faire* becomes indirect.

## H17.3
Certain adjectives are also linked to an infinitive by *à* or *de*:

*Je suis enclin à vous croire.*

I'm inclined to believe you.

*Sa famille était heureuse d'accueillir le jeune Allemand.*

His/Her family were happy to welcome the young German.

The following lists are helpful:

● *à* + infinitive:

| | | |
|---|---|---|
| difficile à | le premier/la première à | lourd à |
| disposé à | | prêt à |
| enclin à | le/la seul(e) à | prompt à |
| facile à | lent à | propre à |

● *de* + infinitive:

| | | |
|---|---|---|
| heureux de | certain de | sûr de |
| capable de | content de | |

## H17.4
Certain nouns are linked to an infinitive by *de*:

*Vous avez le droit de vous plaindre.*

You have the right to make a complaint.

*Elle n'a pas eu le temps de s'échapper.*

She didn't have time to escape.

Here is a list of the most frequent of these nouns:

| | | |
|---|---|---|
| *la bonté de* | *le besoin de* | *le désir de* |
| *le droit de* | *l'honneur de* | *l'occasion de* |
| *le plaisir de* | | |

## H17.5

*Beaucoup, plus, moins, trop, suffisamment, quelque chose, rien* and *énormément* are linked to an infinitive by *à*:

*Le déménagement lui avait donné beaucoup à faire.*

Moving house had given him/her a lot to do.

*Elle avait moins à rattraper que lui.*

She had less to catch up (on) than him.

*J'ai quelque chose à leur dire.*

I've got something to tell them.

*Il n'a jamais rien à faire.*

He's never at a loose end.

Nouns can be linked to an infinitive in the same manner:

*J'ai des tas de choses à faire.* I've got loads to do.

*J'ai un examen à passer.* I've got an exam to sit.

## H17.6

*Pour/afin de* and *sans* link directly to an infinitive. They are used frequently in both spoken and written French.

*Pour améliorer leurs connaissances en langue étrangère…*

To improve their knowledge of a foreign language…

*Pour avoir si souvent dormi…*

Because I had slept so often…

*Je suis trop âgée pour suivre des cours à la fac.*

I am too old to take a university course.

*Afin de répondre à tous les types de demandes…*

In order to respond to all types of demand…

*Sans vouloir vous insulter…*

Without wishing to insult you…

## H18 Direct and indirect speech

Direct speech is simply speech as it happens. It is indicated in written accounts by some form of speech marks or italics:

*Elle explique, « Papa est retardé au travail. »*

She explains, 'Dad is delayed at work.'

**Note:** in French, if the sentence starts with the actual speech, the subject and verb that come after are inverted and if the subject is a pronoun, a hyphen is needed to separate the verb and pronoun. If the verb ends in an -*e* and the pronoun starts with one *a*, -**t** is placed between verb and subject:

*« Papa est retardé au travail, » explique-**t**-elle.*

Indirect speech occurs when a person's words are reported either by the original speaker or another person. No speech marks are used and the French sentence above becomes:

*Elle explique que le père est retardé au travail.*

Very often the tense of the verb has to change from the original speech when indirect speech is used, as in the table below:

*Elle a dit que/qu'elle…*

| Direct speech | Indirect speech |
|---|---|
| *je suis ravie* (present) | *était ravie* (imperfect) |
| *j'irai là-bas* (future) | *irait là-bas* (conditional) |
| *j'ai fait le nécessaire* (perfect) | *avait fait le nécessaire* (pluperfect) |
| *samedi, je serai rentrée* (future perfect) | *samedi elle serait rentrée* (conditional perfect) |

## H19 Inversion of subject and verb after adverbs

Inversion takes place after certain adverbial expressions that usually stand at the beginning of a clause or sentence. The most common of these adverbs are:

| | | | |
|---|---|---|---|
| *à peine* | *aussi* | *du moins* | *encore* |
| *en vain* | *non seulement* | *toujours* | |

**Aussi est-il** *possible de dire que…*

It is also possible to say that…

**Toujours est-il** *que…*

Nevertheless, the fact remains that…

**Non seulement ont-ils** *oublié de faire les démarches nécessaires, mais…*

Not only did they forget to take the necessary measures, but…

**Du moins avons-nous** *aidé les blessés.*

At least we helped the injured.

**En vain a-t-on** *essayé de rétablir la paix.*

In vain they tried to re-establish the peace.

## H20 *Il y a*

*See page 268 for the basic use of the pronoun y.*

*Il y a* is an impersonal verb that has two basic uses.

Most commonly *il y a* introduces a statement of (likely) fact, often involving a number or quantity, and is the equivalent of the English *there is/there are*. It can be used in all of the normal tenses.

*Il y a un problème avec cela.*

There's a problem with that.

*Il y aura trois ou quatre possibilités.*

There will be three or four possibilities.

*Y aurait-il suffisamment de joueurs ?*

Would there be enough players?

*Il y a* is also often used as an adverbial expression of time, the equivalent of *ago*.

*La directrice était là il y a trois semaines.*

The director was there three weeks ago.

*C'est comme si ceci était il y a une éternite !*

It's as if this was a whole lifetime ago!

## H21 Other impersonal verbs

Like *il y a*, these impersonal verbs are only found in the *il* form and can be used in other tenses besides the present. The most frequently encountered of this group are:

*Il faut + infinitive*

It is necessary/You need + infinitive

*Il vaut mieux + infinitive*

It is better + infinitive

*Il est + adjectif + de*

It is + adjective + infinitive

*Il est + adjectif + que*

It is + adjective + that

Examples:

*Il faut y aller.*

It is necessary/you need to go there.

*Il faudra parler avec quelqu'un.*

You'll need to talk to someone.

*Il vaut mieux accepter son excuse.*

You need to accept his excuse.

*Il vaudrait mieux payer l'amende.*

It would be better to pay the fine.

*Il est difficile d'accepter ça.*

It is difficult to accept that.

*Il avait été facile de récupérer l'argent.*

It had been easy to get the money back.

*Il est essentiel qu'elle vienne.*

It is essential (that) she come(s).

*Il est évident que l'accusé était innocent.*

It's clear that the accused was innocent.

## H22 Sequence of tenses

You need to consider the sequence of tenses when a sentence contains a main clause plus one or more subordinate clauses. A main clause can stand on its own, but a subordinate clause cannot, because it depends on the main clause for its existence. It may help you to think of 'subordinate' as meaning 'depending on'.

The sequence of tenses is the relationship in time between the verb in the main clause and the verb(s) in the subordinate clause(s). This can be easily understood if you remember the boxes below:

> **Note**
>
> When the main clause comes first:
>
> main clause — before/at the same time as/after — subordinate clause

> **Note**
>
> When the subordinate clause comes first:
>
> subordinate clause — before/at the same time as/after — main clause

The boxes give you the timeframes for linking the verb in the subordinate clause with the verb in the main clause. Start by identifying the main-clause verb, then look for an action occurring *before*, *at the same time as* or *after* it.

Examples:

*Mon père **était** dans l'armée **pendant que** ma mère **travaillait** à l'usine.*

My father **was** in the army **while** my mother **worked** at the factory.

> imperfect          at the same time  imperfect

*Si tu **votes**, tu **auras** la conscience tranquille.*

If you **vote**, you **will have** an easy conscience.

> before = present     after = future

*Je **suis** heureuse **depuis que** j'ai **quitté** Claude.*

I **am** happy **since** I **left** Claude.

> present     after     past

## Exceptions

There are exceptions to this rule, mostly when an English present tense has a future sense. In this case the French verb must be in the future tense.

We **hope** that you **have** a long, happy life together.

      present        present

*Nous **espérons** que vous **aurez** une longue vie heureuse ensemble.*

      present        future

I **will help** the less fortunate when I **am** rich.

  future               present

*J'**aiderai** les démunis quand je **serai** riche.*

  future               future

# I Numerals

There are two kinds of numerals (or numbers): cardinals and ordinals. Cardinals give the number of living creatures, places, things or ideas in question. Examples:

*un, deux, trois, quatre, cent, mille, un million*

As the term suggests, ordinals give the place etc. in numerical order: first, second, third etc. With very few exceptions, ordinals are formed in French by adding **-ième** to the basic cardinal.

Examples:

| | |
|---|---|
| *premier/première* | first |
| *deuxième* | second |
| *second/seconde* | second |
| *troisième* | third |
| *quatrième* | fourth |
| *cinquième* | fifth |
| *sixième* | sixth |
| *septième* | sevent |
| *huitième* | eighth |
| *neuvième* | ninth |
| *dixième* | tenth |
| *dix-septième* | seventeenth |
| *vingt et unième* | twenty-first |
| *trente-troisième* | thirty-third |

**Notes:** *second* can be said in two ways in French, *deuxième* and *second/seconde*, the latter being treated like an adjective. It is pronounced 'segond/segonde'.

If the basic cardinal ends in an **-e**, this is dropped in its ordinal form. Examples:

*onzième, douzième treizième, trentième*

eleventh, twelfth, thirteenth, thirtieth

*Cinq* adds a **-u** when it becomes an ordinal, i.e *cinquième*.

*Neuf* changes the **-f** to **-v**, i.e. *neuvième*.

# J Negative pronouns, adjectives and adverbs

In addition to *ne...pas* there is a whole range of negative expressions using *ne*:

| | |
|---|---|
| *ne...aucun* | no, not any |
| *ne...aucunement* | not at all, in no way |
| *ne...nul* | no, not any |
| *ne...guère* | hardly |
| *ne...personne* | no one, nobody |
| *ne...jamais* | never |
| *ne...rien* | nothing |
| *ne...nullement* | not at all, in no way |
| *ne...plus* | no (not any) more |
| *ne...point* | not at all (in no way) |
| *ne...que* | only |

**Tip!** Make sure you remember there are two parts to each of these negatives.

*Je ne vais jamais en boîtes de nuit avec la clique !*

I never go clubbing with the gang!

*Il n'y a rien pour vous inquiéter.*

There's nothing for you to worry about.

A negative pronoun or adjective may be either the subject or the object of the verb. If it is the subject, it comes at the beginning of the clause.

*Personne ne sait comment.*

No one knows how.

*Je n'ai vu personne.*

I saw no one/nobody.

Negative adverbs take the place of *ne...pas* in the sentence.

*Elle ne sortait plus seule.*

She no longer went out alone.

*Ils n'ont plus de problèmes.*

They have no more problems.

*Tu n'étais point d'accord.*

You did not agree at all.

# Verb table

| | | Present | Perfect | Imperfect | Future | Conditional | Subjunctive |
|---|---|---|---|---|---|---|---|
| **Regular verbs** | | | | | | | |
| *aider* (to help) | j' | aide | ai aidé | aidais | aiderai | aiderais | aide |
| (type 1, -er verbs) | tu | aides | as aidé | aidais | aideras | aiderais | aides |
| | il/elle/on | aide | a aidé | aidait | aidera | aiderait | aide |
| | nous | aidons | avons aidé | aidions | aiderons | aiderions | aidions |
| | vous | aidez | avez aidé | aidiez | aiderez | aideriez | aidiez |
| | ils/elles | aident | ont aidé | aidaient | aideront | aideraient | aident |
| *finir* (to finish) | je/j' | finis | ai fini | finissais | finirai | finirais | finisse |
| (type 2, -ir verbs) | tu | finis | as fini | finissais | finiras | finirais | finisses |
| | il/elle/on | finit | a fini | finissait | finira | finirait | finisse |
| | nous | finissons | avons fini | finissions | finirons | finirions | finissions |
| | vous | finissez | avez fini | finissiez | finirez | finiriez | finissiez |
| | ils/elles | finissent | ont fini | finissaient | finiront | finiraient | finissent |
| *vendre* (to sell) | je/j' | vends | ai vendu | vendais | vendrai | vendrais | vende |
| (type 3, -re verbs) | tu | vends | as vendu | vendais | vendras | vendrais | vendes |
| | il/elle/on | vend | a vendu | vendait | vendra | vendrait | vende |
| | nous | vendons | avons vendu | vendions | vendrons | vendrions | vendions |
| | vous | vendez | avez vendu | vendiez | vendrez | vendriez | vendiez |
| | ils/elles | vendent | ont vendu | vendaient | vendront | vendraient | vendent |
| **Irregular verbs** | | | | | | | |
| *aller* (to go) | je/j' | vais | suis allé(e) | allais | irai | irais | aille |
| | tu | vas | es allé(e) | allais | iras | irais | ailles |
| | il/elle/on | va | est allé(e) | allait | ira | irait | aille |
| | nous | allons | sommes allé(e)s | allions | irons | irions | allions |
| | vous | allez | êtes allé(e)(s) | alliez | irez | iriez | alliez |
| | ils/elles | vont | sont allé(e)s | allaient | iront | iraient | aillent |
| *avoir* (to have) | j' | ai | ai eu | avais | aurai | aurais | aie |
| | tu | as | as eu | avais | auras | aurais | aies |
| | il/elle/on | a | a eu | avait | aura | aurait | ait |
| | nous | avons | avons eu | avions | aurons | aurions | ayons |
| | vous | avez | avez eu | aviez | aurez | auriez | ayez |
| | ils/elles | ont | ont eu | avaient | auront | auraient | aient |

| | | Present | Perfect | Imperfect | Future | Conditional | Subjunctive |
|---|---|---|---|---|---|---|---|
| boire (to drink) | je/j' | bois | ai bu | buvais | boirai | boirais | boive |
| | tu | bois | as bu | buvais | boiras | boirais | boives |
| | il/elle/on | boit | a bu | buvait | boira | boirait | boive |
| | nous | buvons | avons bu | buvions | boirons | boirions | buvions |
| | vous | buvez | avez bu | buviez | boirez | boiriez | buviez |
| | ils/elles | boivent | ont bu | buvaient | boiront | boiraient | boivent |
| courir (to run) | je/j' | cours | ai couru | courais | courrai | courrais | coure |
| | tu | cours | as couru | courais | courras | courrais | coures |
| | il/elle/on | court | a couru | courait | courra | courrait | coure |
| | nous | courons | avons couru | courions | courrons | courrions | courions |
| | vous | courez | avez couru | couriez | courrez | courriez | couriez |
| | ils/elles | courent | ont couru | couraient | courront | courraient | courent |
| croire (to believe, think) | je/j' | crois | ai cru | croyais | croirai | croirais | croie |
| | tu | crois | as cru | croyais | croiras | croirais | croies |
| | il/elle/on | croit | a cru | croyait | croira | croirait | croie |
| | nous | croyons | avons cru | croyions | croirons | croirions | croyions |
| | vous | croyez | avez cru | croyiez | croirez | croiriez | croyiez |
| | ils/elles | croient | ont cru | croyaient | croiront | croiraient | croient |
| devoir (must; to have to) | je/j' | dois | ai dû | devais | devrai | devrais | doive |
| | tu | dois | as dû | devais | devras | devrais | doives |
| | il/elle/on | doit | a dû | devait | devra | devrait | doive |
| | nous | devons | avons dû | devions | devrons | devrions | devions |
| | vous | devez | avez dû | deviez | devrez | devriez | deviez |
| | ils/elles | doivent | ont dû | devaient | devront | devraient | doivent |
| dire (to say, tell) | je/j' | dis | ai dit | disais | dirai | dirais | dise |
| | tu | dis | as dit | disais | diras | dirais | dises |
| | il/elle/on | dit | a dit | disait | dira | dirait | dise |
| | nous | disons | avons dit | disions | dirons | dirions | disions |
| | vous | dites | avez dit | disiez | direz | diriez | disiez |
| | ils/elles | disent | ont dit | disaient | diront | diraient | disent |
| dormir (to sleep) | je/j' | dors | ai dormi | dormais | dormirai | dormirais | dorme |
| | tu | dors | as dormi | dormais | dormiras | dormirais | dormes |
| | il/elle/on | dort | a dormi | dormait | dormira | dormirait | dorme |
| | nous | dormons | avons dormi | dormions | dormirons | dormirions | dormions |
| | vous | dormez | avez dormi | dormiez | dormirez | dormiriez | dormiez |
| | ils/elles | dorment | ont dormi | dormaient | dormiront | dormiraient | dorment |

## être (to be)

| | Present | Perfect | Imperfect | Future | Conditional | Subjunctive |
|---|---|---|---|---|---|---|
| je/j' | suis | ai été | étais | serai | serais | soit |
| tu | es | as été | étais | seras | serais | soit |
| il/elle/on | est | a été | était | sera | serait | soit |
| nous | sommes | avons été | étions | serons | serions | soyons |
| vous | êtes | avez été | étiez | serez | seriez | soyez |
| ils/elles | sont | ont été | étaient | seront | seraient | soient |

## faire (to do, make)

| | Present | Perfect | Imperfect | Future | Conditional | Subjunctive |
|---|---|---|---|---|---|---|
| je/j' | fais | ai fait | faisais | ferai | ferais | fasse |
| tu | fais | as fait | faisais | feras | ferais | fasses |
| il/elle/on | fait | a fait | faisait | fera | ferait | fasse |
| nous | faisons | avons fait | faisions | ferons | ferions | fassions |
| vous | faites | avez fait | faisiez | ferez | feriez | fassiez |
| ils/elles | font | ont fait | faisaient | feront | feraient | fassent |

## mettre (to put)

| | Present | Perfect | Imperfect | Future | Conditional | Subjunctive |
|---|---|---|---|---|---|---|
| je/j' | mets | ai mis | mettais | mettrai | mettrais | mette |
| tu | mets | as mis | mettais | mettras | mettrais | mettes |
| il/elle/on | met | a mis | mettait | mettra | mettrait | mette |
| nous | mettons | avons mis | mettions | mettrons | mettrions | mettions |
| vous | mettez | avez mis | mettiez | mettrez | mettriez | mettiez |
| ils/elles | mettent | ont mis | mettaient | mettront | mettraient | mettent |

## ouvrir (to open)

| | Present | Perfect | Imperfect | Future | Conditional | Subjunctive |
|---|---|---|---|---|---|---|
| j' | ouvre | ai ouvert | ouvrais | ouvrirai | ouvrirais | ouvre |
| tu | ouvres | as ouvert | ouvrais | ouvriras | ouvrirais | ouvres |
| il/elle/on | ouvre | a ouvert | ouvrait | ouvrira | ouvrirait | ouvre |
| nous | ouvrons | avons ouvert | ouvrions | ouvrirons | ouvririons | ouvrions |
| vous | ouvrez | avez ouvert | ouvriez | ouvrirez | ouvririez | ouvriez |
| ils/elles | ouvrent | ont ouvert | ouvraient | ouvriront | ouvriraient | ouvrent |

## pouvoir (to be able to; can)

| | Present | Perfect | Imperfect | Future | Conditional | Subjunctive |
|---|---|---|---|---|---|---|
| je/j' | peux | ai pu | pouvais | pourrai | pourrais | puisse |
| tu | peux | as pu | pouvais | pourras | pourrais | puisses |
| il/elle/on | peut | a pu | pouvait | pourra | pourrait | puisse |
| nous | pouvons | avons pu | pouvions | pourrons | pourrions | puissions |
| vous | pouvez | avez pu | pouviez | pourrez | pourriez | puissiez |
| ils/elles | peuvent | ont pu | pouvaient | pourront | pourraient | puissent |

## prendre (to take)

| | Present | Perfect | Imperfect | Future | Conditional | Subjunctive |
|---|---|---|---|---|---|---|
| je/j' | prends | ai pris | prenais | prendrai | prendrais | prenne |
| tu | prends | as pris | prenais | prendras | prendrais | prennes |
| il/elle/on | prend | a pris | prenait | prendra | prendrait | prenne |
| nous | prenons | avons pris | prenions | prendrons | prendrions | prenions |
| vous | prenez | avez pris | preniez | prendrez | prendriez | preniez |
| ils/elles | prennent | ont pris | prenaient | prendront | prendraient | prennent |

| | Present | Perfect | Imperfect | Future | Conditional | Subjunctive |
|---|---|---|---|---|---|---|
| **savoir (to know)** | | | | | | |
| je/j' | sais | ai su | savais | saurai | saurais | sache |
| tu | sais | as su | savais | sauras | saurais | saches |
| il/elle/on | sait | a su | savait | saura | saurait | sache |
| nous | savons | avons su | savions | saurons | saurions | sachions |
| vous | savez | avez su | saviez | saurez | sauriez | sachiez |
| ils/elles | savent | ont su | savaient | sauront | sauraient | sachent |
| **sortir (to go out)** | | | | | | |
| je | sors | suis sorti(e) | sortais | sortirai | sortirais | sorte |
| tu | sors | es sorti(e) | sortais | sortiras | sortirais | sortes |
| il/elle/on | sort | est sorti(e) | sortait | sortira | sortirait | sorte |
| nous | sortons | sommes sorti(e)s | sortions | sortirons | sortirions | sortions |
| vous | sortez | êtes sorti(e)(s) | sortiez | sortirez | sortiriez | sortiez |
| ils/elles | sortent | sont sorti(e)s | sortaient | sortiront | sortiraient | sortent |
| **tenir (to hold; to keep)** | | | | | | |
| je/j' | tiens | ai tenu | tenais | tiendrai | tiendrais | tienne |
| tu | tiens | as tenu | tenais | tiendras | tiendrais | tiennes |
| il/elle/on | tient | a tenu | tenait | tiendra | tiendrait | tienne |
| nous | tenons | avons tenu | tenions | tiendrons | tiendrions | tenions |
| vous | tenez | avez tenu | teniez | tiendrez | tiendriez | teniez |
| ils/elles | tiennent | ont tenu | tenaient | tiendront | tiendraient | tiennent |
| **venir (to come)** | | | | | | |
| je | viens | suis venu(e) | venais | viendrai | viendrais | vienne |
| tu | viens | es venu(e) | venais | viendras | viendrais | viennes |
| il/elle/on | vient | est venu(e) | venait | viendra | viendrait | vienne |
| nous | venons | sommes venu(e)s | venions | viendrons | viendrions | venions |
| vous | venez | êtes venu(e)(s) | veniez | viendrez | viendriez | veniez |
| ils/elles | viennent | sont venu(e)s | venaient | viendront | viendraient | viennent |
| **vouloir (to want, wish)** | | | | | | |
| je/j' | veux | ai voulu | voulais | voudrai | voudrais | veuille |
| tu | veux | as voulu | voulais | voudras | voudrais | veuilles |
| il/elle/on | veut | a voulu | voulait | voudra | voudrait | veuille |
| nous | voulons | avons voulu | voulions | voudrons | voudrions | voulions |
| vous | voulez | avez voulu | vouliez | voudrez | voudriez | vouliez |
| ils/elles | veulent | ont voulu | voulaient | voudront | voudraient | veuillent |

# Index of strategies

# Acknowledgements

The publishers would like to thank the following for permission to reproduce photographs:

**p. 11** ZUMA Press, Inc./Alamy; **p. 13** Fotolia; **p. 14** Romolo Tavani/Fotolia; **p. 17** Fotolia; **p. 19** Syda Productions/Fotolia; **p. 23** cdrcom/Fotolia; **p. 27** Catherine CLAVERY/Fotolia; **p. 29** Richard Villaion/Fotolia; **p. 30** Gama-Déborah/Fotolia; **p. 32** oncombuntung/Fotolia; **p**. **34** Simone Schuldis/Fotolia; **p. 35** Rido/Fotolia; **p. 36** Delphotostock/Fotolia; **p. 39** David R. Frazier Photolibrary, Inc./Alamy; **p. 40** Firma V/Fotolia; **p. 41** pkchai/Fotolia; **p. 43** nenadaksic/Fotolia; **p. 45** tatoman/Fotolia; **p. 48** goodluz/Fotolia; **p. 50** Charles Platiau/Reuters; **p. 51** kotoyamagami/Fotolia; **p. 52** Philippe Huguen/Getty Images; **p. 54** Photographee.eu/Fotolia; **p. 57** Elnur/Fotolia; **p. 59** abstract/Fotolia; **p. 60** *l* Kzenon/Fotolia; *r* Photos 12/Alamy; **p. 62** Federico Rostagno/Fotolia; **p. 65** *l* Golden Richard/Alamy; *r* Golden Richard/Alamy; **p. 66** Pictorial Press Ltd/Alamy; **p. 68** michaeljung/Fotolia; **p. 71** UTBP/Fotolia; **p. 73** Wild Orchid/Fotolia; **p. 74** FANTHOMME Hubert/Getty; **p. 76** Jashin/Fotolia; **p. 78** BillionPhotos.com/Fotolia; **p. 80** Heba Aly/IRIN/ www.irinnews.org; **p. 83** ursule/Fotolia; **p. 84** Ryszard/Fotolia; **p. 87** wittybear/Fotolia; **p. 88** Leonid Andronov/Fotolia; **p. 90** http://fetesdelafamille.com; **p. 92** JM-Guyon/Fotolia; **p. 94** Christophe BONNET/Demotix/Demotix/Press Association Images; **p. 97** Pixinoo/Fotolia; **p. 98** age footstock/Alamy; **p.100** keiry/Fotolia; **p. 101** Fotolia; **p. 102** serge simo/Fotolia; **p.105** *t* AF archive/Alamy; *br* ZUMA Press, Inc./Alamy; *bl* Glasshouse Images/Alamy; **p. 106** AF archive/Alamy; **p. 109** PjrStudio/Alamy; **p. 110** GAUMONT/T.F.1/THE KOBAL COLLECTION; **p. 112** Moviestore collection Ltd/Alamy; **p. 113** United Archives GmbH/Alamy; **p. 114** Editions Gallimard; **p. 116** FRANCO LONDON FILMS/THE KOBAL COLLECTION/LIMOT; **p. 118** Moviestore collection Ltd/Alamy; **p. 120** Glasshouse Images/Alamy; **p. 123** AF archive/Alamy; **p. 124** AF archive/Alamy; **p. 126** Moviestore collection Ltd/Alamy; **p. 128** Photos 12/Alamy; **p. 131** United Archives GmbH / Alamy; **p. 132** dojo666/Fotolia; **p. 135** AF archive/Alamy; **p. 136** United Archives/Alamy; **p. 138** Sophie Bassouls/Sygma/Corbis; **p. 140** ZUMA Press, Inc./Alamy; **p. 142** *A* United Archives GmbH/Alamy; *B* NORD-OUEST PROD/TF1 FILMS/SONY/THE KOBAL COLLECTION; *C* RGA; **p. 147** Fotolia; **p.150** diego cervo/Fotolia; **p. 153** imtmphoto/Fotolia; **p. 157** Edward Samuel/Fotolia; **p. 159** AFP PHOTO/FRANCOIS GUILLOT/Getty; **p. 161** Fotolia; **p. 163** bivdone/Fotolia; **p. 164** epa european pressphoto agency b.v./Alamy; **p. 167** hypotekyfidler.cz; **p. 168** Gino Santa Maria/Fotolia; **p. 171** julia252/Fotolia; **p. 172** Rawpixel.com/Fotolia; **p. 175** grzegorz knec/Alamy; **p. 176** Alain Nogues/Corbis; **p. 178** AFP PHOTO FRED DUFOUR/Getty; **p. 180** Chesnot/Getty; **p. 184** AFP PHOTO FRONT NATIONAL/Getty; **p. 186** Haytham Pictures/Alamy; **p. 190** Rozoi/Fotolia; **p. 193** *t* Alfonso de Tomás/Fotolia; *br* apgestoso/Fotolia; *bl* Thierry Chesnot/Getty Images; **p. 194** *l* apgestoso/Fotolia; *r* Alfonso de Tomás/Fotolia; **p. 196** Thierry Chesnot/Getty Images; **p. 201** The Print Collector/Alamy; **p. 203** age fotostock/Alamy; **p. 205** Maurice Savage/Alamy; **p. 206** Pictorial Press/Alamy; **p. 209** AA World Travel Library/Alamy; **p. 211** Roger-Viollet/Topfoto; **p. 212** Bettmann/CORBIS; **p. 215** World History Archive/Alamy; **p. 218** Photos 12/Alamy; **p. 220** Archivart/Alamy; **p. 222** Leemage/Corbis; **p. 225** Artmedia/Heritage Images/TopFoto; **p. 226** Roger-Viollet/TopFoto; **p. 229** Bits and Splits/Fotolia; **p. 230** Photos 12/Alamy; **p. 232** laufer/Fotolia; **p. 234** Christian Liewig/Liewig Media Sports/Corbis; **p. 236** laufer/Fotolia; **p. 238** *l* Raymond Darolle/Europress/Sygma/Corbis; *r* Photos 12/Alamy; **p. 241** guitou60/Fotolia; **p. 243** Rawpixel.com/Fotolia; **p. 244** Alexander Raths/Fotolia; **p. 246** Fotolia; **p. 248** Julien Hekimian/Sygma/Corbis; **p. 250** Monkey Business/Fotolia; **p. 252** jolopes/Fotolia; **p. 254** micromonkey/Fotolia; **p. 256** ra2/Fotolia; **p. 259** Jérôme Rommé/Fotolia

The publishers would like to thank the following for permission to reproduce text:

**p. 23** www.journaldesfemmes.com; **p. 88** www.ifop.fr; **p. 97** www.hunt-a-home.fr; **p. 101** http://tvanouvelles.ca; **p. 110** Coll Fortunio, Éditions de Fallois © Marcel Pagnol, 2004; **p. 138** www.livrenpoche.com; **p. 167** www.rtl.fr; **p. 171** http://leplus.nouvelobs.com; **p. 180** www.scienceshumaines.com; **pp. 188–89** www.leparisien.fr

The illustrations on pp. 198 and 199 were drawn by Barking Dog Art.

8087470743858847